Under the editorship of

OTTO F. BOND

Deuxième Étape

BASIC FRENCH READINGS

RETOLD *and*
EDITED *by*
OTTO F. BOND

D. C. HEATH AND COMPANY
BOSTON

LIBRARY OF CONGRESS CATALOG CARD NO. 61-10529

PUBLISHER'S PREFACE

The principle of vocabulary building through graded readings is accepted as fundamental in all language work. It was first developed and applied to modern foreign languages by a group at the University of Chicago in the early thirties. Its success is indicated not only by the popularity of the original series, but by the countless similar readers developed by various publishers since that time.

The original series of graded readers produced by the University of Chicago Press was taken over by D. C. Heath and Company and expanded considerably, first as the Heath-Chicago series and later independently. The increasing popularity of the German, French, and Spanish series encouraged the publishers to develop alternate series in each language at both the elementary and intermediate level; in the case of German, even a third series of elementary readers has been published. The Italian series is expanding to the intermediate level now, and the Russian series will do likewise.

These graded readers were constructed so carefully that their value is timeless. Each series begins with words of the highest frequency and adds systematically from page to page. Grammatical constructions begin with the simplest ones and increase in difficulty with each succeeding booklet. Yet the language is always clear, current, and unstrained. The student learns without realizing that his text is becoming increasingly difficult. Every student needs to know the most common words and constructions regardless of the teaching approach.

These graded readers are aimed at strengthening that basic structure of language learning and consequently they remain perennial favorites.

We are reissuing all the combined volumes in a form which will enhance their value in the classroom. The five booklets in each volume are now paged consecutively, instead of separately as they were in the previous edition. Where the prefaces to the individual booklets became redundant, an adjustment has been made. We have taken this occasion to correct broken type, misprints, and a few minor items of information. Textually no changes could be made because vocabulary and constructions are so carefully interwoven that changes at any one point would involve changes throughout.

V. C.

CONTENTS

CONTENTS

L'Évasion du Duc de Beaufort

PAR

ALEXANDRE DUMAS

Retold and Edited

INTRODUCING 217 NEW WORDS AND 32 IDIOMS

BOOK SIX

« EH BIEN ! À SEPT HEURES MOINS QUELQUES
MINUTES ... »

ENTRE NOUS

— There is no denying the story-telling power of Dumas. Here is a dramatic episode from his *Vingt ans après,* the sequel to *Les Trois Mousquetaires;* it will serve to temper the somewhat bitter aftertaste from Zola, and to provide a pleasant *passe-temps* before we go on to more difficult things.

— Pardon me, Professor, but what makes you think that this book is going to be a ... a ... *passe-temps?*

— Hm! I had thought to speak figuratively ... Well, first, there are fewer new words and idioms in *Book Six* than in the others; second, of the 217 new words, 104 are recognizable cognates, making the learning burden 113 words, some of which are only compounds or derivatives of words known already; third, there is an unusual amount of repetition, due to the dialogue form of the tale; fourth, 77 per cent of the total vocabulary overlaps the vocabulary of the preceding stories; fifth, the density of the new, non-inferable words is one in 89 running words, which makes for easy reading; sixth, sentence and paragraph structure are fairly simple; seventh ...

— Yes indeed! You certainly can speak figuratively! Apparently, there is no reason for hesitating to take up this ... er ... *passe-temps!* I may as well begin.

— Good! But be sure to check up on the annotated words and idioms when you have finished the story: *Seven* follows *Six.*

NOTE. *New* words and expressions, on first occurrence, are annotated and explained at the bottom of the page, unless cognate. Cognates are followed by an asterisk and are omitted from the end-vocabulary. Derivatives and compounds of words already known, if not cognate, are given in parentheses at the bottom of the page. Words set in small capitals are outside of the basic vocabulary.

3

L'ÉVASION[1] DU DUC* DE BEAUFORT[2]

I. M. DE BEAUFORT

Un soir, vers minuit, quand le cardinal Mazarin[3]
allait chez la reine, en passant près de la salle des
gardes il avait entendu des voix dans cette salle;
il avait voulu savoir de quoi parlaient les soldats,
s'était approché à pas de chat, avait poussé la porte, 5
et y avait passé la tête.

Il y avait une discussion* parmi[4] les gardes.

« Et moi, je vous réponds, » disait l'un d'eux,
« que si Coysel a prédit[5] cela, la chose est aussi certaine que si elle était arrivée. Je ne le connais pas, 10
mais j'ai entendu dire qu'il était non seulement
astrologue,[6] mais encore magicien. »*

« Eh bien, mon cher, s'il est de tes amis, prends
garde ! tu lui rends un mauvais service. »

[1] ÉVASION, escape. [2] François de Vendôme, Duke of
Beaufort (1616–1669), politician and admiral, was a leader of
the *Fronde*, a party waging civil war against the court of Louis
XIV. [3] Cardinal Mazarin (1602–1661), Italian diplomat and
papal *nuncio* to the French court in 1634, was made cardinal
in 1641, and succeeded Richelieu as prime minister at the
latter's death in 1642. He was much disliked by the French
for his avarice and bad faith. [4] **parmi**, among. [5] (**prédit**) *p.p.*
prédire, to predict, foretell. [6] ASTROLOGUE, astrologer.

« Pourquoi cela ? »

« Parce qu'on pourrait bien l'amener devant un tribunal. »

« Ah bah! on ne brûle plus les magiciens, aujour-
5 d'hui. »

« Non ! il me semble cependant qu'il n'y a pas si longtemps que le cardinal Richelieu a fait brûler Urbain Grandier. »[1]

« Mon cher, Urbain Grandier n'était pas un ma-
10 gicien, c'était un savant,[2] ce qui est tout autre chose. Il ne prédisait pas l'avenir.[3] Il savait le passé, ce qui quelquefois est bien pis. »

Mazarin, désirant connaître la prédiction* sur laquelle on discutait, demeura à la même place.

15 « Mais je te dis, » continua le garde, « que si Coysel fait savoir d'avance[4] sa prédiction, c'est le moyen d'empêcher qu'elle n'arrive. »

« Pourquoi? »

« Eh bien ! si Coysel dit assez haut pour que le
20 cardinal l'entende: ‹ Avant un certain jour, un certain prisonnier se sauvera, ›[5] il est bien évident* que le cardinal prendra si bien ses précautions* que le prisonnier ne se sauvera pas. »

« Eh ! mon Dieu, » dit un autre, « s'il est écrit au
25 ciel que le duc de Beaufort doit se sauver, M. de Beaufort se sauvera, et toutes les précautions du cardinal ne l'en empêcheront pas. »

[1] Urbain Grandier was vicar of Loudun; condemned on a charge of sorcery, he was burned alive in 1634. [2] **savant**, scholar. [3] AVENIR, future. [4] **d'avance**, beforehand, in advance. [5] (**se sauver**), to escape.

6

Mazarin fit un saut[1] involontaire. Il était super- stitieux*; il s'avança rapidement* au milieu des gardes, qui, l'apercevant, cessèrent[2] leur discussion.

« Que disiez-vous, Messieurs ? » dit-il, en souriant, « que M. de Beaufort s'était sauvé, je crois ? »   5

« Oh ! non, Monseigneur, » dit le soldat, « pour le moment, il ne le peut pas. On disait seulement qu'il devait se sauver. »[3]

« Et qui dit cela ? »

« Allons, répétez* votre histoire, Saint-Laurent, » 10 dit le soldat, se tournant vers un de ses cama- rades.

« Monseigneur, » dit le garde, « je racontais à ces messieurs ce que j'ai entendu dire de la prédiction de Coysel, qui dit que M. de Beaufort se sauvera 15 avant la Pentecôte. »[4]

« Et ce Coysel est un rêveur,[5] un fou ? » dit le cardinal, toujours souriant.

« Mais non ! » dit le garde, « il a prédit beaucoup de choses qui sont arrivées, comme par exemple que 20 M. de Coligny[6] serait tué dans son duel* avec le duc de Guise. Eh bien ! M. de Coligny a été tué. »

« Ainsi votre pensée, mon ami, » dit le cardinal, « est que M. de Beaufort doit se sauver. »

« C'est si bien ma pensée, Monseigneur, » dit le 25

[1] (saut), jump, start.   [2] CESSER, to stop, cease.   [3] qu'il devait se sauver, that he was to escape.   [4] Pentecôte: Pente- cost is fifty days after Easter.   [5] (rêveur), dreamer.   [6] The Huguenot leader, Admiral de Coligny, died in the massacre of St. Bartholomew (1572); to avenge his murder, his brother fought a duel with the Duc de Guise, and lost his own life.

7

soldat, « que si Votre Éminence* m'offrait en ce moment la place du gouverneur* du château de Vincennes,[1] je ne l'accepterais pas. Oh ! le lendemain de la Pentecôte, ce serait autre chose ! »

5 Mazarin ne répondit pas; il fit une grimace* et quitta la salle.

« Son Éminence fait semblant de ne pas croire à votre astrologue, Saint-Laurent, » dit le garde, « pour n'avoir rien à vous donner; mais aussitôt
10 qu'il sera rentré chez lui, il profitera* de votre prédiction. »

En effet,[2] Mazarin ne continua pas son chemin vers la chambre de la reine, mais rentra chez lui, et appelant son valet,* il donna l'ordre que le lende-
15 main, au point du jour, on allât lui chercher l'officier de garde qui veillait sur M. de Beaufort.

Depuis cinq ans que M. de Beaufort était en prison, il n'y avait pas de jour que Mazarin ne pensât qu'à un moment ou à un autre, il en sortirait.
20 On ne pouvait pas retenir prisonnier toute sa vie un petit-fils[3] de Henri IV, surtout[4] quand ce petit-fils de Henri IV n'avait que trente ans.

Quelle haine[5] ne doit-il pas avoir contre celui qui l'avait pris riche, brave, fameux,* aimé des femmes,

---

[1] The château of Vincennes was built in 1339 in a forest four miles east of Paris; first a royal residence, later a state prison, it is now a military school and depot. [2] **effet,** effect; **en effet,** in fact, indeed. [3] **(petit-fils)**, grandson: the Duc de Beaufort was the second son of the Duc de Vendôme, natural son of Henri IV and Gabrielle d'Estrées. [4] SURTOUT, especially. [5] HAINE, hatred.

craint[1] des hommes, pour ôter de sa vie ses plus belles années!

Cette pensée avait rempli l'esprit[2] du cardinal pendant toute la nuit; aussi, à sept heures du matin, quand son valet entra dans sa chambre pour le 5 réveiller, son premier mot fut-il:

« Eh! Est-ce que M. de Beaufort s'est sauvé de Vincennes? »

« Je ne crois pas, Monseigneur, » dit le valet, avec calme; « mais vous allez en avoir des nouvelles, 10 puisque l'officier La Ramée, que l'on a envoyé chercher ce matin à Vincennes, attend à la porte les ordres de Votre Éminence. »

faire venir

« Ouvrez et faites-le entrer ici, » dit Mazarin.

L'officier entra. C'était un homme grand et gros. 15 Il avait un air de tranquillité qui troubla* un peu Mazarin.

« Cet homme-là a l'air bien stupide, » murmura-t-il.*

L'officier demeurait debout et silencieux à la 20 porte.

« Approchez, Monsieur! » dit Mazarin.

L'officier obéit.[3]

« Savez-vous ce qu'on dit ici? » continua le cardinal. 25

« Non, Votre Éminence. »

« Eh bien! on dit que M. de Beaufort va se sauver de Vincennes, s'il ne l'a déjà fait. »

---

[1] **craint** *p.p.* CRAINDRE, to fear, be afraid.   [2] **esprit,** mind, spirit.   [3] **obéir,** to obey.

La figure de l'officier montra le plus profond étonnement.[1] Il ouvrit tout ensemble ses petits yeux et sa grande bouche; puis, ne pouvant se retenir plus longtemps, il éclata de rire,[2] mais d'une telle[3] 5 façon que son gros corps était secoué comme une feuille sèche par le vent. Mazarin cependant gardait toujours son air sérieux.

Quand La Ramée eut bien ri, il crut qu'il était temps enfin de parler et d'excuser* sa gaieté.

10 « Se sauver, Monseigneur ! » dit-il. « Mais Votre Éminence ne sait donc pas où est M. de Beaufort ? »

« Monsieur, je sais qu'il est au donjon[4] de Vincennes. »

« Oui, Monseigneur, dans une chambre dont les 15 murs ont sept pieds d'épaisseur,[5] avec des fenêtres barrées,[6] dont chaque barre est grosse comme le bras. Il a près de lui huit gardes, quatre dans son antichambre* et quatre dans sa chambre; ces gardes ne le quittent jamais. »

20 « Mais il sort de sa chambre, il joue à la paume ! »[7]

« Monseigneur, si Votre Éminence le veut, on ne le lui permettra plus. »

« Non ! non ! » dit Mazarin, qui craignait d'ajouter encore à la haine de son prisonnier en lui refusant* 25 ces plaisirs. « Seulement, je demande avec qui il joue. »

[1] (étonnement), astonishment. [2] il éclata de rire, he burst out laughing. [3] TEL (*f.* TELLE), such; un(e) tel(le), such a. [4] DONJON, dungeon, tower. [5] (épaisseur), thickness. [6] (barrer), to bar. [7] PAUME, tennis (originally played with the hands, *palma*).

10

« Monseigneur, il joue avec l'officier de garde, ou avec moi, ou avec les autres prisonniers. »

« Mais n'approche-t-il pas des murailles[1] en jouant ? »

« Est-ce que Monseigneur ne connaît pas les murailles ? Les murailles ont soixante pieds de hauteur, et je ne crois pas que M. de Beaufort soit encore assez fatigué de la vie pour aller se casser le cou en sautant du haut. »

« Hum ! » dit le cardinal, qui commençait à regagner[2] un peu sa tranquillité.

« A moins que[3] M. de Beaufort ne trouve moyen de se changer en petit oiseau, » ajouta La Ramée, « il restera à Vincennes. »

« Prenez garde ! » dit Mazarin, « M. de Beaufort a dit aux gardes qui le conduisaient à Vincennes, qu'il avait trouvé quarante façons d'échapper de prison. »

« Monseigneur, si parmi ces quarante façons il y en avait eu une bonne, » répondit La Ramée, « M. de Beaufort aurait été dehors il y a longtemps. De plus, Monseigneur oublie que M. de Chavigny est gouverneur de Vincennes, et que M. de Chavigny n'est pas des amis de M. de Beaufort. »

« Oui, mais M. de Chavigny s'en va de temps en temps. »

« Quand il s'en va, je suis là. »

« Mais quand vous vous en allez vous-même ? »

« Oh ! quand je m'en vais moi-même, j'ai à ma

---

[1] (muraille), wall. [2] (regagner), to regain, recover. [3] à moins que . . . ne, unless (*disregard the* ne).

place un homme qui fait bonne garde. Depuis trois
semaines que je l'ai pris à mon service, je n'ai qu'un
reproche à lui faire, c'est d'être trop dur pour le
prisonnier. »

5 « Et quel est ce chien de garde ? » demanda le
cardinal.

« Un certain M. Grimaud, Monseigneur. »

« Et qui vous a recommandé* cet homme ? »

« M. le duc de Grammont. »

10 « Alors on peut mettre sa confiance[1] en lui ? »

« Comme à moi-même, Monseigneur.»

« Il ne parle pas trop ? »

« Mon Dieu ! Monseigneur, j'ai cru longtemps
qu'il était muet,* il ne parle et ne répond que par
15 signes. »

Alors, comme il était neuf heures du matin, le
cardinal renvoya La Ramée, se leva, s'habilla,[2] et
alla chez la reine pour lui raconter ce qui était arrivé. La reine, qui ne craignait pas moins M. de
20 Beaufort que le cardinal le craignait lui-même, et
qui était aussi superstitieuse que lui, lui fit répéter
mot pour mot ce que La Ramée lui avait dit; puis,
quand le cardinal eut fini:

« Hélas ! Monsieur, » murmura-t-elle, «pourquoi
25 n'avons-nous pas un Grimaud près de chaque
prince ? »*

« Patience, »* dit Mazarin, en souriant, « cela
viendra peut-être un jour; mais, en attendant[3] . . . »

---

[1] **confiance,** confidence, trust.   [2] **(s'habiller),** to dress.
[3] **en attendant,** meanwhile.

« Eh bien ! en attendant ? »

« Je vais toujours prendre mes précautions. »

II. ON S'AMUSE AU DONJON DE VINCENNES

Le prisonnier qui faisait si grand'peur à M. le
cardinal, et dont les moyens d'évasion troublaient le
repos de toute la cour, ne s'en doutait[1] pas du tout. 5
Il se voyait si bien gardé qu'il avait reconnu tout de
suite comme il était inutile d'essayer de se sauver;
alors, toute sa vengeance consistait* à maudire nuit
et jour le cardinal Mazarin.

Le duc de Beaufort était petit-fils de Henri IV, 10
aussi bon, aussi brave, aussi fier et surtout aussi
Gascon[2] que son grand-père. Après avoir été pendant quelque temps, à la mort de Louis XIII,
l'homme de confiance[3] et le premier à la cour, un
jour il lui avait fallu donner la place à Mazarin, et il 15
s'était trouvé le second. Le lendemain, ayant été
assez imprudent* pour se fâcher de ce changement
et pour le dire, la reine l'avait fait arrêter et conduire
à Vincennes. Et quand on dit la reine, on dit
Mazarin. Voilà pourquoi depuis cinq ans il habi- 20
tait une chambre au donjon de Vincennes.

[1] **douter,** to doubt; **se douter de,** to suspect. [2] The proverbial qualities of a Gascon are drollery, boastfulness, a facile tongue, and a light regard for the strict truth. [3] He
had been governor of the queen regent's two children.

D'abord,[1] pour s'amuser, M. de Beaufort avait essayé de faire de la peinture. Il dessinait[2] avec du charbon[3] la figure du cardinal, et, comme ses talents* en cet art* ne lui permettaient pas de faire une grande
5 ressemblance, pour ne pas laisser de doute sur le sujet du portrait,* il écrivait au-dessous: *Portrait du fameux faquin*[4] *Mazarin*. M. de Chavigny vint faire une visite* au duc et le pria de faire des portraits sans inscriptions.* Le lendemain, la chambre était
10 pleine d'inscriptions et de portraits.

On alla le dire au gouverneur. Cette fois, M. de Chavigny ne dit rien; mais un jour que M. de Beaufort jouait à la paume, il fit laver[5] tous ses portraits et peindre[6] les murs de la chambre.

15 M. de Beaufort remercia M. de Chavigny de sa bonté, et cette fois il dessina sur chaque mur de sa chambre un épisode* tiré de la vie du cardinal Mazarin.

Le premier épisode devait représenter* le fameux
20 faquin Mazarin recevant des coups de bâton du cardinal Bentivoglio,[7] dont il avait été le domestique.*

Le second, le fameux faquin Mazarin jouant le rôle* d'Ignace de Loyola,[8] dans la tragédie* de ce
25 nom.

---

[1] ABORD, access; **d'abord,** at first, first. [2] **dessiner, to** draw, sketch. [3] **charbon,** coal, charcoal. [4] FAQUIN, scoundrel. [5] **laver,** to wash (off). [6] peindre, to paint. [7] Friend of Pope Urbain VIII, *nuncio* to France, later ambassador of Louis XIII to Rome. [8] Spanish founder of the Society of Jesus (Jesuits) in 1540.

14

Le troisième, le fameux faquin Mazarin volant le portefeuille[1] de premier ministre* à M. de Chavigny, qui croyait déjà le tenir.

Enfin, le quatrième, le fameux faquin Mazarin refusant des draps au valet de chambre de Louis XIV, 5 et disant qu'un seul drap par semaine est assez pour un roi de France.

C'étaient là de grandes peintures pour lesquelles les talents du prisonnier étaient certainement trop faibles, aussi avait-il mis des inscriptions dessous. 10

Mais les inscriptions éveillèrent la colère de M. de Chavigny, qui dit à M. de Beaufort que s'il ne quittait pas le service de l'art, il lui ôterait tout moyen de faire des portraits. M. de Beaufort répondit que, ne pouvant être un Bayard,[2] il voulait 15 devenir un Michel-Ange.[3]

Un jour que M. de Beaufort faisait une promenade dans la cour, on ôta son feu et avec son feu son charbon, de sorte qu'en[4] rentrant il ne trouva plus rien dont il pût faire un crayon.[5]   20

De plus, on avait lavé les murs, et la chambre se retrouva[6] blanche et nue.

M. de Beaufort alors acheta à l'un de ses gardes un chien nommé Pistache, avec lequel il restait quelquefois de longues heures.   On se doutait que pendant 25

---

[1] PORTEFEUILLE, portfolio.   [2] Bayard, *le chevalier sans peur et sans reproche* (1475–1524), was killed protecting the retreat of the army of François Ier in Italy.   [3] Michel-Angelo (1474–1563), a Tuscan architect, painter, sculptor.   [4] **de sorte que,** so that.   [5] **crayon,** pencil.   [6] **(se retrouver),** to be again.

ces heures le prisonnier s'occupait de[1] l'éducation*
de Pistache, mais on ne savait pas de quelle façon il
la faisait.

Un jour, M. de Beaufort invita M. de Chavigny et
5 les officiers de Vincennes à une grande représentation[2] qu'il donna dans sa chambre. Les invités arrivèrent et la représentation commença.

Le prisonnier, avec un morceau de plâtre détaché
de la muraille, avait dessiné sur la terre une longue
10 ligne blanche représentant une corde. Pistache, à
l'ordre de son maître, se plaça sur cette ligne, se leva
sur ses pattes[3] de derrière, et, tenant un petit bâton
entre ses pattes de devant, il commença à suivre la
ligne avec tous les mouvements que fait un danseur*
15 de corde; puis, après avoir marché la longueur[4] de
la ligne deux ou trois fois, il rendit le bâton à M. de
Beaufort. Tout le monde trouva cela très amusant.

La représentation était divisée[5] en trois parties;
la première finie, on passa à la seconde.

20 Il s'agissait d'abord de dire quelle heure il était.

M. de Chavigny montra sa montre à Pistache. Il
était six heures et demie.

Pistache leva et baissa la patte six fois, et, à la
septième, resta la patte en l'air. Il était impossible
25 d'être plus clair.

Puis, il s'agissait de reconnaître quel était le
meilleur gouverneur de toutes les prisons de France.

---

[1] s'occuper de, to busy (occupy) oneself with.   [2] (représentation), show, entertainment.   [3] PATTE, paw, foot (*of an
animal*).   [4] (longueur), length.   [5] diviser, to divide.

Le chien marcha trois fois autour du cercle* et alla
se coucher aux pieds de M. de Chavigny. M. de
Chavigny fit semblant de trouver cela très charmant, et éclata de rire.

Enfin M. de Beaufort posa[1] à Pistache cette ques- 5
tion difficile: Quel était le plus grand voleur du
monde connu ?

Pistache, cette fois, marcha autour de la chambre,
mais ne s'arrêta à personne, et, s'en allant à la porte,
il se mit à gratter[2] et à se plaindre.   10

« Voyez, Messieurs, » dit le prince,* « cet animal*
ne trouvant pas ici ce que je lui ai demandé, va
chercher dehors. Mais vous aurez sa réponse.
Pistache, mon ami, venez ici. » Le chien obéit.
« Le plus grand voleur du monde connu, est-ce le 15
secrétaire* du roi, qui est venu à Paris avec vingt
francs et qui a maintenant dix millions ? »

Le chien secoua la tête en signe de négation.*

« Est-ce, » continua le prince, « M. d'Émery,
officier du roi, qui a donné à son fils, le jour de 20
son mariage, trois cent mille francs de rente[3] et
une belle maison beaucoup plus magnifique* que le
Louvre ? »[4]

Le chien secoua la tête en signe de négation.

« Allons, cherchons bien, » continua le prince, 25
« est-ce peut-être le fameux faquin Mazarin ? »

[1] (poser), to put, place; **poser une question**, to ask a
question. [2] **gratter,** to scratch. [3] RENTE, income. [4] The
Louvre (Latin *lupara* from *lupus,* wolf), an ancient hunting
seat and fortress-palace of the French kings at Paris, is now a
national museum.

Le chien fit signe que oui[1] en se levant et en baissant la tête huit ou dix fois.

« Messieurs, vous le voyez, » dit M. de Beaufort aux invités, qui ne riaient plus, « le fameux faquin 5 Mazarin est le plus grand voleur du monde connu: c'est Pistache qui le dit, au moins. Maintenant, passons à la troisième partie de notre représentation. M. de Chavigny, ayez la bonté de me donner votre canne. »*

10 M. de Chavigny donna sa canne à M. de Beaufort.

M. de Beaufort la plaça horizontalement* à la hauteur d'un pied.

« Pistache, mon ami, » dit-il, « faites-moi le plaisir de sauter pour madame de Montbazon. »[2]

15 Tout le monde se mit à rire: on savait qu'au moment où il avait été arrêté, M. de Beaufort était l'amoureux de madame de Montbazon.

Pistache sauta joyeusement par-dessus[3] la canne.

« Attendez, Pistache, » dit le prince, « sautez pour 20 la reine. » Et il éleva la canne un peu.

Le chien sauta facilement par-dessus la canne.

« Pistache, mon ami, » continua le duc, « sautez pour le roi. » Il éleva la canne un peu plus haut.

Le chien sauta légèrement par-dessus.

25 « Et maintenant, » dit le duc, en baissant la canne presque à la terre, « Pistache, mon ami, sautez pour le fameux faquin Mazarin. »

[1] **fit signe que oui,** made a sign that it was so. [2] Mme de Montbazon was one of the most celebrated women at the court of Louis XIII. [3] **(par-dessus),** over.

Le chien tourna le derrière à la canne.

« Eh bien ! qu'est-ce que cela ? » dit le duc, en lui présentant de nouveau la canne, « sautez donc, monsieur Pistache. »

Mais Pistache, comme la première fois, présenta le 5 derrière à la canne.

M. de Beaufort répéta la même phrase, mais cette fois Pistache perdit patience, il se jeta sur la canne avec fureur[1] et la cassa entre ses dents.

M. de Beaufort prit les morceaux et les rendit à 10 M. de Chavigny, en lui faisant des excuses* et en lui disant que la représentation était finie; mais que s'il voulait bien dans trois mois venir à une autre représentation, Pistache aurait appris de nouveaux tours.[2]   15

Trois jours après, Pistache était mort; on lui avait donné du poison.*

On chercha le coupable; mais le coupable resta inconnu. M. de Beaufort fit élever à Pistache une pierre tombale[3] avec cette inscription: 20

> A Pistache, un des chiens les plus
> intelligents* qui aient jamais existé.*

Alors le duc dit qu'on avait essayé sur son chien le poison dont on devait se servir pour lui, et un jour, après son dîner, il se mit au lit en criant qu'il se 25 trouvait bien malade et que c'était Mazarin qui lui avait fait donner du poison.

---

[1] FUREUR, fury, rage.   [2] **tour** *m.* trick.   [3] **pierre tombale,** tombstone.

Ce nouveau tour revint aux oreilles du cardinal et le troubla beaucoup. Aussi donna-t-il l'ordre que le prisonnier ne mangeât plus rien sans qu'on goûtât[1] d'abord le vin et la viande. Ce fut alors dans cette
5 intention que l'officier La Ramée fut placé près de lui.

Cependant M. de Chavigny ne s'arrêta pas là; il lui ôta les couteaux de fer et les fourchettes[2] d'argent qu'on lui avait laissés, et lui fit donner des couteaux
10 d'argent et des fourchettes de bois. M. de Beaufort se plaignit. M. de Chavigny lui répondit que le cardinal, ayant dit à madame de Vendôme que son fils était au donjon de Vincennes pour toute sa vie, il craignait que son prisonnier ne cherchât des moyens
15 de se tuer. Quinze jours après, M. de Beaufort trouva deux rangées d'arbres gros comme le petit doigt plantés sur le chemin qui conduisait au jeu de paume[3]; il demanda ce que c'était; on lui répondit que c'était pour lui donner de l'ombre un jour. Cela
20 mit M. de Beaufort en fureur.

Alors M. de Beaufort pensa qu'il était temps d'essayer de l'un de ses quarante moyens d'évasion. Il essaya d'abord de gagner La Ramée en lui offrant une grosse somme[4] d'argent, mais La Ramée la re-
25 fusa et alla tout dire à M. de Chavigny. Aussitôt M. de Chavigny mit huit hommes dans la chambre même du prince et doubla* les sentinelles.

M. de Beaufort rit d'abord de ces précautions.

---

[1] goûter, to taste. [2] fourchette, fork. [3] jeu, play, game; jeu de paume, tennis court. [4] somme *f.* sum.

mais, au bout de six mois, voyant toujours huit hommes s'asseoir quand il s'asseyait, se lever quand il se levait, s'arrêter quand il s'arrêtait, il commença à s'ennuyer et à compter les jours.

Sa haine contre Mazarin redoubla.* Il s'occupait 5 du matin au soir à maudire le cardinal, ce qui faisait trembler le cardinal, qui savait tout ce qui se passait à Vincennes.

Un jour M. de Beaufort rassembla[1] les gardes et leur fit la proposition suivante: 10

« Messieurs, » leur dit-il, « souffrirez-vous donc qu'on me traite d'une telle façon, moi, le petit-fils du bon roi Henri IV ? Pardieu ! j'étais presque devenu le maître de Paris, vous savez; la reine m'appelait le plus honnête homme du royaume ![2] Mes- 15 sieurs, mettez-moi dehors: j'irai au Louvre, j'en finirai avec ce faquin Mazarin, vous serez mes gardes du corps, je vous ferai tous officiers. Pardieu ! en avant, marche ! »

Mais ce discours* du petit-fils de Henri IV n'avait 20 pas touché ces cœurs de pierre; pas un ne bougea. Alors M. de Beaufort leur dit qu'ils étaient tous des faquins et leur tourna le dos.

Quelquefois, quand M. de Chavigny venait le voir, le duc profitait de ce moment pour lui dire: 25

« Que feriez-vous, Monsieur, si un beau jour vous voyiez apparaître une armée de Parisiens,* venant me libérer ? »

---

[1] (rassembler), to assemble, call together. [2] (royaume), kingdom.

« Monseigneur, » répondit M. de Chavigny, « j'ai sur les remparts* vingt gros canons et dans mes salles sous terre trente mille coups à tirer; je les tirerais de mon mieux. »[1]

5 « Oui, mais quand vous auriez tiré vos trente mille coups, ils prendraient le donjon, et, le donjon pris, je serais forcé de les laisser vous pendre,[2] ce dont je serais bien fâché, certainement. »

Et le prince salua M. de Chavigny avec la plus 10 grande politesse.[3]

« Mais moi, Monseigneur, » continuait M. de Chavigny, « au premier misérable qui passerait mes portes ou qui mettrait le pied sur mon rempart, je serais forcé, à mon bien grand regret, de vous tuer 15 de ma propre main. »

Et il salua le prince avec la plus grande politesse.

« Oui, » continuait le duc, « mais comme, bien certainement, ces braves gens-là pendraient M. Mazarin avant de venir ici, vous prendriez bien garde 20 de ne pas me faire de mal; vous me laisseriez vivre, de peur d'être mis en morceaux par les Parisiens, ce qui est bien plus désagréable encore que d'être pendu, je pense. »

Ces discussions duraient ainsi dix minutes, vingt 25 minutes, mais elles finissaient toujours ainsi:

M. de Chavigny, se retournant vers la porte,

« Hé ! La Ramée, » criait-il.

---

[1] de mon (son, *etc.*) mieux, my (his, *etc.*) best, to the best of my (his, *etc.*) ability. [2] pendre, to hang. [3] politesse, politeness.

22

La Ramée entrait.

« La Ramée, » disait M. de Chavigny, « je vous recommande tout spécialement M. de Beaufort; traitez-le avec tout le respect dû[1] à son nom et à son rang, et à cet effet ne le perdez pas un instant 5 de vue. »

Puis il sortait, en saluant M. de Beaufort avec une politesse qui mettait celui-ci en fureur.

La Ramée était ainsi devenu le compagnon obligé du prince, l'ombre de son corps. Mais, il faut le dire, 10 la compagnie de La Ramée, homme joyeux, gourmand,[2] grand joueur de paume, bon diable au fond, était devenu pour le prince un vrai plaisir.

Malheureusement, bien que La Ramée estimât* à un certain prix l'honneur de vivre dans la même 15 chambre qu'un petit-fils de Henri IV, cela ne l'empêchait pas de désirer aller faire de temps en temps visite à sa famille. Il aimait profondément sa femme et ses enfants, qu'il ne voyait plus que du haut des remparts, quand ils venaient faire une promenade de 20 l'autre côté des fossés; ce qui était beaucoup trop peu pour lui. Aussi, quand le duc de Grammont proposa* de lui donner un chien de garde, La Ramée accepta-t-il avec un vif plaisir. Il en avait aussitôt parlé à M. de Chavigny, qui avait répondu 25 qu'il voulait bien à condition que[3] la personne lui convînt.[4]

---

[1] (dû) *p.p.* **devoir,** due, owed.   [2] GOURMAND (*between a* **gourmet** *and a* **glouton**), epicure, one fond of table delicacies.   [3] **à condition que,** on condition that.   [4] (**convenir**), to suit.

III. GRIMAUD FAIT SON DEVOIR

Grimaud se présenta donc au donjon de Vincennes. M. de Chavigny l'examina avec attention, et trouva que les sourcils[1] épais, les lèvres en ligne droite, le nez en crochet[2] et les joues[3] creuses[4] de
5 Grimaud étaient parfaits.[5] Il ne lui dit que douze mots; Grimaud en répondit quatre.

« Bon ! » dit M. de Chavigny, « allez trouver M. La Ramée, et dites-lui que vous me convenez sur tous les points. »

10 Grimaud salua M. de Chavigny et s'en alla.

Après mille questions auxquelles Grimaud ne répondit que par un oui ou un non, La Ramée, satisfait de ses qualités de chien de garde, se frotta les mains et l'accepta.

15 « Les ordres ? » demanda Grimaud.

« Les voici: Ne jamais laisser le prisonnier seul, lui ôter tout instrument* piquant[6] ou coupant, l'empêcher de faire signe aux gens du dehors ou de causer trop longtemps avec ses gardes. »

20 « C'est tout ? » demanda Grimaud.

« Tout pour le moment, » répondit La Ramée.

« Bon, » répondit Grimaud.

Et il entra chez M. de Beaufort.

Celui-ci s'occupait à se peigner[7] la barbe et les

---

[1] SOURCIL, eyebrow. [2] crochet, hook; en crochet, like a hook, hooked. [3] JOUE, cheek. [4] creuse (*m.* creux), hollow, sunken. [5] parfait, perfect. [6] (piquant), *adj.* sharp, pointed. [7] (SE) PEIGNER, to comb.

24

cheveux, qu'il laissait pousser. Quelques jours auparavant[1] il avait cru, du haut du donjon, reconnaître dans la rue la belle Madame de Montbazon, dont le souvenir[2] lui était toujours cher. Espérant la revoir, il avait demandé un peigne,[3] qui lui avait 5 été donné.

Grimaud, en entrant, vit le peigne que le prince venait de mettre sur la table; il le prit, en faisant un profond salut.[4]

Le prince regarda cet étrange homme avec étonne- 10 ment.

« Hé! qu'est-ce que cela? » s'écria le duc, « et qu'es-tu? »

Grimaud ne répondit pas, mais fit un second salut. 15

« Es-tu muet? » s'écria le duc.

Grimaud fit signe que non.

« Qu'es-tu alors? réponds, » dit le duc.

« Garde, » répondit Grimaud.

« Garde!» s'écria le duc, « bien, il ne manquait que 20 toi à ma collection.* Hé! La Ramée, quelqu'un!»

Malheureusement pour le prince, La Ramée allait partir pour Paris; il était déjà dans la cour et remonta, en faisant une grimace.

« Qu'est-ce, mon prince? » demanda-t-il. 25

« Quel est ce faquin qui prend mon peigne et qui le met dans sa poche? » demanda le duc.

« C'est un de vos gardes, Monseigneur. »

---

[1] (auparavant), before, beforehand. [2] (souvenir), n. memory. [3] (PEIGNE), n. comb. [4] (salut), n. bow.

« Pourquoi me prend-il mon peigne ? »

« En effet, » dit La Ramée, « pourquoi prenez-vous le peigne de Monseigneur ? »

Grimaud tira le peigne de sa poche, passa son doigt
5 dessus, et, en regardant et montrant la grosse dent, il ne prononça qu'un seul mot:

« Piquant. »

« C'est vrai, » dit La Ramée.

« Que dit cet animal ? » dit le duc.

10 « Que tout instrument piquant est défendu[1] par le roi à Monseigneur. »

« Ah çà ! » dit le duc, « êtes-vous fou, La Ramée ? Mais c'est vous-même qui me l'avez donné, peigne. »

15 « Et j'ai eu tort,[2] Monseigneur; en vous le donnant, j'ai manqué à mon devoir. »

Le duc regarda Grimaud, qui avait rendu le peigne à La Ramée.

« Je vois d'avance que cet animal-là deviendra très
20 ennuyeux, » murmura le prince.

Grimaud alla se mettre dans un coin pour faire place à quatre gardes qui venaient reprendre leur service près du prince.

Ce jour-là, le prince préparait un nouveau tour sur
25 lequel il comptait beaucoup: il avait demandé des écrevisses[3] pour son déjeuner du lendemain et comptait passer la journée à faire une petite potence[4] pour

---

[1] (défendre), to forbid. [2] avoir tort, to be wrong; j'ai eu tort, I have been wrong. [3] ÉCREVISSE, crab, crayfish. [4] POTENCE, gibbet, gallows.

pendre la plus belle au milieu de sa chambre. La
couleur rouge de l'écrevisse ne laisserait pas de doute
sur ses intentions.

La journée fut employée à préparer pour cette
belle scène.* 5

Le duc alla faire une promenade dans la cour, prit
deux ou trois petites branches pour en faire une jolie
potence, et, après avoir beaucoup cherché, trouva un
morceau de verre cassé, ce qui parut lui faire beaucoup de plaisir. Rentré chez lui, il déchira son 10
mouchoir et en fit une corde.

Tous ces détails* n'échappèrent pas à l'œil vif de
Grimaud.

Le lendemain matin la potence était prête, et pour
pouvoir la planter dans le milieu de sa chambre, M. 15
de Beaufort mettait une pointe* à l'un des bouts
avec son verre cassé.

La Ramée et les autres gardes le regardaient travailler avec curiosité.*

Grimaud entra comme le prince venait de mettre 20
à terre son morceau de verre, pour attacher la corde
au bout de la potence.

Il jeta sur Grimaud un coup d'œil où se trouvait
encore un peu de sa colère de la veille; mais comme
il était d'avance très satisfait de sa nouvelle inven- 25
tion,* il ne fit plus d'attention à lui.

Seulement, quand il eut fini de faire un nœud[1] à un
bout de sa corde, il jeta un regard sur le plat[2] d'écrevisses, choisit de l'œil la plus belle, et se retourna pour

---

[1] NŒUD, knot. [2] plat, dish.

27

aller chercher son morceau de verre. Le morceau de verre avait disparu.

« Qui a pris mon morceau de verre ? » demanda le prince avec étonnement.

5   Grimaud fit signe que c'était lui.

« Comment ! toi encore ? et pourquoi me l'as-tu pris ? »

Grimaud passa le doigt sur le morceau de verre et dit:

10   « Coupant. »

« C'est juste, Monseigneur, » dit La Ramée. « Ah ! pardieu ! quel garçon précieux ! »*

« Monsieur Grimaud, » dit le prince, « je vous en prie, prenez garde de ne jamais vous trouver trop 15 près de ma main. »

Grimaud le salua avec politesse et s'en alla au bout de la chambre.

« Chut ![1] chut ! Monseigneur, » dit La Ramée, « donnez-moi votre petite potence, je vais y mettre 20 une pointe avec mon couteau. »

« Vous ? » dit le duc en riant, « pardieu ! ce sera plus amusant ! Tenez, mon cher La Ramée. »

La Ramée prit la potence et fit de son mieux pour y mettre une pointe.

25   « Là, » dit le duc, « maintenant, faites-moi un petit trou en terre pendant que je vais chercher l'écrevisse. »

La Ramée se mit à genoux et commença à creuser[2] la terre.

---

[1] chut ! hush !   [2] (creuser), to dig.

Pendant ce temps, le prince suspendit son écrevisse à un bout de la corde. Puis il planta la potence au milieu de la chambre, en éclatant de rire.

La Ramée et les gardes aussi rirent de tout leur cœur, sans trop savoir de quoi ils riaient. 5

Grimaud seul ne riait pas.

Il s'approcha de La Ramée, et, lui montrant l'écrevisse qui tournait au bout de la corde:

« Cardinal ! » dit-il.

« Pendu par M. le duc de Beaufort, » cria le prince 10 en riant plus fort que jamais, « et par maître Jacques-Chrysostome La Ramée, officier du roi ! »

La Ramée poussa un cri de terreur, se jeta sur la potence, la saisit, la mit en morceaux, et jeta les morceaux par la fenêtre. Il allait jeter aussi l'écre- 15 visse, mais Grimaud la lui prit des mains.

« Bonne à manger, » dit-il, et il la mit dans sa poche.

Cette fois le duc avait pris si grand plaisir à cette scène, qu'il pardonna* presque à Grimaud le rôle 20 qu'il y avait joué.

Mais l'histoire de l'écrevisse, au grand désespoir de La Ramée, fit parler tout le monde dans l'intérieur du donjon, et même au dehors. M. de Chavigny la raconta à deux amis, qui la redirent à l'instant même. 25 Cela fit passer deux ou trois bonnes journées à M. de Beaufort.

Cependant, le duc avait remarqué*[1] parmi ses gardes un homme d'une assez bonne figure, qui lui

[1] (REMARQUER), to notice, remark.

29

plaisait. Un matin, qu'il avait pris cet homme à part,[1] et qu'il avait réussi à lui parler quelque temps, Grimaud entra, remarqua ce qui se passait, et prit le garde par le bras.

5 « Que voulez-vous ? » demanda le duc.

Grimaud conduisit le garde à part et lui montra la porte:

« Allez, » dit-il.

Le garde obéit.

10 « Oh ! mais, je vous déteste ! »* s'écria le prince.

Grimaud salua avec respect.

« Monsieur, je vous casserai la tête ! » s'écria le prince en fureur.

Grimaud salua encore, en faisant un pas en ar-
15 rière.[2]

« Monsieur, » continua le duc, « je vous tuerai de mes propres mains ! »

Grimaud salua en marchant toujours en arrière.

« Et cela, » continua le prince, « pas plus tard que
20 l'instant même ! »

Et il étendit ses deux mains vers Grimaud, qui poussa le garde dehors et ferma la porte derrière lui.

En même temps Grimaud sentit les mains du prince qui tombaient sur ses épaules; au lieu de[3]
25 crier ou de se défendre, il mit lentement son doigt à la hauteur de ses lèvres et prononça d'une voix basse et avec son plus charmant sourire:

« Chut ! »

---

[1] à part, aside, to one side.   [2] en arrière, backwards, back.
[3] au lieu de, instead of.

L'effet de ce mot fut remarquable.*

Le duc s'arrêta court,[1] la bouche ouverte, les mains en l'air.

Grimaud profita de son étonnement pour tirer de l'intérieur de son habit un charmant petit billet,[2] qu'il présenta au duc sans prononcer un mot.

Le duc, de plus en plus étonné, prit le billet, et, reconnaissant l'écriture[3]:

« De madame de Montbazon ? » s'écria-t-il.

Grimaud fit signe de la tête que oui.

Le duc déchira rapidement l'enveloppe* et lut ce qui suit:

« Mon cher duc,

« Vous pouvez donner votre confiance au brave garçon qui vous apportera ce billet, puisque c'est le valet d'un gentilhomme qui est de nos amis, et qui nous l'a recommandé. Il a consenti à entrer au service de votre officier de garde à Vincennes, pour aider à votre fuite,[4] de laquelle nous nous occupons.

« Le moment où vous serez libéré approche; prenez patience et courage; tous vos amis vous restent toujours fidèles.

« Votre toute dévouée,[5]

« MARIE DE MONTBAZON. »

Le duc demeura un instant sans pouvoir même penser. L'aide, l'ami, qu'il cherchait depuis cinq

[1] **court**, short.　[2] **billet**, note.　[3] (**écriture**), writing.
[4] FUITE, flight.　[5] DÉVOUÉ, devoted.

31

ans[1] sans avoir pu le trouver, lui tombait tout à coup du ciel au moment où il s'y attendait le moins. Il regarda Grimaud avec étonnement, puis il relut le billet d'un bout à l'autre.

5 « Oh! chère Marie, » murmura-t-il, quand il eut fini, « elle pense encore à moi après cinq ans de séparation. »*

Puis, se retournant vers Grimaud:

« Et toi, mon brave garçon, » ajouta-t-il, « tu con-
10 sens donc à nous aider? »

Grimaud fit signe que oui.

« Et tu es venu ici pour cela? »

Grimaud répéta le même signe.

« Et moi qui voulais te tuer! » s'écria le duc.
15 Grimaud se mit à sourire.

« Mais attends, » dit le duc, en cherchant dans ses poches, « il ne sera pas dit qu'un tel service pour un petit-fils de Henri IV sera rendu pour rien. »

Mais hélas! une des précautions qu'on prenait à Vin-
20 cennes était de ne pas laisser d'argent aux prisonniers.

Grimaud, voyant le désespoir du duc, tira de sa poche une bourse[2] pleine d'or et la lui présenta.

« Voilà ce que vous cherchez, » dit-il.

Le duc ouvrit la bourse et voulut la vider entre les
25 mains de Grimaud, mais Grimaud secoua la tête.

« Merci,[3] Monseigneur, » dit-il, « je suis payé. »

Le duc lui tendit la main; Grimaud s'approcha et la baisa avec respect.

---

[1] qu'il cherchait . . . ans, whom he had been seeking for five years. [2] bourse, purse. [3] merci, thanks, thank you.

« Et maintenant, » demanda le duc, « qu'allons-nous faire ? »

« Il est onze heures du matin, » dit Grimaud. « A deux heures, Monseigneur demandera à faire une partie de paume[1] avec La Ramée, et enverra deux 5 ou trois balles* par-dessus les remparts. »

« Eh bien, après . . . »

« Après . . . Monseigneur s'approchera des murailles et criera à un homme qui travaille dans les fossés de les lui renvoyer. » 10

« Je comprends, » dit le duc.

Le visage de Grimaud exprima[2] une vive satisfaction.* Il fit un mouvement pour s'en aller.

« Ah çà ! » dit le duc, « tu ne veux donc rien accepter ? » 15

« Je voudrais que Monseigneur me fît une promesse. »

« Laquelle ? parle . . . »

« C'est que, quand nous nous sauverons, je passerai toujours et partout le premier; si l'on reprend 20 Monseigneur, le plus grand danger* qu'il coure est d'être renfermé[3] en prison, mais si l'on me reprend, on me fera pendre. »

« C'est trop juste, » dit le prince, « il sera fait comme tu demandes. » 25

« Maintenant, » dit Grimaud, « Monseigneur continuera-t-il de me faire l'honneur de me détester comme auparavant ? »

[1] **faire une partie de paume,** to play a game of tennis.
[2] EXPRIMER, to express. [3] (**renfermer**), to shut (lock) up again.

« Je ferai de mon mieux, » répondit le duc, en souriant.

On frappa à la porte.

Le duc mit son billet et sa bourse dans sa poche et 5 se jeta sur son lit. Grimaud alla ouvrir; c'était La Ramée qui venait de chez le cardinal, où s'était passée la scène que nous avons racontée.

La Ramée jeta un regard autour de lui, et voyant toujours la haine du prisonnier pour son garde, il 10 sourit d'une satisfaction intérieure. Puis, se retournant vers Grimaud:

« Bien, mon ami, » lui dit-il, « bien. »

Grimaud salua et s'en alla.

« Eh bien, Monseigneur ! » dit La Ramée, « vous 15 détestez donc toujours ce pauvre garçon ? »

« Ah ! c'est vous, La Ramée, » dit le duc, « vous êtes en retard.[1] Je m'étais jeté sur mon lit et j'avais tourné le nez au mur pour m'empêcher de casser la tête de ce faquin de Grimaud. Je vous jure que cela 20 me fait grand plaisir de vous revoir. »

« Monseigneur est trop bon, » dit La Ramée, en saluant.

« Mon cher La Ramée, » dit le duc, « vous êtes un homme charmant; je voudrais demeurer éternelle- 25 ment* à Vincennes pour le plaisir de passer ma vie avec vous. »

« Monseigneur, » dit La Ramée, « je crois que ce ne sera pas la faute du cardinal, si vos désirs ne sont pas satisfaits. »

---

[1] **retard,** delay; **être en retard,** to be late.

34

« Comment cela ? L'avez-vous vu ? »

« Il m'a envoyé chercher ce matin. »

« Vraiment ! pour vous parler de moi ? »

« En vérité, Monseigneur, il ne rêve que de vous. »
Le duc sourit tristement. 5

« Ainsi il a été question de moi entre toi et le
cardinal ? Et que t'a-t-il dit ? »

« Ce qu'il m'a dit ? Il m'a dit de vous surveiller. »

« Et pourquoi cela, me surveiller ? » demanda le
duc. 10

« Parce qu'un astrologue a prédit que vous vous
sauveriez. »

« Ah ! un astrologue a prédit cela ? Et qu'as-tu
répondu à Son Éminence ? »

« Que, pour vous sauver, il vous faudrait devenir 15
un oiseau. »

« Et tu as bien raison, malheureusement. Allons
faire une partie de paume, La Ramée. »

« Monseigneur, je vous demande pardon, mais
j'ai besoin d'une demi-heure. » 20

« Et pourquoi cela ? »

« Parce que monseigneur Mazarin a oublié de
m'inviter à déjeuner. »

« Eh bien ! veux-tu que je te fasse apporter un
déjeuner ici ? » 25

« Non, Monseigneur. Il faut vous dire que le pâtissier[1] qui demeurait en face du château, et qu'on
appelait le père Marteau, a vendu sa boutique[2] à
un pâtissier de Paris, à qui les médecins[3] ont recom-

[1] PÂTISSIER, pastry cook; [2] BOUTIQUE, shop; [3] **médecin,**
doctor.

mandé l'air de la campagne. Alors, ce pâtissier a devant sa boutique une masse de choses qui vous font
venir l'eau à la bouche. »

« Gourmand ! »

5 « Eh ! mon Dieu ! » continua La Ramée, « on n'est
pas gourmand parce qu'on aime à bien manger. Il
est dans la nature de l'homme de chercher la perfec-
tion* dans les pâtés[1] comme dans les autres choses.
Eh bien ! quand ce diable de pâtissier m'a vu m'ar-
10 rêter devant sa boutique, il est venu à moi et m'a
dit : « Monsieur La Ramée, il faut me faire avoir la
pratique[2] des prisonniers du donjon. J'ai acheté
cette boutique parce qu'on m'a dit que je pourrais
l'avoir, et cependant, depuis huit jours que je suis
15 ici, M. de Chavigny ne m'a pas fait acheter un seul
pâté. »

« ‹ Mais, › lui ai-je dit, ‹ c'est peut-être que M. de
Chavigny craint que vos pâtés ne soient pas bons. ›

« ‹ Pas bons mes pâtés ! eh bien, monsieur La
20 Ramée, je veux vous en faire juge, et cela à l'instant
même. ›

« ‹ Je ne peux pas, › lui ai-je répondu, ‹ il faut
absolument que je rentre au château. ›

« ‹ Eh bien, › a-t-il dit, ‹ allez, puisque vous êtes
25 pressé, mais revenez dans une demi-heure. Avez-
vous déjeuné ? ›

« ‹ Eh bien, non. ›

« ‹ Alors, voici un pâté qui vous attendra avec une
bouteille[3] de vin . . . › Et vous comprenez, Mon-

¹ (pâté), pie, pastry. ² PRATIQUE, custom, trade. ³ bouteille, bottle.

seigneur, comme j'ai faim; je voudrais, avec votre permission*...»

La Ramée lui fit un salut profond.

« Va donc, animal, » dit le duc, « mais je ne te donne qu'une demi-heure. » 5

« Puis-je promettre votre pratique au successeur* du père Marteau ? »

« Oui, à condition que ses pâtés soient vraiment bons, » répondit le prince.

La Ramée sortit, et, cinq minutes après, l'officier 10 de garde entra pour obéir aux ordres du cardinal de ne pas perdre le prisonnier de vue. Mais pendant ces cinq minutes qu'il était resté seul, le duc avait eu le temps de relire le billet de madame de Montbazon. Enfin ! des amis ! de l'espoir ! 15

IV. LES PÂTÉS DU SUCCESSEUR DU PÈRE MARTEAU

Une demi-heure après, La Ramée entra avec la gaieté d'un homme qui a bien mangé, et qui surtout a bien bu. Il avait trouvé les pâtés excellents* et le vin délicieux.*

Le temps était beau; on fit donc la partie de paume 20 en plein air[1]; rien n'était plus facile au duc que d'envoyer les balles dans les fossés.

Cependant, deux heures n'étaient pas encore

---

[1] **en plein air,** in the open air.

sonnées, et deux heures étaient l'heure dite.[1] Alors
il perdit les premières parties, ce qui lui permit de se
mettre en colère et de faire ce qu'on fait dans un tel
cas,[2] faute sur faute.

5 Aussi, à deux heures précises, les balles com-
mencèrent-elles à prendre le chemin des fossés, à la
grande joie de La Ramée.

Bientôt on manqua de balles. La Ramée proposa alors d'envoyer quelqu'un pour les ramasser[3]
10 dans le fossé. Mais le duc répondit que c'était du
temps perdu; et s'approchant du rempart, il aperçut
un homme qui travaillait dans un des mille petits
jardins de l'autre côté du fossé.

« Eh ! mon ami ? » cria le duc.

15 L'homme leva la tête; le duc retint un cri de surprise. Cet homme, ce paysan, ce jardinier,[4] c'était
Rochefort, que le prince croyait en prison.

« Eh bien, qu'y a-t-il là-haut ? »[5] demanda
l'homme. *kindness*

20 « Ayez la bonté de nous rejeter[6] nos balles, » dit
le duc.

Le jardinier fit un signe de la tête, et se mit à jeter
les balles, que ramassèrent La Ramée et les gardes.
Une d'elles tomba aux pieds du duc; il la mit dans sa
25 poche. Puis, ayant remercié le jardinier, il retourna
à la partie.

Mais le duc était dans son mauvais jour, les balles

---

[1] **l'heure dite,** the appointed hour.   [2] CAS, case.   [3] **ramasser,** to pick up.   [4] (**jardinier**), gardener.   [5] **qu'y a-t-il là-
haut?** what's the matter up there?   [6] (**rejeter**), to throw
back.

continuèrent à tomber dans le fossé; comme le jardinier n'était plus là pour les renvoyer, elles furent perdues. Enfin, le duc déclara qu'il ne voulait pas continuer.

La Ramée était très content d'avoir si complète- 5 ment battu un prince.

Le prince rentra chez lui et se coucha, mais, avant de se mettre au lit, il avait eu le temps de cacher la balle sous les draps.

Aussitôt que la porte fut refermée, le duc déchira 10 l'enveloppe de la balle avec ses dents, puisqu'on ne lui laissait pas d'instrument coupant.

Sous l'enveloppe était une lettre qui contenait les lignes suivantes:

« Monseigneur, vos amis veillent, et l'heure de vous 15 libérer approche: demandez après-demain[1] à manger un pâté fait par le nouveau pâtissier qui a acheté la boutique du père Marteau, et qui n'est autre que Noirmont, votre ancien serviteur[2]; n'ouvrez le pâté que quand vous serez seul, j'espère que vous serez 20 content de ce qu'il contiendra.[3]

« Le serviteur toujours dévoué de Monseigneur,

« COMTE DE ROCHEFORT. »

« P.S. — Monseigneur peut donner une confiance absolue* à Grimaud, qui est un garçon très intelligent 25 et qui nous est tout à fait dévoué. »

Le duc de Beaufort brûla la lettre, comme il

[1] (après-demain), day after tomorrow. [2] (serviteur), servant. [3] (contenir), to contain, hold.

39

l'avait fait de celle de madame de Montbazon. Il allait brûler aussi la balle, quand il pensa qu'elle pourrait lui être utile pour répondre à Rochefort. Au mouvement qu'il avait fait, La Ramée entra.

5 « Monseigneur a besoin de quelque chose ? » dit-il.

« J'avais froid, » répondit le duc, « et je faisais du feu. Vous savez, mon cher, que les chambres du donjon de Vincennes sont fameuses pour leur fraîcheur. »

Et le duc se remit au lit, en cachant la balle sous
10 ses draps. La Ramée sourit.

« Eh ! mon cher, » continua le duc, « si je pouvais comme vous aller manger des pâtés et boire du vin chez le successeur du père Marteau, cela me ferait une jolie distraction.* En effet, si je dois rester ici éter-
15 nellement comme ce faquin de Mazarin a eu la bonté de me le promettre, il faut que j'aie une distraction pour mes vieux jours, il faut que je me fasse gourmand. »

« Monseigneur, » dit La Ramée, « n'attendez pas
20 d'être vieux pour cela. »

« Eh bien ! mon cher La Ramée, » dit le duc, « après-demain est un jour de fête ? »

« Oui, Monseigneur, c'est la Pentecôte. »

« Voulez-vous me donner une leçon,[1] après-
25 demain ? »

« Une leçon ? de quoi ? »

« Pouvez-vous m'apprendre comment on devient gourmand ? »

« Volontiers,[2] Monseigneur. »

---

[1] leçon, lesson.   [2] (volontiers), willingly, gladly.

« Eh bien, tous deux nous ferons ici un souper dont je vous laisse la direction. »

« Hum ! » dit La Ramée.

L'offre l'attirait fortement, mais La Ramée connaissait bien les ruses* des prisonniers. Ce dîner ne 5
cachait-il pas quelque ruse ? Il pensa un instant avant d'accepter.

« Oui, Monseigneur, » dit-il, « à une condition. »

« Laquelle ? »

« Que Grimaud nous serve à table. » 10

Rien ne pouvait mieux convenir au prince. Cependant il lui fallut cacher sa satisfaction à La Ramée; puis, il s'écria:

« Au diable votre Grimaud ! il me gâtera toute la fête ! » 15

« Je lui donnerai l'ordre de se tenir derrière Monseigneur, et comme il est muet, Monseigneur ne le verra ni ne l'entendra, et pourra s'imaginer qu'il est bien loin d'ici. »

« Mon cher, » dit le duc, « n'avez-vous pas confiance 20
en moi ? »

« Monseigneur, c'est après-demain la Pentecôte; ce magicien avait prédit que le jour de la Pentecôte ne se passerait pas sans que Monseigneur fût hors de Vincennes. » 25

« Tu crois donc aux magiciens ? »

« Moi, » dit La Ramée, « je ne crois pas à ces animaux-là; mais c'est monseigneur Mazarin qui y croit; il est superstitieux. »

« Eh bien, » dit le duc, en souriant, « j'accepte 30

41

Grimaud; mais je ne veux personne autre que Grimaud. Vous aurez la direction de tout; la seule chose que je désire spécialement, c'est un de ces pâtés dont vous m'avez parlé. Vous le commanderez[1]
5 pour moi chez le successeur du père Marteau, n'est-ce pas ?

« Très volontiers, Monseigneur, » dit La Ramée, « je vais le commander à l'instant même. » Et il sortit.

*   *   *

10 « Eh bien ! » dit La Ramée, « votre souper est commandé. Il y aura un pâté, gros comme une tour, et fait par le successeur du père Marteau. »

« Bon ! » dit le duc, en se frottant les mains.

En ce moment, Grimaud entra et fit signe à La
15 Ramée qu'il avait quelque chose à lui dire. La Ramée s'approcha de Grimaud, qui lui parla tout bas. Le duc profita de cette distraction pour dire:

« J'ai déjà dit à cet homme de ne pas se présenter ici sans ma permission. »

20 « Monseigneur, » dit La Ramée, « il faut lui pardonner, c'est moi qui l'ai fait venir.[2] Monseigneur sait qu'il n'y a pas de souper sans lui. »

« Allons donc, comme vous voudrez. »

« Approchez, mon garçon, » dit La Ramée, « et
25 écoutez ce que je vais vous dire. »

Grimaud s'approcha.

« Monseigneur me fait l'honneur de m'inviter à

[1] (commander), to order.   [2] qui l'ai fait venir. who sent for him.

souper demain. La chose vous regarde, puisque vous aurez l'honneur de nous servir, sans compter qu'il restera bien quelque chose au fond des plats et au fond des bouteilles, et que ce quelque chose sera pour vous. »   5

Grimaud le remercia d'un signe de tête.

« Et maintenant, si Monseigneur veut bien m'excuser, » dit La Ramée, « M. de Chavigny va partir pour quelques jours, et avant son départ, il a des ordres à me donner. »   10

« Allez, » dit le duc, « et revenez le plus tôt possible. »

« Monseigneur veut-il donc faire une partie de paume demain ? »

« Oui, » dit le duc, « mais prenez garde, mon cher 15 La Ramée, les jours se suivent et ne se ressemblent pas. »

La Ramée sortit: Grimaud le suivit des yeux; puis, quand il vit la porte refermée, il tira de sa poche un crayon et un morceau de papier.*   20

« Écrivez, Monseigneur, » lui dit-il.

« Et que faut-il que j'écrive ? »

« Ceci:

‹ Tout est prêt pour demain soir, tenez-vous sur vos gardes de sept à neuf heures, ayez deux chevaux tout   25 prêts, nous descendrons par la première fenêtre de la galerie. ›*

Après, Monseigneur signera. »*

Le duc signa.

43

« Maintenant, » dit Grimaud, « Monseigneur a-t-il perdu la balle qui contenait la lettre ? »

« Non, la voilà. »

Et le duc prit la balle sous le drap de son lit et la 5 présenta à Grimaud, qui sourit de son mieux, mit le papier sous l'enveloppe, referma l'ouverture, et lui rendit la balle, en disant:

« Eh bien ! demain, en jouant à la paume, vous enverrez cette balle dans le fossé. Il y aura quelqu'un 10 pour la ramasser. »

« Un jardinier ? » demanda le duc.

Grimaud fit signe que oui.

« Le même qu'hier ? »

Grimaud répéta son signe.

15 « Allons, donne-moi quelques détails sur notre fuite. »

« Cela m'est défendu. »

« Quels sont ceux qui m'attendront de l'autre côté du fossé ? »

20 « Je n'en sais rien, Monseigneur. »

« Mais, au moins, dis-moi ce que contiendra ce fameux pâté, si tu ne veux pas que je devienne fou. »

« Monseigneur, » dit Grimaud, « il contiendra deux 25 poignards,[1] une échelle de corde, et une poire d'angoisse.[2] Il y en aura pour tout le monde. »

« Bien, je comprends, » dit le duc, « tu ne parles pas souvent, mais quand tu parles, tu parles d'or. »

[1] POIGNARD, dagger. [2] POIRE D'ANGOISSE, gag (*lit.* ' pear of anguish '; *made of pear-shaped metal, spreading to hold the jaws open*).

44

V. UN DES QUARANTE MOYENS D'ÉVA-
SION DE M. DE BEAUFORT

Le temps passait pour le prisonnier comme pour ceux qui s'occupaient de sa fuite: seulement, il passait plus lentement.

M. de Beaufort s'imaginait de sa prison tout ce mouvement qui allait se produire, quand ce bruit *rumor* 5 courrait de la chambre du ministre* à la chambre de la reine: M. de Beaufort s'est sauvé! En se disant cela à lui-même, il se souriait doucement, mais, en revenant à lui, il se trouvait entre ses quatre murailles, voyait à dix pas de lui La Ramée, et dans 10 l'antichambre, ses gardes qui riaient ou qui buvaient. Seule, la figure laide de Grimaud, cette figure qu'il avait d'abord prise en haine, lui donnait de l'espérance.[1]

La Ramée ne pensait qu'à ce petit souper avec son 15 prisonnier, à cette belle Pentecôte qui allait devenir une des plus belles fêtes de l'année. Il attendait donc six heures du soir avec autant d'impatience* que le duc.

M. de Chavigny était parti le matin faire un 20 petit voyage, ce qui faisait de La Ramée le sousgouverneur du château.

L'œil vif, les sourcils épais et le nez en crochet de Grimaud paraissaient plus formidables que jamais.

Dans la matinée,[2] M. de Beaufort avait fait avec 25

---

[1] (espérance), hope. [2] (matinée), morning.

45

La Ramée une partie de paume. Le jeu de paume
était dans ce qu'on appelait la petite cour du château; c'était un endroit assez désert, où l'on ne
mettait de sentinelles qu'au moment où M. de
5 Beaufort faisait sa partie. Il y avait trois portes à
ouvrir avant d'arriver à cette cour. Chaque porte
s'ouvrait avec une clef différente.*

Cette fois, La Ramée fut complètement battu.
Quatre des gardes ramassaient les balles. A la fin
10 de la partie, M. de Beaufort leur offrit deux pièces
d'or pour aller boire à sa santé avec leurs quatre
autres camarades. La Ramée leur donna sa permission, mais pour le soir seulement.

Enfin six heures sonnèrent. Quoiqu'on[1] ne dût se
15 mettre à table qu'à sept heures, le dîner se trouvait
prêt et servi. Au milieu de la table était un énorme
pâté, aux armes du duc sur la belle croûte,[2] couleur d'or.

La Ramée renvoya les gardes, ferma les portes,
20 mit les clefs dans sa poche, et montra la table au
prince d'un air qui semblait dire:

« Quand Monseigneur voudra. »

Le prince regarda Grimaud, Grimaud regarda la
pendule,[3] il était six heures un quart; l'évasion était
25 fixée à sept heures, il y avait donc trois quarts
d'heure à attendre. Le prince, pour gagner un quart
d'heure, demanda à finir la lecture[4] d'un chapitre*
des *Commentaires** de *César*, que La Ramée lui avait

---

[1] (quoique), though, although. [2] CROÛTE, crust. [3] PEN-
DULE, clock. [4] LECTURE, reading.

donnés trois jours auparavant. En attendant, La
Ramée déboucha[1] les bouteilles et examina la croûte
du pâté.

A six heures et demie, le duc se leva et se mit à
table en faisant signe à La Ramée de se placer en **5**
face de lui. L'officier ne se fit pas inviter deux fois.

Il n'y a pas de figure aussi expressive* que celle
d'un vrai gourmand qui se trouve en face d'une bonne
table; aussi, la figure de La Ramée présentait-elle le
sentiment du parfait bonheur. Le duc le regarda **10**
avec un sourire.

« Pardieu ! La Ramée, » s'écria-t-il, « si on me
disait qu'il y a en ce moment en France un homme
plus heureux que vous, je ne le croirais pas ! »

« Et vous n'auriez pas tort, Monseigneur, » dit La **15**
Ramée. « La vie serait bien triste si Monseigneur
sortait de Vincennes. C'est un grand bonheur que la
reine ait eu l'idée de vous envoyer ici, où il y a promenade, jeu de paume, bonne table, bon air. Monseigneur a-t-il jamais pensé sérieusement à sortir d'ici ? » **20**

« En effet, » dit le duc, « je dois vous le dire, mais
de temps en temps j'y pense encore. »

« Toujours par un de vos quarante moyens, Monseigneur ? »

« Eh ! mais oui, » répondit le duc. **25**

« Monseigneur, dites-moi un de ces quarante
moyens que vous avez inventés. »*

« Volontiers, » dit le duc. « Grimaud, donnez-moi
le pâté. »

[1] **déboucher,** to uncork.

47

Le duc regarda la pendule. Dix minutes encore et elle allait sonner sept heures. Grimaud mit le pâté devant le prince, qui prit son couteau d'argent pour ôter la couverture; mais La Ramée, qui craignait
5 pour cette belle pièce, passa au duc son couteau de fer.

« Merci, » dit le duc, en prenant le couteau, et en creusant le pâté de sa fourchette. « Je vous dirai celui sur lequel je comptais le plus. J'espérais d'abord avoir pour officier de garde un brave garçon
10 comme vous, monsieur La Ramée. »

« Bien ! » dit La Ramée, en soulevant son verre pour regarder le soleil à travers le liquide* qu'il contenait, « vous l'avez, Monseigneur. Après . . . »

« Je me disais, » continua le prince, « si une fois
15 j'ai près de moi un bon garçon comme La Ramée, j'essayerai de lui faire recommander un homme qui me soit dévoué, et avec l'aide duquel je puisse préparer ma fuite. Quand j'aurai cet homme près de moi, s'il sait gagner la confiance de son officier
20 supérieur,* alors j'aurai des nouvelles du dehors. »

« Ah ! oui, » dit La Ramée, « mais comment cela ? »

« Oh ! rien de plus facile, » dit le duc, « en jouant à la paume, par exemple. J'envoie une balle dans le fossé, un homme est là qui la ramasse. Au lieu de
25 renvoyer cette balle, il m'envoie une autre. Cette autre balle contient une lettre. Ainsi, nous avons échangé[1] nos idées, et personne n'y a rien vu. »

« Diable ! diable ! » dit La Ramée, en se grattant l'oreille, « vous faites bien de me dire cela, Mon-

---

[1] **échanger,** to exchange.

seigneur, je surveillerai ceux qui ramassent des balles.
Mais tout cela n'est qu'un moyen d'échanger des
idées; ce n'est pas assez. »

« Je vous demande pardon. Par exemple, je dis à
mes amis: ‹ Trouvez-vous un certain jour, à une 5
certaine heure, de l'autre côté du fossé avec deux
chevaux. › Alors, il ne s'agit que de monter sur les
remparts et d'avoir un moyen d'en descendre. »

« Lequel ? »

« Une échelle de corde . . . qu'on m'a envoyée, 10
non pas dans une balle de paume, mais dans un
pâté, par exemple. »

« Dans un pâté ? » demanda La Ramée tremblant.

« Oui, » dit le duc. « Imaginez-vous que mon ancien serviteur, Noirmont, ait acheté la boutique du 15
père Marteau . . . Eh bien ! La Ramée, qui est un
gourmand, voit ses pâtés, vient m'offrir de m'en
faire goûter. J'accepte, à condition que La Ramée en
goûtera avec moi. Alors La Ramée renvoie les gardes
et ne retient que Grimaud pour nous servir. Gri- 20
maud est l'homme qui m'a été donné par un ami, ce
serviteur sur lequel je compte comme sur un père.
Le moment de ma fuite est marqué[1] à sept heures.
Eh bien ! à sept heures moins quelques minutes . . . »

« A sept heures moins quelques minutes ? . . . » 25
dit La Ramée, en terreur.

« A sept heures moins quelques minutes, » répéta
le duc, en joignant l'action aux paroles,[2] « j'ôte la
croûte du pâté. J'y trouve deux poignards, une

---

[1] **marquer**, to mark, show; set.   [2] PAROLE, word, speech;

échelle de corde et une poire d'angoisse. Je mets un
des poignards sur la poitrine de La Ramée et je lui
dis : « Mon ami, j'en suis bien fâché, mais si tu fais
un mouvement, si tu pousses un cri, tu es mort ! » »

5   En prononçant ces derniers mots, le duc avait
joint l'action aux paroles. Il était debout près de
La Ramée et lui mettait la pointe d'un poignard sur
la poitrine. Pendant ce temps, Grimaud tirait du
pâté le second poignard, l'échelle de corde et la poire

10 d'angoisse. La Ramée regardait ces instruments
avec une terreur profonde.

    « Oh ! Monseigneur, » s'écria-t-il, « vous n'aurez
pas le cœur de me tuer ! »

    « Non, si tu n'essaies pas d'empêcher ma fuite. »

15   « Et si je me défends, si j'appelle, si je crie ? »

    « Ma parole d'honneur, je te tue ! »

    En ce moment la pendule sonna.

    « Sept heures, » dit le duc, « tu vois, je suis en re-
tard. Dépêchons-nous. »[1]

20   « Monseigneur, » cria La Ramée, « un dernier service ? »

    « Lequel ? »

    « Liez-moi[2] bien. Il ne faut pas qu'on croie que je
vous ai aidé. »

25   « Les mains ! » dit Grimaud.

    « Non pas par devant, par derrière ! »

    Le duc détacha sa ceinture et la donna à Grimaud,
qui lia les mains de La Ramée.

    « Les pieds, » dit Grimaud.

---

  [1] **(se) dépêcher,** to make haste, hurry.   [2] **lier,** to bind, tie.

La Ramée tendit les jambes. Grimaud prit un drap, le déchira et lia les jambes de l'officier.

« Maintenant, » dit le pauvre La Ramée, « la poire d'angoisse, je la demande ! Et, Monseigneur, n'oubliez pas, s'il m'arrive malheur à cause de[1] vous, que 5 j'ai une femme et quatre enfants. »

« Sois tranquille, »[2] dit le duc, « et maintenant, fais ton devoir, Grimaud. »

En une seconde, on mit la poire d'angoisse dans la bouche de La Ramée et l'étendit à terre; puis on 10 cassa deux ou trois chaises en signe de lutte. Grimaud prit dans la poche de l'officier toutes les clefs qu'elle contenait, ouvrit la porte de la chambre, et la referma à clef quand ils furent sortis. Puis, tous deux prirent le chemin de la galerie. Les trois portes 15 furent ouvertes et fermées. Enfin l'on arriva au jeu de paume. Il était désert, pas de sentinelles, personne aux fenêtres.

Le duc courut au rempart et aperçut de l'autre côté du fossé trois hommes avec cinq chevaux. Le 20 duc échangea un signe avec eux. Pendant ce temps, Grimaud attachait l'échelle de corde.

« Va, le premier, » dit le duc, « si on me reprend, je n'aurai que la prison; si on te reprend, toi, tu es pendu. » 25

« C'est juste, » dit Grimaud, en commençant sa descente.

Le duc le suivit des yeux avec une terreur involon-

---

[1] **à cause de,** because of. [2] **Sois tranquille,** Don't worry, Rest assured.

51

taire; il était déjà arrivé aux trois quarts de la muraille, quand tout à coup la corde cassa, Grimaud tomba dans le fossé.

Le duc jeta un cri, mais Grimaud ne se plaignit 5 pas; et cependant il devait être blessé[1] sérieusement, puisqu'il était resté étendu à l'endroit où il était tombé.

Aussitôt un des hommes qui attendaient, se laissa glisser dans le fossé, attacha sous les épaules de Grimaud 10 le bout d'une corde, et les deux autres, qui en tenaient l'autre bout, tirèrent Grimaud à eux.

« Descendez, Monseigneur, » dit l'homme qui était dans le fossé, « il n'y a que quinze pieds de distance. »

Le duc descendait déjà; en moins de cinq minutes, 15 il se trouva au bout de la corde. Il n'était plus qu'à quinze pieds de terre. Il lâcha[2] la corde et tomba sur ses pieds sans se faire de mal.

Au haut du fossé, il trouve le comte de Rochefort et deux autres gentilshommes qui lui étaient in-20 connus. Grimaud, blessé, était attaché sur un cheval.

« Messieurs, » dit le prince, « je vous remercierai plus tard; mais, en ce moment, il n'y a pas un instant à perdre. En route, donc, en route ! »

Et il sauta sur son cheval, partit à toute vitesse, en 25 criant avec une expression* de joie impossible à rendre:

« Libre ! . . . Libre ! . . . Libre ! »

[1] **il devait être blessé,** he must have been wounded;
[2] **lâcher,** to release, let go.

LIST OF IDIOMS

Numbers following the idiomatic expressions refer to the page and line in the text where the expression first occurs, e.g., **2**, 14 = page 2, line 14.

L'Anglais tel qu'on le parle

comme

le parle

PAR TRISTAN BERNARD

ET

Quelques Anecdotes

ADAPTED AND EDITED

INTRODUCING 218 NEW WORDS AND 44 IDIOMS

BOOK SEVEN

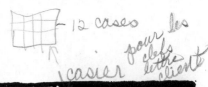

12 cases pour les
casier clefs lettre
client

ÇA Y EST! DES ANGLAIS!

ENTRE NOUS

— You were right about *Book Six*, Professor; Dumas can certainly tell a good story ... I enjoyed the *passe-temps*. What is this book?

— A one-act play by Tristan Bernard, fairly modern, simple in its setting, and as sprightly and entertaining a bit of nonsense as one may wish, followed by a few anecdotes, selected for their bearing upon the situation in the comedy and for their vocabulary repetition.

— Which reminds me: what gains shall I make?

— Do you really want the data, or ...?

— Of course ... a fellow likes to know what he's doing and where he's going ... even in studying French!

— Here you are: *Book Seven* adds 218 new words, of which 50 % are recognizable cognates, leaving a learning burden of only 109 words. Some of these (about 45) are derivatives or compounds of words already known in the *Series*. There is the usual repetition of new words, and an overlap of 72 percent of previous *Series* vocabulary. The number of new idioms is relatively high: 44. This is one of the reasons why we have selected a play for you; we must build up your stock of idioms, and plays, as a rule, are richer in idioms than other literary forms.

— But why should I learn more idioms now when my total experience is limited to ... let's see, counting this book ... 1753 words?

— Idioms, like chemical compounds, are combinations that no longer have the same characteristics or values as their elements taken separately. No one knows how many such word-combinations exist within the range of your

57

1753 single words, but there are a formidable number, no doubt. These combinations, or idioms, constitute one of the main hazards in ungraded reading, requiring long and continuous experience for their mastery. And mastery of them is essential to reading skill and to a finer appreciation of reading content.

— "For bigger and better reading !" ... "An idiom a day," etc. ... all right ! At any rate, I shall be interested in seeing if the French *talk* as they *write* ... a play should show that.

— Quite right. But don't take the reading of this comedy too hurriedly; it is not always *what* is said, but *how* it is said, *when* it is said, and *by whom* and *to whom* it is said, that makes for the fullest understanding of a play. Read closely and keep the characters in mind ... *si ça te dit quelque chose !*

L'ANGLAIS TEL QU'ON LE PARLE

COMÉDIE EN UN ACTE

par

TRISTAN BERNARD

[handwritten: inspecter = fouiller, bien inspecter; la caisse est la chose]

PERSONNAGES [1]

EUGÈNE, *interprète**
HOGSON, *père de Betty*
UN INSPECTEUR
JULIEN CICANDEL

UN GARÇON [2]
UN AGENT DE POLICE
LA CAISSIÈRE [3] *[handwritten: est la personne]*
BETTY

EUGÈNE. Homme de trente ans, petit, assez gras,[4] nerveux *; quand il parle, il s'exprime d'une façon très vive, en faisant des gestes [5] avec la tête, les mains et les épaules, tout à la fois. Cela le rend assez drôle,[6] surtout puisqu'il se croit très adroit.[7] Cependant, il ne manque pas d'humour.*

HOGSON. Un Anglais de cinquante ans, grand, distingué,[8] et habillé avec grand soin.

JULIEN CICANDEL. Un Français, jeune et beau, à la mode,[9] une canne à la main, etc. Il parle l'anglais avec un accent * tout parisien,* en faisant de petits gestes expressifs.*

L'INSPECTEUR. Homme brusque,* sans humour, qui se prend au sérieux et qui laisse voir une grande confiance en lui-même.

LE GARÇON porte une blouse * bleue, avec un mouchoir autour du cou. Il a l'air intelligent, vif et un peu rusé.[10]

BETTY. Une jeune Anglaise, jolie et blonde. Elle semble toujours inquiète,[11] même effrayée.[12] D'abord, elle porte un costume * de voyage, puis une robe de ville.

LA CAISSIÈRE. Une jeune Française, habillée en noir, d'un air chic [13] et important.

Tous les costumes sont modernes.*

[1] (personnage), character. [2] (garçon), *here* porter. [3] CAISSIÈRE, cashier, *here* hotel clerk. [4] **gras**, fat. [5] GESTE, gesture. [6] DRÔLE, comic, funny. [7] (adroit), clever, smart, skilful. [8] **distinguer**, to distinguish. [9] MODE, style, fashion; **à la mode**, in style, stylish. [10] RUSÉ, sly. [11] INQUIET, uneasy, nervous. [12] EFFRAYER, to frighten, scare. [13] CHIC, smart, jaunty, stylish, fine.

60

L'ANGLAIS TEL QU'ON LE PARLE[1]

La scène[2] représente le vestibule* d'un petit hôtel,* à Paris. A droite, une porte au premier plan.[3] Au fond, un couloir[4] d'entrée, avec sortie[5] à droite et à gauche. Au premier plan, à gauche, une porte; au second plan, une sorte de comptoir,[6] en angle,* avec un casier[7] pour les clefs des chambres. Affiches[8] de chemin de fer[9] illustrées,* un peu partout. Horaires[10] de trains et de bateaux. Au premier plan, à droite, une table; sur la table, des journaux, des livres et un appareil[11] téléphonique.*

SCÈNE PREMIÈRE

JULIEN, BETTY, LE GARÇON, LA CAISSIÈRE

JULIEN, *au garçon*.   Il nous faudrait deux chambres.

LE GARÇON.   Je vais le dire à madame.

[1] **L'Anglais tel qu'on le parle,** or *English As It Is Spoken,* is a satire on the sign commonly displayed in Parisian street windows: **Ici on parle anglais (italien, espagnol, allemand,** etc.).   The play was first performed at the Comédie-Parisienne, Feb. 28, 1899.   Permission to adapt the play has been granted by the publishers, La Librairie Théâtrale, Paris. [2] **scène,** stage, scene (*in a play*).   [3] **(plan); premier plan,** down stage; **second plan,** middle stage, etc.   [4] (couloir), passage, corridor.   [5] (sortie), exit.   [6] (comptoir), counter.   [7] casier, set of pigeon-holes.   [8] affiche, poster. [9] **chemin de fer,** railway (*lit.* road of iron).   [10] horaire, timetable.   [11] **appareil,** apparatus, instrument.

JULIEN. Y a-t-il un bureau de poste[1] près d'ici ?

LE GARÇON. Il y a un bureau de poste, place de la Madeleine.[2] Monsieur a-t-il quelque chose à y faire porter ?

5 JULIEN, *comme à lui-même.* J'ai un télégramme* pour Londres* ... Non, je préfère* y aller moi-même. (*Le garçon sort.*)

BETTY. My dear, I should like a room exposed to the sun.

10 JULIEN. Yes, my dear.

BETTY. I am very tired. My clothes are dirty.

JULIEN. Il faut vous habituer[3] à parler français. Nous nous ferons moins remarquer.

BETTY. Oh ! je sais si peu bien parler français.[4]

15 JULIEN. Mais non, vous savez très bien. Seulement, il faut vous habituer à le faire.

LA CAISSIÈRE. Monsieur désire ?

JULIEN, *à la caissière.* Deux chambres, pas trop loin l'une de l'autre.

20 LA CAISSIÈRE. Nous avons le 11 et le 12. C'est au deuxième étage.

JULIEN. Le 11 et le 12.

LA CAISSIÈRE. Monsieur veut-il écrire son nom ?

---

[1] poste *f.* post, mail; bureau de poste, post office. Note also that telegraph messages may be sent from a bureau de poste. [2] la Madeleine, a well-known church, not far from the place de la Concorde, built in the style of a Greek temple, originally intended by Napoleon I as a " Temple of Glory." [3] habituer, to accustom; s'habituer, to get the habit, get used (to). [4] Betty should have said: Je parle si mal français. The errors in her French are instructive.

JULIEN. Ah! oui, le registre * ... Écrivez M. et madame Philibert.

LA CAISSIÈRE. Voulez-vous attendre un instant? Je vais faire préparer les chambres. (*Elle sort.*)

BETTY, *à Julien.* Oh! monsieur Phéléber!¹ Oh! 5 madame Phéléber! Oh! Oh!

JULIEN. Eh bien, oui, je ne peux pas donner nos véritables noms. Si j'avais dit M. Julien Cicandel et mademoiselle Betty Hogson! Vous dites que votre père connaît cet hôtel et qu'il est fichu de venir nous 10 relancer.²

BETTY. Il est fichu de nous relancer? ...

JULIEN. Oui, il est capable * de nous suivre et de nous chasser ... ce qui serait bien drôle, n'est-ce pas? 15

BETTY. C'est une abominable * chose.³ Vous avez parlé plus que⁴ deux fois de cet hôtel à la maison. Il a beaucoup mémoire.⁵ Il doit se souvenir ce mot⁶: Hôtel de Cologne. C'est facile se souvenir⁷ ... Et puis je vais vous dire encore une 20 terrible chose⁸ ... Je crois que je l'ai vu, tout à

¹ Betty's pronunciation of French has its faults, also. Philibert is pronounced [filibɛr]. ² **fichu de venir nous relancer,** quite capable of hunting us out. Betty doesn't understand the slang expression, and Julien is obliged to repeat what he said in more elegant language. ³ Betty's speech is full of inaccuracies of grammar and usage; she should have said: **C'est une chose abominable** or merely **C'est abominable.** ⁴ **que** (*than*) becomes **de** before a number. ⁵ MÉMOIRE, memory. Betty should have said: **Il a une bonne mémoire.** ⁶ *i.e.* se souvenir *de* ce mot. ⁷ *i.e.* Il est facile de s'en souvenir. ⁸ *i.e.* encore quelque chose de terrible.

l'heure,[1] mon père! J'ai vu de loin son chapeau gris.[2]

JULIEN. Il y a beaucoup de chapeaux gris à Paris.

BETTY. J'ai reconnu le paternel[3] chapeau.

5 JULIEN. La voix du sang[4]... Tu dis des bêtises.[5]

BETTY. Des bêtises?... (*tendrement*) * My dear.

JULIEN. Ne dis pas: my dear. Dis-moi: petit
chéri.[6]

10 BETTY, *avec tendresse*.[7] Peti[8] chéri!... Peti
chéri! Oh! je voudrais je fusse[9] mariée bientôt
avec toi. Nous avons fait une terrible chose,[10] de
partir comme ça tous les deux.

JULIEN. Il fallait bien. C'était le seul moyen de
15 faire consentir votre père.

BETTY. Mais si votre patron[11] avait voulu...
comment vous disiez?[12]... to take as a partner?

JULIEN. Associer.[13]

BETTY, *avec soin*. As-so-cier... mon papa aurait
20 ... comment vous disiez?[12]... consenti me marier
contre[14] vous.

[1] tout à l'heure, a little while ago. [2] gris, gray. [3] PA-
TERNEL, fatherly; a ridiculous use of the word for de mon
père. [4] La voix du sang, The call (voice) of the blood.
[5] (bêtise), nonsense, foolishness. [6] (CHÉRI), dear, darling.
[7] (tendresse), tenderness. [8] Betty pronounces petit with two
syllables, instead of Julien's p'ti. [9] She should have used être
instead of (que) je fusse; this use of the subjunctive by for-
eigners is much ridiculed by the French. [10] *i.e.* une chose
terrible. [11] PATRON, boss, chief, employer. [12] She should
have said: comment dites-vous. [13] ASSOCIER, to take into
partnership. [14] avec is the correct word.

JULIEN. Je le sais. Mais mon patron n'a pas voulu m'associer; il veut prendre son temps. Il me dit: Nous verrons dans trois mois. Votre père veut me faire attendre aussi jusqu'à ce que je sois associé. Zut! Il a fallu employer les grands moyens.[1]   5

BETTY. Vous deviez[2]... quitter tout de suite votre patron. Vous deviez[2] lui dire: « Vous voulez pas me associer[3]... je pars! » Voilà. *je pars = je vous quitte*

JULIEN. Oui, mais je n'ai pas de position. S'il m'avait pris au mot,[4] s'il avait accepté, je me serais 10 trouvé le bec dans l'eau.[5]

BETTY. Votre bec dans l'eau?... Oh! pourquoi votre bec dans l'eau?... (*riant*) Oh! monsieur Phéléber!

JULIEN. Et puis je devais venir en France au 15 compte[6] de la maison,[7] qui me fait trois mille francs de frais.[8] Comme ça, les frais de l'enlèvement[9] seront au compte de la maison.

BETTY. Oui, mais puisque vous êtes à Paris... au compte de la maison... vous serez obligé[10] me 20 quitter pour des affaires.

JULIEN. De temps en temps, j'aurai une

---

[1] **employer les grands moyens,** to take extreme measures. [2] She means: **vous auriez dû,** you should have. [3] *i.e.* **Vous ne voulez pas m'associer.** [4] **prendre au mot,** to take at one's word. [5] **le bec dans l'eau,** in the lurch. Betty understands this slang expression only in its literal sense, *i.e.* " the beak in the water." [6] (**compte**), account, expense. [7] (**maison**), house (*in the sense of* firm). [8] FRAIS *pl.* expenses, cost; **faire les frais,** to pay the expenses (cost). [9] (**enlèvement**), removal, *here* elopement. [10] Insert **de.**

course[1] . . . ça ne sera pas long. Et puis, il vaut
mieux se quitter de temps en temps; si on était toujours ensemble sans se quitter, on finirait par s'ennuyer. Il vaut mieux se quitter quelques instants,
5 et se retrouver ensuite.

BETTY. Oh ! moi, je me ennuie pas[2] avec vous.

JULIEN. Eh bien alors, disons que je n'ai rien dit.
Je ne m'ennuie pas, non plus. Voyez-vous ? J'ai
toujours peur que vous vous ennuyiez. Mais du
10 moment que vous ne vous ennuyez pas, je ne m'en-
nuierai pas, non plus . . . Je vais vous quitter pendant une demi-heure . . . Je vais aller au bureau de
poste télégraphier * à mon patron, et puis j'irai voir
un client * rue du Quatre-Septembre[3] . . . une petite
15 course de vingt minutes . . .

BETTY, *effrayée*. Oh ! mais vous me laissez seule !
Si je voulais demander quelque chose ?

JULIEN. Mais vous parlez très bien le français.
(*Entre la caissière.*)

20 BETTY. Je peux parler français seulement avec
ceux qui sait[4] aussi anglais, à cause[5] je sais qu'il
puissent[6] me repêcher[7] si je sais plus.[8] Mais les

---

[1] COURSE, errand, trip. [2] *i.e.* je ne m'ennuie pas. [3] **la
rue du Quatre-Septembre**: in the center of the business district, leading directly to the **Bourse** or Stock Exchange. The
street is so named after the 4th of September, 1870, date of
the fall of the Second Empire. [4] sait should be **savent**. [5] **à
cause** is incorrect for **parce que**. [6] il puissent should be **ils
peuvent**. [7] (REPÊCHER), to fish up again; *slang for* to rescue
from a difficulty. Betty is learning ! [8] *i.e.* **quand je ne
sais plus**.

66

●●

Français, j'ai peur de ne plus tout à coup savoir, et
je ne parle pas.[1]   *soudainement*

JULIEN. En tout cas,[2]... (*A la caissière*) il y
a un interprète ici ?

LA CAISSIÈRE. Mais oui, monsieur, il y a toujours 5
un interprète. Il va arriver tout à l'heure.[3] Il sera *passé et*
à votre service. Les chambres sont prêtes. *bientôt futur*

JULIEN, *à Betty.* Je vais vous conduire à votre *dans un*
chambre et j'irai ensuite[4] au bureau de poste. (*Ils* *moment*
sortent par la gauche.)   10

SCÈNE II

LA CAISSIÈRE, LE GARÇON, puis EUGÈNE

LA CAISSIÈRE. Charles, qu'est-ce qui se passe ?
Pourquoi l'interprète n'est-il pas arrivé ?

LE GARÇON. M. Spork ? Vous ne vous rappelez
pas qu'il ne vient pas aujourd'hui ? C'est le di-
vorce * de sa sœur. Toute la famille dîne au res- 15
taurant,* à Neuilly.[5] Mais, M. Spork a envoyé
quelqu'un pour le remplacer. Il vient d'arriver. Le
voilà dans le couloir.

---

[1] A badly jumbled sentence; she means that when she
talks with French people who do not know English she is
afraid of suddenly not knowing what to say, and then she
can't say anything. [2] **En tout cas,** At any rate. [3] **tout à
l'heure,** shortly, presently. Cf. page 6, note 1; the exact
meaning depends upon the tense of the verb. [4] ENSUITE,
afterward. [5] **Neuilly** is a suburb of Paris, north of the Bois
de Boulogne.

La Caissière. Dites-lui de venir. (*Le garçon va au fond dans le couloir et fait un signe à droite. Eugène entre lentement, et salue.*) C'est vous qui venez remplacer M. Spork ? (*Eugène fait un signe de tête.*) 5 On vous a dit les conditions. Six francs pour la journée. C'est un bon prix. Le patron veut absolument * qu'il y ait un interprète sérieux. Vous n'avez rien d'autre à faire qu'à rester ici et à attendre les étrangers. Vous avez compris ? (*Eugène fait* 10 *signe que oui. La caissière sort un instant à gauche.*)

Eugène, *au garçon, après avoir regardé tout autour de lui.* Est-ce qu'il vient beaucoup d'étrangers ici ?

Le Garçon. Comme ci comme ça.[1] Ça dépend des saisons.[2] Il vient pas mal[3] d'Anglais.

15 Eugène, *inquiet.* Ah !... Est-ce qu'il en vient beaucoup en ce moment ?

Le Garçon. Pas trop en ce moment.

Eugène, *satisfait.* Ah !... Et pensez-vous qu'il en vienne aujourd'hui ?

20 Le Garçon. Je ne peux pas dire. Je vais vous donner votre casquette.[4] (*Il lui apporte une casquette avec l'inscription * INTERPRETER. Puis il sort.*)

Eugène, *lisant l'inscription.* In-ter-pre-terr !... (*Il met la casquette sur sa tête.*) Voilà ! J'espère 25 qu'il ne viendra pas d'Anglais ! Je ne sais pas un mot d'anglais, pas plus que d'allemand ... d'italien,* d'espagnol[5] ... de tous ces dialectes !* C'est

---

[1] **Comme ci comme ça,** So-so. [2] **saison,** season. [3] **pas mal,** quite a lot. [4] casquette, cap (*with a visor*). [5] **espagnol,** Spanish.

68

cependant bien utile pour un interprète... Ça m'avait un peu fait hésiter* pour accepter cette position. Mais, je ne roule pas sur l'or. Je prends ce qui se trouve. En tout cas, je désire vivement qu'il ne vienne pas d'Anglais, parce que notre con- 5 versation* manquerait d'animation.*

LA CAISSIÈRE, *entrant.* Dites donc![1] j'ai oublié de vous demander quelque chose d'assez important. Il y a des interprètes qui parlent comme ci comme ça plusieurs langues,[2] et qui savent à peine[3] le fran- 10 çais. Vous savez bien le français?

EUGÈNE. Parfaitement!*

LA CAISSIÈRE. C'est parce que tout à l'heure vous ne m'aviez pas répondu et, voyez-vous, j'avais peur que vous sachiez mal notre langue. 15

EUGÈNE. Oh! Vous pouvez avoir l'esprit tranquille, madame. Je parle admirablement* le français.

LA CAISSIÈRE, *satisfaite.* En tout cas, nous n'avons pas beaucoup d'étrangers en ce moment. 20 (*Une sonnerie.*[4]) Ah! le téléphone!* (*Elle va jusqu'à la table de droite. A l'appareil, après un silence.*) On téléphone* de Londres. (*Eugène, qui reste debout devant le comptoir, ne bouge pas. Elle regagne son comptoir.*) Hé bien! on téléphone de 25 Londres! On téléphone en anglais! Allez à l'appareil!

EUGÈNE. (*Il va lentement à l'appareil et prend*

[1] **Dites donc!** Say! [2] **langue,** *here* language. [3] **à peine,** hardly, scarcely. [4] (**sonnerie**), ring, sound of a bell (**sonnette**).

les récepteurs.[1]) Allô!... Allô! (*Au public, avec désespoir.*) Ça y est![2] des Anglais! (*Un silence. Au public.*) Je n'y comprends rien,[3] rien! (*Dans le récepteur.*) Yes! Yes!

5 LA CAISSIÈRE, *de son comptoir.* Qu'est-ce qu'ils disent?

EUGÈNE. Qu'est-ce qu'ils disent? Des bêtises... des choses de bien peu d'intérêt.*

LA CAISSIÈRE. Après tout, ils ne téléphonent pas
10 de Londres pour dire des bêtises.

EUGÈNE, *dans l'appareil.* Yes! Yes! (*A la caissière, d'un air embarrassé.**) Ce sont des Anglais... ce sont des Anglais qui désirent des chambres. Je leur réponds: Yes! Yes!

15 LA CAISSIÈRE. Mais enfin, il faut leur demander plus de détails. Combien de chambres leur faut-il?

EUGÈNE, *avec assurance.** Quatre.

LA CAISSIÈRE. Pour quand?

EUGÈNE. Pour mardi[4] prochain.

20 LA CAISSIÈRE. Pour mardi prochain?... A quel étage?

EUGÈNE. Au premier.

LA CAISSIÈRE. Dites-leur que nous n'avons que deux chambres au premier pour le moment, que la
25 troisième ne sera libre que jeudi[5] le 15. Mais nous leur en donnerons deux belles au second.

EUGÈNE. Faut-il que je leur dise tout ça?

---

[1] (récepteur), receiver. [2] **Ça y est,** Now I'm in for it!
[3] **Je n'y comprends rien,** I don't understand a word, I can't make head or tail of it. [4] **mardi,** Tuesday. [5] **jeudi,** Thursday.

70

La Caissière.   Mais oui ... dépêchez-vous ...
(*Il hésite.*) Qu'est-ce que vous attendez ?

Eugène, *au public.* Eh bien, tant pis !¹   (*En
donnant de temps en temps des coups d'œil à la caissière.*)   Manchester, chapeau-chapeau, Littletich,²   5
Regent Street. (*Silence. Au public.*)   Oh ! les
mauvais mots qu'ils me disent là-bas.   (*Il remet le
récepteur. Au public.*)   Zut ! C'est fini ! S'ils
croient que je vais me laisser insulter * comme ça
pendant une heure.   10

La Caissière.   Il faut que ce soit des gens chics.
Il paraît que pour téléphoner de Londres, ça coûte³
dix francs les trois minutes.

Eugène.   Dix francs les trois minutes, combien
est-ce que ça fait l'heure ?   15

La Caissière, *après avoir pensé un moment.* Ça
fait deux cents francs l'heure.   (*Elle sort.*)

Eugène.   Je viens d'être insulté à deux cents
francs l'heure ... J'avais déjà été insulté dans ma
vie, mais jamais à deux cents francs l'heure ... 20
Comme c'est utile cependant de savoir les langues !
Voilà qui prouve * mieux que n'importe quel argu-
ment * la nécessité * de savoir l'anglais ! Je voudrais
avoir ici tout le monde et en particulier * les interprètes, et leur recommander au nom de Dieu d'ap- 25
prendre les langues ! Au lieu de nous laisser vieillir⁴
sur les bancs de nos écoles,⁵ à apprendre le latin,*

---

¹ **tant pis !** so much the worse ! that's that !   ² **Littletich**
was an English clown, well known in the Nineties.   ³ **coûter,** to cost.   ⁴ **vieillir,** to grow old.   ⁵ **école,** school.

71

une langue morte, est-ce que nos parents ne feraient
pas mieux... Je ne parle pas pour moi, puisque
je n'ai jamais appris le latin... Allons! espérons
que ça va se passer tout de même![1] (*Il s'appuie*[2]
5 *contre le comptoir et regarde vers la gauche. Hogson
arrive par le fond à droite. Il va poser sa valise* * *sur
une chaise à gauche de la table de droite. Il s'approche
ensuite d'Eugène qui ne l'a pas vu et continue à lui
tourner le dos.*)

SCÈNE III

EUGÈNE, HOGSON, LA CAISSIÈRE

10 HOGSON. Is this the Hotel de Cologne?

EUGÈNE, *se retournant.* Yes! Yes! (*Il retourne
sa casquette sur sa tête pour que l'inscription* INTER-
PRETER *ne soit pas vue de l'Anglais.*)

HOGSON. Very well. I want to ask the landlady
15 if she has not received a young gentleman and a
lady.

EUGÈNE. Yes! Yes! (*Il marche en arrière
jusqu'à la porte de gauche, premier plan, et disparaît*).

HOGSON, *au public.* What is the matter with
20 him? I wish to speak to the interpreter... Where
is he?... (*Gagnant le fond.*) Interpreter! Interpreter!...

LA CAISSIÈRE, *arrivant par la gauche.* Qu'est-ce
qu'il y a? Qu'est-ce que ça veut dire?[3]

---

[1] **tout de même,** just the same. [2] **s'appuyer,** to lean.
[3] **vouloir dire,** to mean.

72

HOGSON. Oh ! good morning, madam ! Can you tell me if master Cicandel is here ?

LA CAISSIÈRE. Cécandle ?[1]

HOGSON. Cicandel ?

LA CAISSIÈRE. C'est le nom d'un voyageur ... 5 Nous n'avons pas ici de Cécandle. (*Remuant la tête*) Non ! non !

HOGSON. Now look here ! Have you received this morning a young gentleman and a young lady ?

LA CAISSIÈRE, *souriante et un peu effrayée.* Ah ! 10 je ne comprends pas. Interprète ! Interprète ! Mais où est-il donc ? Qu'est-ce qu'il est devenu ? (*Au garçon qui vient.*) Vous n'avez pas vu l'interprète ?

LE GARÇON. Il était là tout à l'heure.

HOGSON, *cherchant dans un petit dictionnaire.** 15 Commissaire[2] ... police ... here. (*Il fait un signe pour dire:* ici.)

LE GARÇON, *s'appuyant contre le comptoir. A la caissière.* En tout cas, il ne parle pas français ... Qu'est-ce qu'il dit ? 20

LA CAISSIÈRE. Je crois qu'il voudrait un commissaire de police. (*A l'Anglais, en criant, et en lui montrant le fond.*) Tout près d'ici !

HOGSON, *faisant signe de ramener quelqu'un.* Commissaire police ... here ! 25

LE GARÇON. Moi, je n'y comprends rien ! Qu'est-ce qu'il dit ?

---

[1] Apparently the clerk is imitating Hogson's pronunciation of **Cicandel.** [2] COMMISSAIRE, commissioner; the **commissaire de police** is a police magistrate at a central station.

La Caissière. Je crois qu'il voudrait qu'on fasse venir ici le commissaire de police.

Hogson, *tendant une pièce d'or au garçon.* Commissaire ... police ... Come here ...

5 Le Garçon. Il m'a donné dix francs.

La Caissière. Ça vaut douze francs cinquante ce qu'il vous a donné[1] ... Hé bien, écoutez ! Trottez-vous[2] jusqu'au bureau du commissaire. Vous lui ramènerez un inspecteur. Il lui dira ce qu'il a à lui 10 dire.

Le Garçon. Mais il ne sait pas le français.

La Caissière. Nous avons l'interprète.

Hogson. Now I want a room.

La Caissière. Ça veut dire: chambre, ça. On 15 va vous en donner une, de room. (*Au garçon.*) Conduisez-le au 17 en passant. (*Elle prend une clef dans le casier et la lui donne.*)

Hogson, *au moment de sortir par la porte de droite, premier plan.* Take my luggage.

20 Le Garçon, *sans comprendre.* Oui, monsieur.

Hogson. Take my luggage.

Le Garçon. Parfaitement !

Hogson, *en se fâchant.* Take my luggage. (*Il montre sa valise. Le garçon la prend avec colère.*)
25 What is the matter with this fellow ? I don't like repeating twice ... Now then, follow me. (*Ils sortent par la droite.*)

---

[1] The porter mistakes the coin for a ten-franc piece; it was a half-sovereign, worth twelve francs and fifty centimes.
[2] **Trottez-vous**, Skedaddle, Beat it.

74

La Caissière. Où est donc cet interprète? (*Elle sort par le fond à droite. Entrent par le fond à gauche Betty et Julien.*)

SCÈNE IV

BETTY, JULIEN

Betty. Alors, vous partez! Vous ne resterez pas longtemps? 5

Julien. Je vais jusqu'au bureau de poste.

Betty. J'ai si peur! Avez-vous entendu crier tout à l'heure? Je pense c'était[1] la voix de mon père.

Julien. Mais non, mais non. C'est une obses- 10 sion.* Ce matin c'était son chapeau gris que vous aviez aperçu. Maintenant c'est sa voix que vous croyez entendre! Allons, au revoir.

Betty. Au revoir, my dear.

Julien. Dites: petit chéri. 15

Betty. Peti chéri. (*Elle rentre à gauche. Il sort par la droite.*) *les indications*

SCÈNE V

EUGÈNE, LA CAISSIÈRE, puis HOGSON, puis L'INSPECTEUR

Eugène, *peu après, se glisse sur la scène, en rentrant premier plan, à gauche. Il a toujours sa cas-*

[1] *i.e.* que c'était.

75

quette à l'envers.[1] Personne ! . . . Et il n'est que dix
heures et demie. Ah ! si l'on croit que je vais rester
ici jusqu'à ce soir, à minuit ! (*Allant au fond consulter* * *une affiche en couleur.*) Voyons l'horaire.
5 Il n'arrive pas de train de Londres avant sept heures.
Je vais être presque tranquille, alors, jusqu'à sept
heures.

LA CAISSIÈRE, *entrant au deuxième plan, à droite.*
Interprète ! Ah ! vous voilà ! Où étiez-vous donc
10 tout à l'heure ?

EUGÈNE. J'étais parti . . . j'étais très pressé . . .
j'avais entendu crier: au secours ![2] au secours ! . . .
en espagnol, vous savez . . . mais je m'étais trompé,
ce n'était pas ici.

15 LA CAISSIÈRE. Vous étiez si pressé que vous
aviez mis votre casquette à l'envers.

EUGÈNE, *touchant sa casquette.* Oui ! Oui !

LA CAISSIÈRE. Eh bien, qu'est-ce que vous attendez pour la remettre ? . . . Remettez-la . . . Es-
20 sayez de ne plus bouger maintenant. (*Il s'assied
devant le comptoir, où la caissière regagne sa place.*)
Il va venir un Anglais qui ne sait pas un mot de
français . . . Il a demandé un inspecteur de police . . . Je ne sais pas ce qu'il veut . . .
25 EUGÈNE, *à lui-même.* Moi non plus. Il y a des
chances * pour que je ne le sache jamais.

VOIX DE HOGSON, *à droite.* Look here, waiter ! . . .

---

[1] **à l'envers,** wrong side to, on backwards. The expression sometimes means *inside out, upside down,* etc. [2] SE-
COURS, aid, help, succor; **au secours !** help !

76

waiter!... Give us a good polish on my patent
leather boots and bring us a bottle of soda water!

EUGÈNE. Oh! quel jargon!* quel jargon! Où
est le temps où la langue française était universelle-
ment * connue à la surface * de la terre? Il y a ce- 5
pendant une société[1] pour la propagation * de la
langue française. Qu'est-ce qu'elle fait donc?

HOGSON, *entrant par la droite, premier plan, en
même temps que l'Inspecteur entre par le fond.* Well,
what about that Inspector? 1C

L'INSPECTEUR. Hein! Qu'est-ce qu'il y a? C'est
ce monsieur qui me demande! Hé bien! Vous
n'avez pas peur. Vous ne pourriez pas vous déranger[2] pour venir jusqu'au bureau?

HOGSON. Yes! 15

L'INSPECTEUR. Il n'y a pas de Yes! C'est
l'usage.[3]

HOGSON. Yes!

L'INSPECTEUR. Je vois que vous êtes un homme
bien élevé.[4] Alors, une autre fois, il faudra vous 20
conformer * aux habitudes[5] du pays, n'est-ce pas?

HOGSON. Yes!

L'INSPECTEUR, *à la caissière.* Allons! Il n'est
pas difficile.[6]

[1] Bernard is alluding humourously to the Alliance Française, a society founded in 1883 for the propagation of French
culture and language, with branches all over the world. [2] **se
déranger,** to put oneself out, take the trouble. [3] **usage,**
custom, practice. [4] (**élevé**), brought up, bred, raised.
[5] (**habitude**), custom, habit. [6] **Il n'est pas difficile,** He is
not hard to please (hard to get along with).

LA CAISSIÈRE. Il ne sait pas un mot de français.

L'INSPECTEUR. Et moi je ne sais pas un mot d'anglais... Nous sommes faits pour nous entendre. comprendre

5 LA CAISSIÈRE, *à Eugène qui a gagné le fond sans être vu.* Interprète !

EUGÈNE, *s'arrêtant court.* Voilà !...

L'INSPECTEUR. Faites-lui raconter son affaire. (*Eugène s'approche de Hogson.*)

10 HOGSON, *regardant la casquette d'Eugène. Avec satisfaction.* Oh ! Interpreter !...

EUGÈNE. Yes ! Yes !

HOGSON. Tell him I am James Hogson, from Newcastle-on-Tyne... Tell him !... I have five
15 daughters. My second daughter ran away from home in company with a young gentleman, master Cicandel... Tell him. (*Eugène continue à le regarder sans bouger.*) Tell him !... (*Se fâchant.*) Tell him, I say !

20 L'INSPECTEUR. Qu'est-ce qu'il dit ? Je n'y comprends rien.

EUGÈNE. Voilà... c'est très compliqué *... c'est toute une histoire[1]... Ce monsieur est Anglais...

25 L'INSPECTEUR. Je le sais.

EUGÈNE. Moi aussi. Il vient pour visiter * Paris comme tous les Anglais.

L'INSPECTEUR. Et c'est pour ça qu'il fait chercher le commissaire ?

[1] **c'est toute une histoire**, it's a long story.

78

Eugène. Non ... attendez ! ... attendez ! ...
Laissez-moi le temps de dire ce qu'il a dit.

Hogson. Oh ! tell him also this young man is a
Frenchman and a clerk in a banking house of Saint
James street.   5

Eugène. Précisément ! ... (*A l'Inspecteur.*)
Pourquoi un Anglais à peine arrivé à Paris peut-il
avoir besoin d'un commissaire ? (*Embarrassé.*)
Pour un vol de ... de portefeuille.¹ (*Une idée
lumineuse² lui vient soudain.*) Voilà, Monsieur des-   10
cend du train ...

Hogson. Tell him that the young gentleman ...

Eugène, *à Hogson, en faisant un geste de la main
de lui fermer la bouche.* Ferme ! (*A l'Inspecteur.*)
Monsieur descend du train à la gare³ du Nord quand   15
un homme le pousse et lui prend son portefeuille.
(*L'Inspecteur fait quelques pas vers la gauche pour
prendre des notes.**)

Hogson, *approuvant* * ce que vient de dire Eugène.
Yes ! ... Very well ... yes ...   20

Eugène, *étonné.* Yes ? ... Eh bien, mon vieux,⁴
tu n'es pas difficile ... (*Il gagne le fond avec précaution. Hogson s'approche de l'Inspecteur, en tirant
son portefeuille.*)

L'Inspecteur, *étonné.* Vous avez donc deux   25

¹ portefeuille, pocketbook (= portfolio).   ² lumineuse
(*m.* lumineux), bright, shining, (luminous).   ³ gare, station
(*railway*); the Gare du Nord is the terminal for trains running
to Calais and Boulogne, connecting with the Channel boats
to English ports.   ⁴ mon vieux, old chap.

portefeuilles ? (*A l'interprète.*) Il avait donc deux portefeuilles !

EUGÈNE. Toujours ! toujours ! ... les Anglais.

HOGSON, *tendant son portefeuille à l'Inspecteur.*
5 That is the likeness, the young man's photo ... photograph !

L'INSPECTEUR, *étonné.* La photographie[1] de votre voleur ?

HOGSON. Yes.

10 L'INSPECTEUR. Ils sont étonnants, ces Anglais ! ... un inconnu les pousse dans la gare ou dans la rue et vole leur portefeuille. Ils ont déjà sa photographie ... (*Après réflexion.**) Mais comment a-t-il fait cela ?

15 EUGÈNE. Je ne vous ai pas dit que l'homme qui l'a poussé était un homme qu'il connaissait très bien.

L'INSPECTEUR. Non ! Comment s'appelle-t-il ? Demandez-le-lui.

EUGÈNE. Il faut que je lui demande ? Il m'a
20 déjà dit son nom ... Il s'appelle ... John ... John ... (*Il pousse une sorte de gloussement.*[2]) Lroukx.

L'INSPECTEUR. Comment est-ce que ça s'écrit ?

EUGÈNE. Comment est-ce que ça s'écrit ? ...
25 W ... K ... M ... X ...

L'INSPECTEUR. Comment prononcez-vous cela ?

EUGÈNE, *poussant un autre gloussement.* Crouic !

L'INSPECTEUR. Je vous prends au mot. Enfin !

---

[1] PHOTOGRAPHIE, photograph (le **photographe** = the photographer). [2] GLOUSSEMENT, cluck.

J'ai pas mal de notes. Je vais commencer des recherches * actives.*

EUGÈNE. Oui ! oui ! allez. (*Montrant l'Anglais.*)
Il est très fatigué. Je crois qu'il va aller se coucher.

L'INSPECTEUR. Je m'en vais. (*A l'Anglais.*) 5
Je vais commencer d'actives recherches. (*Il sort.*)

SCÈNE VI

HOGSON, EUGÈNE, LA CAISSIÈRE

HOGSON, *à Eugène.* What did he say to me?
(*Eugène fait un signe de tête.*)

HOGSON, *plus fort.* What did he say to me?

EUGÈNE. Yes ! Yes ! 10

HOGSON, *furieux.** What: yes ! yes !

LA CAISSIÈRE. Qu'est-ce qu'il a dit ?

EUGÈNE. Rien.

LA CAISSIÈRE. Il a l'air furieux !... Demandez-
lui ce qu'il a.[1] 15

EUGÈNE. Non ! non ! Il faut le laisser tranquille.[2]
Il dit qu'il veut absolument qu'on le laisse tranquille. Il dit que si on a le malheur de lui parler,
il quittera l'hôtel tout de suite.

LA CAISSIÈRE. C'est un fou ! 20

EUGÈNE, *à part.*[3] Ou un martyr !*... Non,
c'est moi qui suis le martyr.

HOGSON, *à la caissière, avec force.* Bad, bad interpreter !

---

[1] **ce qu'il a,** what is the matter with him. [2] **laisser tranquille,** to leave alone, not bother. [3] **à part,** aside.

La Caissière. Qu'est-ce qu'il dit?

Hogson, *avec plus de force encore.* Maovais![1] maovais interpreter!

La Caissière. Ah! il a dit: mauvais interprète!

5 Eugène, *d'un geste expressif.* Humph... Humph... Movey![2] Movey! Est-ce que vous savez seulement ce que ça veut dire en anglais?

Hogson, *furieux, à la caissière.* Look here, madam... I never saw such a hotel in my bloom-
10 ing life. (*Allant à l'interprète.*) Never... and such a fool of an interpreter. Do you think I have come all the way from London to be laughed at? It is the last time... (*en s'en allant*) I get a room in your inn. (*Il sort, premier plan, à gauche.*)

15 La Caissière. Il est furieux!

Eugène. Mais non!... Il est très content *caractère* (*Il donne une imitation de sa marche.*[3]) C'est un air anglais. Quand ils sont contents, ils marchent comme ça.

20 La Caissière. Je m'en vais un instant. Essayez de rester ici et de n'en plus bouger. (*Elle sort.*)

Eugène, *essuyant*[4] *la figure avec son mouchoir et s'asseyant près du comptoir.* Ah! une petite maison de campagne en Touraine,[5] tout au milieu de la

---

[1] Hogson has a common English difficulty with the **au** of **mauvais.** [2] Eugene pretends that **maovais** is the English word *movey*, the meaning of which is unknown to him. [3] (**marche**), walk. [4] **essuyer,** to wipe. [5] **Touraine,** south of Paris and in the center of France, is one of the most delightful provinces in which to live; its capital is Tours, on the Loire.

France ! Ici, nous sommes envahis[1] par des étrangers ... J'aurais une vie en paix ... Les paysans me parleraient patois.[2] Mais je ne serais pas forcé de leur répondre. Je ne suis pas un interprète de patois.   5

SCÈNE VII

EUGÈNE, BETTY

BETTY. Interpreter !

EUGÈNE. Allons ! Bon ! (*Il fait signe à Betty qu'il a mal à la gorge.*[3]) Mal ... gorge ... la voix ... disparue ... (*A part*) Elle ne comprend pas. Il faudrait lui dire ça en anglais.   10

BETTY. Vous ne pouvez pas parler ?

EUGÈNE, *avec un mouvement violent,** et parlant de sa voix naturelle.** Vous parlez français ! Il fallait donc le dire tout de suite.

BETTY. Vous pouvez parler maintenant.   15

EUGÈNE, *parlant comme s'il souffrait encore d'un mal à la gorge.* Ah ! pas tout à fait encore ... mais ça va mieux.[4] (*Avec sa voix naturelle.*) Ah ! voilà ! ça va bien ! n'en parlons plus.

BETTY. Do you know if the post office is far from here ?   20

EUGÈNE. Oh ! puisque vous savez un peu parler français, pourquoi vous amusez-vous à parler an-

[1] ENVAHIR, to invade.   [2] PATOIS, a local dialect, brogue.
[3] **gorge,** throat; **qu'il a mal à la gorge,** that he has a sore throat.
[4] **ça va mieux,** it's getting better.

83

glais? Ce n'est pas le moyen de bien apprendre le
français.

BETTY. Je sais si peu.

EUGÈNE. Parfaitement! De plus, moi, je veux
5 vous habituer à parler français. Si vous me parlez
anglais, mon parti est pris,[1] je ne répondrai pas.

BETTY. Oh! I speak French with such difficulty.

EUGÈNE, *brusquement.* Je ne veux pas comprendre! Mon parti est pris. Je ne veux pas com-
10 prendre!

BETTY. Eh bien! je vais vous dire... (*Apercevant le chapeau gris de Hogson sur la table.*) Oh!
Oh!

EUGÈNE. Qu'est-ce qu'il y a?

15 BETTY. Quel est ce gris chapeau?[2]

EUGÈNE. C'est un chapeau qu'un Anglais a
laissé tout à l'heure.

BETTY, *s'approchant.* Oh! (*Elle regarde à l'intérieur du chapeau.*) My father's hat! (*A l'in-
20 terprète, avec émotion.*) Oh! my friend is out! My
friend left me alone! He is not returned yet! I am
going to my room!

EUGÈNE. Oui! oui! c'est entendu.[3]

BETTY. Je vais me en[4] aller dans ma chambre.

25 EUGÈNE. Oui... oui... c'est ça... Partez! partez! (*Elle s'en va.*) Au moins, avec elle, il y a

[1] **mon parti est pris,** my mind is made up, I am resigned.
[2] *i.e.* A qui est ce chapeau gris?   [3] **c'est entendu,** of course.
The literal meaning, *it is understood,* offers a pun upon the
use here.   [4] *i.e.* **m'en.**

moyen de causer. Ce n'est pas comme avec cet Anglais. Ils ne se dérangeraient pas pour apprendre notre langue, ces gens-là. Voilà bien l'orgueil[1] des Anglais !

SCÈNE VIII

EUGÈNE, JULIEN

JULIEN, *arrivant par la gauche.* Interpreter ! 5

EUGÈNE. Ça y est ![2] Encore !... Non ! non ! j'en ai assez ! c'est fini ! Il y a trop d'Anglais. Ils sont trop. (*A Julien.*) Tête de bois ! Cochon[3] de rosbif ![4] Ferme ta bouche ! Tu es dégoûtant ![5]

JULIEN. Tu es encore plus dégoûtant ! Il en a 10 de l'assurance, celui-là !

EUGÈNE, *lui serrant la main.* Ah ! vous parlez français, merci ! merci ! Ça fait plaisir d'entendre sa langue maternelle ! * Répétez un peu: j'ai de l'assurance ! Dites donc ! puisqu'enfin je retrouve 15 un compatriote,[6] je vais lui demander un service, un grand service. Imaginez-vous que je sais très peu l'anglais. Je ne sais que l'espagnol, l'italien, le turc,* le russe,* et le japonais.*

---

[1] ORGUEIL, pride.   [2] Ça y est ! There now ! I was sure it would happen.   [3] COCHON, pig.   [4] ROSBIF, the French attempt at *roast beef*, used here as an epithet for an Englishman, as *frog* is sometimes applied to a Frenchman. **Cochon de rosbif** = pig of a roast-beef eater (*i.e.* an Englishman).   [5] (**dégoûtant**), disgusting.   [6] COMPATRIOTE, fellow citizen, fellow countryman.

JULIEN. Vous savez l'espagnol?... ¿ Qué hora es?[1]

EUGÈNE. Ne perdons pas de vue le sujet de notre conversation!... Je vous disais donc...

5 JULIEN. Je vous ai posé une question. ¿ Qué hora es? Répondez à ma question.

EUGÈNE. Vous voulez une réponse immédiate*? Je demande un moment de réflexion.

JULIEN. Vous avez besoin de réflexion pour me
10 dire l'heure qu'il est?

EUGÈNE, *avec confiance*. Il est onze heures et demie... Écoutez... Vous allez me rendre un service. Il s'agit de parler à un Anglais qui est ici. Il parle un anglais que je ne comprends pas.
15 Je ne sais pas du tout ce qu'il me veut.

JULIEN. Où est-il cet Anglais?

EUGÈNE. Nous allons le trouver... Oh! vous êtes gentil[2] de me rendre ce service.

JULIEN. Eh bien! Allons-y.

20 EUGÈNE. Il doit être tout près. Tenez! Voilà ma casquette! (*Il la lui met sur la tête.*) Vous voilà interprète! (*S'approchant de la porte de gauche.*) Monsieur! Monsieur!

JULIEN. Dites-lui: Seur![3]

25 EUGÈNE. Seur! Seur! (*Revenant à Julien.*) Je voudrais lui dire qu'il y a ici un bon interprète. Comment ça se dit-il?[4]

---

[1] Spanish for *What time is it?*   [2] **gentil**, nice, kind, agreeable.   [3] Julien's equivalent for *Sir!*   [4] **Comment ça se dit-il?** How does one say that?

JULIEN. Good interpreter !

EUGÈNE. Bien ! Bien ! Good interpreter ! (*Satisfait.*) Nous allons, je pense, assister à[1] une chic[2] conversation anglaise entre ces deux gentlemannes ![3] ... (*Allant à la porte.*) Seur ! Seur ! Good interpreter ! (*Entre Hogson. Julien l'aperçoit et se retourne immédiatement.**)

SCÈNE IX

LES MÊMES, HOGSON, puis L'INSPECTEUR, BETTY, LA CAISSIÈRE, LE GARÇON, un AGENT

HOGSON, *au dehors.* Allô ! a good interpreter ? ... All right ! (*Il entre.*)

HOGSON, *à Julien.* Oh ! is this the new man ? Very well. I want my breakfast served in the dining room, but on a separate table. (*Julien gagne doucement d'abord, puis rapidement le fond et s'en va par la droite, en traversant la scène en angle.**)

EUGÈNE, *étonné.* Tiens ! il paraît que je ne suis pas le seul que les Anglais font disparaître !

HOGSON, *à Eugène.* What is the matter with him ?

EUGÈNE. Non, mon vieux, ce n'est plus moi, c'est lui ! ... (*D'une voix aimable.*) Au revoir, monsieur ! au revoir, monsieur !

HOGSON, *furieux.* What do you mean, you rascal,

---

[1] ASSISTER À, to be present at, witness. [2] **chic**, *here* swell, nifty. [3] **gentlemanne** is a popular term for an Englishman.

stupid scoundrel, you brute, frog-eating beggar!
(*Il sort par la gauche.*)

EUGÈNE, *seul.* Non! je ne serai jamais en bons
termes * avec ce rosbif-là. Je préfère en prendre
5 mon parti une fois pour toutes. (*On entend du bruit
à gauche.*) Qu'est-ce que c'est que ce tapage-là?[1]
On s'assassine!* On se bat! Ce sont des gens
qui parlent français! Des compatriotes! Ça va
bien. Ça ne me regarde pas.

10   L'INSPECTEUR *entre, suivi d'un agent qui tient
Julien par le bras. A Eugène.* Je tiens mon voleur!
Je le tiens! Au moment où je passais devant la
porte, je l'ai vu qui marchait très vite, et je l'ai
reconnu par la photographie. Ah! Ah! Faites-
15 moi chercher cet Anglais! Nous allons lui montrer
ce que c'est que la police française. Aussitôt connus,
aussitôt pincés![2] (*A l'interprète.*) Allez me chercher cet Anglais! Et revenez avec lui, puisque nous
aurons besoin de vos services.

20   EUGÈNE. Vous faites bien de me dire ça!...
(*A part.*) Je ne connais pas le toit de l'hôtel. Je
vais aller le visiter. (*Il sort par le fond à gauche.*)

JULIEN. Mais enfin! Qu'est-ce que ça veut dire?
Vous m'arrêtez! Vous m'arrêtez! On n'arrête pas
25 les gens comme ça. Vous aurez de mes nouvelles![3]

L'INSPECTEUR. Oh! Oh! pas de résistance!*
pas de colère! C'est bien vous qui vous appelez...

---

[1] TAPAGE, racket, uproar. [2] PINCER, to pinch; **aussitôt
connus, aussitôt pincés,** no sooner recognized than "pinched."
[3] **Vous aurez de mes nouvelles.** You will hear from me.

(*Il essaie de prononcer le nom écrit dans ses notes.*)
Doublevé Ka Emme Ix ?[1]... Oh ! ne faites pas
semblant d'être étonné !... Vous vous expliquerez
au bureau. (*Au garçon.*) Faites-moi venir cet
Anglais de ce matin, ce grand monsieur, avec un 5
chapeau gris.

JULIEN, *essayant d'échapper à l'agent.* Avec un
chapeau gris !

L'INSPECTEUR. Ah ! ah ! ah ! Ça te dit quelque
chose ![2] (*A l'agent.*) Tenez-le solidement ! *   10

BETTY, *entrant par la porte de droite.* Oh ! petit
chéri ! petit chéri !

L'INSPECTEUR. Arrêtez cette femme ! Nous en
tenons deux ! (*L'agent prend Betty par le bras.*)

BETTY. Oh ! my dear ! Qu'est-ce que c'est ?   15

JULIEN. Vous aviez raison ce matin. Le chapeau
gris est là ... (*Betty, effrayée, essaie d'échapper,
mais l'agent la tient plus solidement.*)

L'INSPECTEUR. Pas de conversation ! Pas de
signes ! Je me souviendrai de cette histoire de 20
chapeau gris. (*A l'agent.*) Avez-vous vu leur
mouvement quand on a parlé de chapeau gris ?
C'est une bande des plus dangereuses !

LE GARÇON, *rentrant à gauche, premier plan, avec
Hogson.* Voici ce monsieur !   25

HOGSON, *apercevant Betty qui se cache le visage.*
D'une voix de reproche. Oh ! Betty ! Are you still

---

[1] The names of the letters of the alphabet: W K M X (cf.
Scene V, page 80). [2] **Ça te dit quelque chose !** That means
something to you !

my daughter? Is that you? Have you thought of
your poor mother's anxiety and despair? (*Sèchement,*[1] *à l'Inspecteur qui veut l'interrompre.*[2]) Leave
me alone! (*A Betty.*) Have you thought of the
5 abominable example of immorality for your dear
sisters! Have you thought... (*A l'Inspecteur,
sèchement.*) Leave me alone! All right! (*A Betty.*)
Have you thought of the tremendous scandal...

L'INSPECTEUR. Vous savez que vous perdez votre
10 temps. Il y a assez longtemps que j'ai cessé de faire
des reproches à des malfaiteurs.[3]

HOGSON, *à l'Inspecteur, avec effusion.** My friend,
I have five daughters. My second daughter, Betty,
ran away from...

15 L'INSPECTEUR, *montrant Julien.* C'est bon! C'est
bon! C'est bien l'homme qui vous a volé votre
portefeuille?

HOGSON, *avec énergie.** Yes!

JULIEN. Comment? Il m'accuse * de vol main-
20 tenant? You told this man I robbed your pocketbook?...

HOGSON. My pocketbook!... but I never said
such a thing!

JULIEN. Vous voyez! Il dit qu'il n'a jamais
25 dit ça.

L'INSPECTEUR. Vous savez que je ne sais pas
l'anglais. Vous pouvez lui faire raconter ce qui vous
plaira... Allons! au bureau l'homme et la femme!

[1] (**sèchement**), dryly, curtly. [2] (INTERROMPRE), to ín-
terrupt. [3] (MALFAITEUR), evildoer, criminal.

JULIEN, *à Hogson*. Do you know he will send your daughter to prison !

HOGSON. My daughter ! my daughter to prison ! (*Il retient sa fille par le bras.*)

LA CAISSIÈRE, *arrivant*. Qu'est-ce que ça veut 5 dire ?

L'INSPECTEUR. Ah ! vous m'ennuyez tous, à la fin. Je vous emballe[1] tous. Vous vous expliquerez tous au bureau.

BETTY. Mais je suis sa fille ! 10

L'INSPECTEUR. Qu'est-ce que ça veut dire, tout ça ? (*Sonnerie prolongée* * *de téléphone.*)

LA CAISSIÈRE, *à l'appareil*. On sonne[2] de Londres. M. Julien Cicandel.

JULIEN. C'est moi ! 15

LA CAISSIÈRE. Vous vous appelez Philibert.

JULIEN. Je m'appelle aussi Cicandel.

L'INSPECTEUR. Et puis Doublevé Ka Emme Ix ! Oh ! c'est louche,[3] ça ! c'est de plus en plus louche !

JULIEN. Laissez-moi répondre. (*Il vient à l'ap-* 20 *pareil, toujours tenu par l'agent.*) Allô ! allô ! c'est de mon patron de Londres ! . . . yes ! yes ! . . . Il paraît qu'il a déjà téléphoné tout à l'heure et qu'on lui a donné la communication[4] avec une maison de fous ![5] All right ! oh ! Thank you ! Thank you ! 25

---

[1] EMBALLER, to pack up, wrap up; **Je vous emballe tous** (*slang*) I'll pack you off, all of you. [2] (**sonner**), to ring (for), *here* call. [3] LOUCHE, squint-eyed; (*slang*) shady, suspicious, fishy. [4] COMMUNICATION, connection (*telephone*), communication. [5] **maison de fous**, madhouse, insane asylum.

91

(*A part.*) C'est mon patron qui me téléphone qu'il consent à m'associer dans la maison.

BETTY, *sautant de joie.* Oh! papa! papa! He will give Julian an interest in the bank!

5 HOGSON. He will, he really ...?

BETTY. Yes! oh! I am happy! I am happy!

JULIEN. Que votre père écoute lui-même! (*A Hogson.*) Listen yourself!

HOGSON, *s'approchant du téléphone, à l'Inspecteur.*
10 Ah! It is a good thing! (*S'asseyant.*) Allô! allô! Speak louder; I can't hear you ... allô! allô! all right!... If you give Julian an interest, I have nothing more to say ... That is good ... thank you ... Good-bye. (*Se levant, à Julien.*) My
15 friend, I give you my daughter. (*Betty l'embrasse et va dans les bras de Julien.*)

EUGÈNE, *arrivant par la gauche, premier plan.* Qu'est-ce qui se passe?

L'INSPECTEUR. Il se passe des choses pas or-
20 dinaires! Vous vous rappelez l'Anglais de tout à l'heure qui se plaignait d'avoir été volé. Eh bien! Je fais de mon mieux pour lui retrouver son voleur. Je fais des recherches. Je prends mon homme. Je le lui amène. Il lui donne la main de
25 sa fille! Maintenant, tout ce qu'on me dira des Anglais, vous savez, ça ne m'étonnera plus. (*Il sort.*)

EUGÈNE, *regardant Julien et Betty.* Vous êtes heureux?

30 JULIEN. Oh! oui!

le beau-fils 92 de M. Hogson

donner un baiser à qqn. —

give a kiss

EUGÈNE.   C'est pourtant[1] à cause de moi que tout ça est arrivé.

JULIEN.   Comment ça ?

EUGÈNE.   C'est toute une histoire, vous savez... mais si vous étiez chic,[2] vous me trouveriez une 5 place à Londres.

JULIEN.   Comme interprète ?

EUGÈNE, *avec horreur.*   Non ! J'en ai fini avec ce métier[3] d'interprète.   Je veux me mettre à apprendre les langues. 10

JULIEN.   Mon beau-père[4] vous trouvera ça à Londres.

HOGSON, *serrant la main d'Eugène.*   My fellow, since you are his friend, you are my friend.

EUGÈNE, *à Hogson.*   Peut-être bien.   (*A Julien.*) 15 Je voudrais lui dire quelque chose de gentil, d'aimable... que je ne comprends pas un mot de ce qu'il dit.

JULIEN.   Dites-lui: I cannot understand !

EUGÈNE, *serrant la main de Hogson.*   Canote en- 20 doustan !

RIDEAU

[1] **pourtant,** however.   [2] **chic,** *here* swell, a sport.   [3] MÉTIER, trade, profession.   [4] (**beau-père**), father-in-law.

QUELQUES ANECDOTES *

1. ICI, ON PARLE TOUTES LES LANGUES

On lisait sur la porte d'un hôtel de province,* en France: « Ici, on parle toutes les langues. » Un voyageur passe et s'adresse au[1] propriétaire * en anglais, en italien, en allemand, mais il ne reçoit 5 aucune[2] réponse.

« Qui donc, » dit-il, « parle ici toutes les langues, ainsi que[3] cela est annoncé ? » *

Le propriétaire lui répond, sans hésiter:

« Mais, ce sont les voyageurs ! »

2. DEUX LANGUES

Il y a, entre la langue qu'on apprend dans les livres et celle du peuple,[4] des différences * parfois[5] très grandes. Ces différences, pour l'étranger, n'existent pas; et nous autres Français, dont c'est la 5 langue maternelle, nous ne nous en doutons guère.[6]

Un savant français se promenait[7] un jour dans la campagne, près de Paris, avec un ami anglais, homme

[1] S'ADRESSER À, to address, speak to. [2] AUCUN, no, none. [3] (ainsi que), as. [4] peuple, people. [5] (parfois), at times, sometimes. [6] ne ... guère, scarcely, hardly. [7] (se promener), to take a walk.

des plus distingués, qui parlait le français purement et sans grand accent. Mais c'était le français des livres.

Les deux promeneurs[1] arrivent à un champ où un paysan cueillait[2] des pommes. Ils se mettent à 5 causer avec lui, et enfin l'étranger demande au brave homme, à qui il montrait un fruit *:

« Pourriez-vous me dire quelle en est la saveur ? »[3]

C'était du français, du français correct,* élégant même, si vous voulez, mais c'était du français tel 10 qu'on l'écrit, et non tel qu'on le parle. Le paysan ne comprend pas et reste là embarrassé et sans répondre.

Alors le professeur * français, qui voyait que le paysan ne savait pas ce que voulait dire le mot 15 « saveur », traduisit[4] la question dans la langue du peuple:

« Ce monsieur vous demande quel goût[5] ça a. »

Et tout de suite le paysan comprit.

3. SANG-FROID [6] ANGLAIS

C'est à Paris, au café Cardinal. Un habitué,[7] le capitaine Fernand, s'adresse à un homme qui lit le *Journal des Débats*.[8]

[1] (**promeneur**), walker, stroller.   [2] **cueillir**, to pick, gather.
[3] SAVEUR, flavor, taste, (savour).   [4] TRADUIRE, to translate.
[5] (**goût**), taste.   [6] (**sang-froid**), coolness, composure, self-control.   [7] (**habitué**), regular customer.   [8] The **Journal des Débats** is a conservative Republican paper, founded in 1789.

« Monsieur, » lui dit-il, « quand vous aurez lu . . . »

L'autre lève la tête et d'une voix sérieuse il commence à conjuguer[1]:

« Je lis, tu lis, il lit, nous lisons, vous lisez, ils
5 lisent. »

Puis il remet le nez dans son journal.

« Pardon, » dit le capitaine étonné, « c'est le
Journal des Débats que je vous demande ! »

« Je demande, tu demandes, il demande, nous
10 demandons, vous demandez, ils demandent. »

Le capitaine, croyant qu'on se moquait de[2] lui,
se fâche et s'écrie:

« Sapristi ![3] monsieur, finissons ! »

« Je finis, tu finis, il fin . . . »

15 La troisième personne du verbe * est coupée par
un coup violent * dans le visage.

« Sortons, monsieur ! » crie le capitaine, qui ne
peut plus se contenir.

L'homme, toujours de sang-froid, se lève et suit
20 le capitaine, en murmurant:

« Je sors, tu sors, il sort, nous sortons, vous sortez,
ils sortent. »

On se battit, le lendemain, à l'épée, et le capitaine, après avoir blessé le monsieur au verbe[4] dans
25 le bras:

« Enfin, » lui dit-il, « voulez-vous me donner une
explication ? »[5]

---

[1] CONJUGUER, to conjugate (*a verb*).   [2] SE MOQUER DE, to
make fun of.   [3] SAPRISTI ! By Jove !   [4] le monsieur au verbe,
the gentleman of the Verb.   [5] (explication), explanation.

« Aoh ! yes, very well ! » répondit le blessé.

Et l'un de ses témoins[1] expliqua que son ami, jeune gentlemanne anglais, ne pouvant apprendre le français, avait reçu de son professeur la recommandation * de conjuguer tous les verbes qu'il entendait 5 prononcer.

« Ah ! monsieur, » dit le capitaine, en lui serrant les mains, « comme je suis désolé ! »[2]

« Aoh ! yes, » répondit l'Anglais avec le même sang-froid, « je suis désolé, tu es désolé, il est dé- 10 solé . . . »

4. L'ANGLAIS TEL QU'ON LE PARLE EN ANGLETERRE

Un Français, qui habitait depuis six mois une ville d'Angleterre, cherchait un « boarding-house, » c'est-à-dire, une pension.[3] Comme il frappait à une porte, un domestique en habit noir vint lui ouvrir. Le Français lui demanda dans son plus pur anglais: 5

« Is the landlady at home, please ? »

Le domestique le regarda d'un œil froid, parut faire un effort extraordinaire de compréhension,* ouvrit la bouche et la referma sans dire un mot.

Le visiteur * répéta: 10

« Is the landlady at home, please ? »

Le domestique l'examina des pieds à la tête, fit

---

[1] TÉMOIN, witness. [2] DÉSOLÉ, sorry, grieved (*lit.* desolate). PENSION, boarding-house.

une grimace douloureuse et disparut dans le couloir. Le Français, s'appuyant contre la porte, attendait.

« Il est stupide, » pensait-il, « il est dégoûtant d'avoir travaillé douze heures par jour pendant cent
5 soixante-quinze jours — sans compter les nuits ! — et perdu l'appétit,* appris par cœur les 874 pages du dictionnaire de Spiers, le manuel* de conversation de Sanderson, enfin traduit[1] Rasselas, pour ne pas arriver à se faire comprendre d'un simple do-
10 mestique ! Quelle langue ! Quel peuple ! »

Mais le simple domestique avait ouvert la porte d'une chambre au fond du couloir, et il disait, dans une bonne langue maternelle, avec un admirable* accent de Marseille:
15 « Madame, il y a là un cochon d'Anglais qui ne sait pas le français... Faut-il aller chercher l'interprète ? »

5. AVENTURE D'HÔTEL

Deux Anglais faisaient un jour un petit voyage à pied en France. Ils arrivent dans un hôtel où ils voulaient passer la nuit, ils demandent une chambre, font monter[2] leurs sacs et allument du feu. Puis l'un
5 d'eux se met à faire sa correspondance.* L'autre veut aller se promener.

« I say, John, » lui dit le premier, « tell the waiter not to let the fire go out; it's so cold here ! »

Tous deux ne parlaient encore français qu'à l'aide

---

[1] (traduit), *p.p.* traduire, translated. [2] (monter), to take up.

du dictionnaire. John prend donc le sien, et il cherche l'un après l'autre tous les mots dont il a besoin: *Do not let*, ne laissez pas; *the fire*, le feu; *go out*, sortir.

Il descend, appelle le garçon, et lui dit avec sa 5 mauvaise prononciation *:

« Garçon, ne laissez pas le fiou[1] sortir. »

Le garçon, sans trop comprendre, répond:

« Non, monsieur. »

L'Anglais sort, et le garçon pense: 10

« Le fiou ? Qu'est-ce qu'il veut dire, le fiou ? Le fiou ? Ah ! le fou, sans doute ! Sapristi ! Est-ce qu'il serait fou, son compagnon ? Mon Dieu ! ça ne m'étonnerait pas ! Il m'a fait monter de l'eau froide pour prendre un bain.[2] Il faut être fou pour 15 prendre un bain, quand il fait froid comme aujourd'hui ! Il croit donc que nous sommes ici une maison de fous ? Merci ! Et s'il devient furieux ? Il faudra que je le tienne ? Il est fichu de tout casser dans la maison, si je veux l'empêcher de sortir, et 20 de m'assassiner même !... Oh ! je l'enferme, c'est plus certain. Qu'il garde son fou lui-même, cet autre oiseau; je m'en lave les mains. »

Et tout en se parlant ainsi, il ferme la porte de l'Anglais. 25

Au bout de quelque temps, le feu commence à s'éteindre. L'Anglais s'en aperçoit et sonne le garçon. Le garçon ne bouge pas. Il resonne[3];

---

[1] One of the common errors in pronouncing final **eu** is illustrated here. [2] **bain,** bath. [3] **(resonner),** to ring again.

toujours rien. Il va à la porte; elle est fermée. Il appelle; on ne répond pas. Il frappe à la porte; personne. Alors il se met en colère, frappe plus fort, secoue, crie, donne des coups de pied. Mais
5 le garçon ne se dérange pas pour lui ouvrir.

« Heureusement que j'ai eu l'esprit de l'enfermer, » se disait-il. « Tu peux frapper, mon vieux, va, la porte est solide! Fais du tapage, si cela te fait plaisir, sonne, crie au secours: je suis désolé, mais je
10 ne t'ouvrirai pas! »

Enfin, l'autre Anglais entre. Le garçon lui dit:
« Monsieur, heureusement que j'ai eu la précaution d'enfermer votre compagnon à clef; écoutez un peu le tapage qu'il nous fait là-haut! Il aurait été ca-
15 pable de nous tuer tous; c'est un fou des plus furieux! »

LIST OF IDIOMS

Numbers following the idiomatic expressions refer to the page and line in the text where the expression first occurs, e.g., **2, 14** = page 2, line 14.

adresser: s'adresser à **94**, 3
ainsi: ainsi que **94**, 7
aller: ça va bien (mieux) **83**, 18
assister: assister à **87**, 3
aussitôt: aussitôt connus, aussitôt pincés **88**, 17
avoir: avoir mal à **83**, 8
bec: le bec dans l'eau **65**, 11
cas: en tout cas **67**, 3
chemin: chemin de fer **61**, 6
comme: comme ci comme ça **68**, 13
comprendre: je n'y comprends rien **70**, 3
devenir: qu'est-ce qu'il est devenu? **73**, 12
dire: ça te dit quelque chose! **89**, 10
donc: dites donc! **69**, 7
entendre: c'est entendu **84**, 23
envers: à l'envers **76**, 1
faire: faire chercher **78**, 28
faire des frais **65**, 17
falloir: il nous faudrait deux chambres **61**, 13
fichu: il est fichu de venir **63**, 10
guère: ne ... guère **94**, 5
heure: quelle heure est-il? **86**, 10

histoire: c'est toute une histoire **78**, 23
maison: à la maison **63**, 17
maison de fous **91**, 25
mal: pas mal de **68**, 14
mode: à la mode **60**, 14
moquer: se moquer de **96**, 11
moyen: employer les grands moyens **65**, 5
nouvelle: vous aurez de mes nouvelles **88**, 25
part: à part **81**, 21
peine: à peine **69**, 10
pis: tant pis **71**, 3
plan: au premier (second) plan **61**, 2
poste: bureau de poste **62**, 1
prendre: prendre au mot **65**, 10
prendre son parti **84**, 6
se prendre au sérieux **60**, 18
secours: au secours! **76**, 12
serrer: serrer la main **93**, 13
tout: tout à l'heure **64**, 1; **67**, 6
tout de même **72**, 4
tranquille: laisser tranquille **81**, 16
vouloir: vouloir dire **72**, 24
y: ça y est! **70**, 2; **85**, 6

Contes

par
MENDÈS, SAINT JUIRS, POUVILLON
COPPÉE, ERCKMANN–CHATRIAN

INTRODUCING 374 NEW WORDS
AND 42 IDIOMS

BOOK EIGHT

LE MARCHAND FIXA SES YEUX GRIS SUR CHACUN
DE MES AMOUREUX, À SON TOUR.

ENTRE NOUS

— A total of 1753 words to date, plus 277 idioms . . .

— Right ! and 549 of the 1753 I knew when I spotted them ! I've been counting too, Professor.

— Then why not credit the 342 derivatives ? That leaves some 862 non-inferable words as the main learning burden.

— Reasonable enough, but at that rate, two steps forward and one back, how long will it be before I arrive at literature " in the raw " ?

— You are almost there. We shall drop you off in two more books. Meantime, here is *Book Eight*, a sampling of French *contes*, by master *conteurs*. We have altered them but slightly: here an omission, there a substitution of a word, that's all. There are 374 new words, of which 146 are recognizable cognates and 93 are derivatives of known vocabulary, and 42 idioms. The overlap is 67 percent.

— Anything special ?

— Yes. In the notes we have referred you to known words in the word-group of the new word, hoping that the association will prove valuable to you in extending and consolidating your vocabulary stock.

— Good . . . and the stories ?

— *Le Vœu maladroit* by Catulle Mendès, poet, playwright, and story-writer of note, is a fairy tale with a philosophic lining; *Nicette* (Saint Juirs) is a humorously absurd tale of a modern knight; Emile Pouvillon's *Hortibus* will remind you of your own grammar school commencement; Coppée's *Le Louis d'or* is an old favorite among the *contes de Noël* dear to the French; and *Messire Tempus* is a fantastic allegory with a touch of the supernatural by that odd literary pair, Erckmann and Chatrian.

— *Chacun à son goût*, as it were . . . Thanks a lot !

105

LE VŒU[1] MALADROIT[2]

CATULLE MENDÈS

I

Pieds nus, les cheveux au vent, un vagabond passa
sur la route, devant le palais du roi. Tout jeune, il
était très beau avec ses boucles[3] dorées,[4] avec ses
grands yeux noirs et sa bouche aussi fraîche qu'une
rose après la pluie. Comme si le soleil eût pris plaisir 5
à le regarder, il y avait sur ses vêtements[5] misérables
plus de lumière et de joie que sur les satins,* les soies,
les beaux vêtements des gentilshommes et des nobles
dames groupés* dans la cour d'honneur.

— Oh ! qu'elle est jolie ! s'écria-t-il en s'arrêtant 10
tout à coup.[6]

Il avait aperçu la princesse Roselinde qui prenait
l'air à sa fenêtre; et, vraiment, il était impossible de
rien voir sur la terre qui fût aussi jolie qu'elle. Immobile,[7] les bras levés vers la fenêtre comme vers une 15
ouverture du ciel, par où apparaîtrait le paradis, il
serait resté là jusqu'au soir si un garde ne l'eût chassé
d'un coup de lance, avec de dures paroles.

---

[1] VŒU, wish. [2] (maladroit), awkward, blundering, foolish;
cf. adroit. [3] BOUCLE, curl, lock (of hair). [4] (doré), golden;
cf. or. [5] vêtement(s), clothing. [6] tout à coup, suddenly.
[7] IMMOBILE, motionless.

Il s'en alla, baissant la tête. Il lui semblait maintenant que tout était sombre devant lui, autour de lui, l'horizon, la route, les arbres en fleurs; depuis qu'il ne voyait plus Roselinde, il croyait que le soleil était
5 mort. Il s'assit sous un chêne,[1] près du bois, et se mit à pleurer.

— Eh! mon enfant, pourquoi pleurez-vous ainsi, comme si vous aviez perdu la route du paradis? demanda une vieille bûcheronne[2] qui sortait de la forêt,
10 le dos courbé[3] sous un tas de branches mortes.

— A quoi bon vous l'apprendre? Vous ne pouvez rien faire pour moi, bonne femme.

— En cela vous vous trompez, dit la bûcheronne.

Tout à coup, elle se dressa,[4] rejetant sa lourde[5]
15 charge; ce n'était plus une bûcheronne, mais une fée belle comme le jour, habillée d'une robe d'argent, les cheveux dorés dans lesquels brillaient des pierres précieuses; et les branches sèches avaient pris leur vol[6] en se couvrant de feuilles vertes, et, retournées
20 au vieux chêne d'où elles étaient tombées, elles chantèrent pleines d'oiseaux.

— Oh! madame la fée! dit le vagabond en se mettant à genoux, ayez pitié de mon malheur. Pour avoir vu la fille du roi, qui prenait l'air à sa fenêtre,
25 mon cœur ne m'appartient plus; je sens que jamais je n'aimerai une autre femme qu'elle.

— Bon! dit la fée, ce n'est pas là un grand malheur.

---

[1] CHÊNE, oak. [2] BÛCHERONNE, woodcutter, gatherer of wood; *cf.* bûche, log. The figure of the wood gatherer is still common in France. [3] courber, to bend, curve. [4] SE DRESSER, to straighten (up). [5] lourd, heavy. [6] vol, flight.

— Peut-il en être un plus grand[1] pour moi ? Je mourrai si je ne deviens pas l'époux[2] de la princesse.

— Qui t'empêche de le devenir ? Roselinde n'est pas fiancée.

— Oh ! madame, regardez ces vêtements misé- 5 rables, mes pieds nus ; je suis un pauvre enfant qui mendie[3] sur les chemins.

— N'importe ! Il ne peut manquer d'être aimé, celui qui aime sincèrement.* C'est la loi[4] éternelle* et douce. Le roi et la reine refuseront de t'écouter, 10 les gentilshommes de la cour se moqueront de toi, mais si ta tendresse est véritable, Roselinde en sera touchée, et, un soir que,[5] d'avoir été chassé par les valets et mordu[6] par les chiens, tu pleureras dans quelque grange, elle viendra, rougissante[7] et heu- 15 reuse, te demander la moitié de ton lit de paille.

L'enfant secoua la tête ; il ne croyait pas qu'un tel miracle* fût possible.

— Prends garde ! continua la fée. L'Amour n'aime pas que l'on doute de son pouvoir, et il se pourrait 20 que tu fusses puni[8] d'une façon cruelle à cause de ton peu de foi.[9] Cependant, puisque tu souffres, je veux bien venir à ton aide. Fais un vœu, et ce sera comme tu voudras.

— Je voudrais être le plus puissant[10] prince de la 25

---

[1] **Peut-il en être un plus grand . . .** , Can there be a greater . . . [2] ÉPOUX, husband; *f.* **épouse,** wife. [3] MENDIER, to beg; *cf.* mendicant. [4] loi, law. [5] que = quand. [6] mordre, to bite. [7] (rougir), to blush, *lit.* become red; *cf.* rouge. [8] punir, to punish. [9] FOI, faith; *cf.* fidèle. [10] (puissant), powerful; *cf.* pouvoir.

terre, pour qu'il me fût possible d'épouser[1] la princesse que j'adore.*

— Ah ! pourquoi ne vas-tu, sans te troubler d'un tel vœu, chanter une chanson d'amour sous sa 5 fenêtre ? Enfin, puisque je l'ai promis, il sera fait selon[2] ton désir. Mais je dois te dire d'avance une chose : quand tu auras cessé d'être ce que tu es encore, aucune fée, pas même moi ! ne pourra te remettre en ton premier état[3]; une fois prince devenu, 10 tu le seras pour toujours. C'est la loi.

— Croyez-vous que le royal* époux de la princesse Roselinde aura jamais le désir d'aller mendier son pain sur les routes ?

— Je veux que tu sois heureux, dit la fée avec un 15 soupir.[4]

Puis, de son doigt, elle lui toucha l'épaule, et tout à coup le vagabond devint un seigneur magnifique, habillé de soie et de pierres précieuses, monté sur un superbe* cheval de bataille, à la tête d'une compa- 20 gnie de gentilshommes et de guerriers[5] aux armures* d'or, qui soufflaient[6] dans des trompettes.*

II

Un aussi grand prince n'était pas pour être[7] mal reçu à la cour. Pendant une semaine, il y eut en son honneur des tournois, des bals,* toutes les fêtes qu'on

---

[1] (épouser), to marry; *cf.* époux. [2] SELON, according to. [3] état, state, condition. [4] SOUPIR, sigh. [5] (guerrier), warrior; *cf.* guerre. [6] (souffler), to breathe, blow; *cf.* souffle. [7] n'était pas pour être, was not likely to be . . .

peut imaginer. Mais ce n'était pas de ces plaisirs
qu'il était occupé ! A toute heure du jour et de la
nuit il pensait à Roselinde. Quand il la voyait, il
sentait son cœur déborder [1] de joie; quand il l'entendait parler, il croyait entendre une musique divine,* 5
et il mourut presque de bonheur, une fois qu'il lui
donna la main pour danser.

Une chose le troubla un peu: celle qu'il aimait
tant ne paraissait pas prendre garde aux soins qu'il
lui rendait; elle restait le plus souvent silencieuse, 10
avec un air de mélancolie.* Il n'en persista* pas
moins dans le projet de la demander en mariage; et,
comme on le pense, les royaux parents de Roselinde
se gardèrent bien de [2] refuser un prince aussi puissant.
Ainsi l'ancien vagabond allait épouser la plus belle 15
princesse du monde ! Un si extraordinaire bonheur
le troublait à tel point qu'il répondit au consentement* du roi par des gestes extravagants* qui ne
convenaient pas bien à son rang, et, pour un peu, il
aurait dansé, devant toute la cour, tout seul. Hélas ! 20
cette grande joie ne dura pas. Quand Roselinde
apprit la décision de son père, elle tomba, à demi-
morte,[3] dans les bras de ses demoiselles d'honneur;
et quand elle revenait à elle,[4] c'était pour dire, avec
des sanglots,[5] qu'elle ne voulait pas se marier, et 25
qu'elle se tuerait plutôt que[6] d'épouser le prince.

[1] (déborder), to overflow; *cf.* bord. [2] se gardèrent bien de,
took care not to . . . [3] à demi, half. [4] quand elle revenait à
elle, when she regained consciousness (came to herself).
[5] SANGLOT, sob. [6] plutôt que, rather than.

111

III

On ne saurait exprimer le désespoir du malheureux
amoureux; il pénétra dans la chambre où l'on avait
transporté* la princesse, et, tombé sur les genoux,
tendant les bras vers elle:

5 — Cruelle! s'écria-t-il, reprenez ces paroles qui
m'assassinent!

Elle ouvrit lentement les yeux, et, immobile dans
son grand lit, elle répondit entre deux sanglots:

— Prince, rien ne triomphera* de ma résolution*;
10 je mourrai plutôt que d'être votre épouse.

— Quoi! vous avez la cruauté[1] de déchirer un cœur
qui est tout vôtre! Quel crime ai-je commis pour
mériter* une telle punition?[2] Doutez-vous de mon
amour? Craignez-vous que je ne[3] cesse un jour de
15 vous adorer? Ne mettez-vous pas de foi dans mes
soupirs? Ah! si vous pouviez lire en moi, vous
n'auriez plus ni ce doute ni ces craintes.[4] Ma passion* est si ardente* qu'elle me rend digne même de
votre incomparable* beauté. Et si vous ne vous
20 laissez pas toucher par mes plaintes,[5] je ne trouverai
que dans la mort un remède à mes maux! Rendez-
moi l'espoir, princesse, ou bien[6] je m'en vais mourir à
vos pieds.

Il n'arrêta pas là son discours: il dit toutes les
25 choses que la plus violente douleur peut inspirer à un

[1] (cruauté), cruelty; *cf.* cruel. [2] (punition), punishment;
cf. punir. [3] Disregard this ne; there is no negation.
[4] (crainte), fear; *cf.* craindre. [5] (plainte), complaint; *cf.*
plaindre. [6] ou bien, or else.

cœur d'amoureux; si bien que Roselinde en fut
touchée, mais point[1] de la façon qu'il eût voulu.

— Malheureux prince, dit-elle, si ma pitié peut
vous être une consolation,* je vous l'accorde volontiers. Je suis d'autant plus[2] capable de vous 5
plaindre[3] que je souffre moi-même le tourment* de
l'amour.

— Que voulez-vous dire, princesse ?

— Hélas ! si je refuse de vous épouser, c'est parce
que j'aime d'un amour éternel et sans espérance un 10
jeune vagabond qui passa un jour, pieds nus, ses
boucles dorées au vent, devant le palais de mon père,
et qui m'a regardée, et n'est pas revenu !

(*Les Contes du Rouet*, Frinzine et Cie., Paris.)

NICETTE

Saint Juirs

I

— Tu es un homme mort, dit le médecin, en regardant fixement* Anatole. 15

Anatole trembla des pieds à la tête.

Il était venu gaiement pour passer la soirée avec
son vieil ami le docteur Bardais, le fameux savant

---

[1] (point), not, not at all. Used with **ne** when a verb is
present. [2] **d'autant plus**, all the more, the more. [3] (**plaindre**),
to pity; *cf.* se plaindre.

dont tout le monde connaît les travaux[1] sur les substances* qui contiennent des poisons, mais dont Anatole avait pu apprécier* plus que personne[2] la noblesse[3] de cœur et la bonté presque paternelle.
5 Puis, tout à coup, sans aucune préparation,* il entendit sortir de la bouche du docteur ces paroles terribles.

— Malheureux enfant, continua le docteur, qu'as-tu donc fait ?

10 — Rien que je sache, répondit Anatole, à demi-mort de terreur.

— Cherche dans tes souvenirs. Dis-moi ce que tu as bu, ce que tu as mangé, ce que tu as respiré ?

Ce dernier mot fut comme une lumière pour Ana-
15 tole. Le matin même il avait reçu une lettre d'un de ses amis qui voyageait[4] dans l'Inde.[5] Dans cette lettre se trouvait une fleur cueillie sur les bords du Gange[6] par le voyageur, une fleur rouge, bizarre* de forme, et dont le parfum,* il se le rappelait bien
20 maintenant, lui avait paru étrangement lourd et pénétrant. Anatole chercha dans son portefeuille et en retira[7] la lettre et la fleur qu'il montra au savant.

— Plus de doute ! s'écria le docteur. C'est la *Pyramenensis Indica !* la fleur mortelle,[8] la fleur de
25 sang !

— Alors, vraiment, vous croyez ? . . .

[1] travaux = *pl. of* travail. [2] (personne), anyone else.
[3] (noblesse), nobility; *cf.* noble. [4] (voyager), to travel; *cf.*
voyage, voyageur. [5] Inde, India. [6] le Gange, the Ganges
river. [7] (retirer), to pull out, take out; *cf.* tirer. [8] (mortel,
–le), deadly, mortal; *cf.* mourir, mort.

— J'en suis sûr,* hélas !

— Mais ce n'est pas possible ! Qu'est-ce que j'ai
fait pour que Dieu me punisse ainsi ? Je n'ai que
vingt-deux ans. Je me sens plein de vie et de santé.

— A quelle heure as-tu ouvert cette lettre fatale ?* 5

— Ce matin, à neuf heures.

— Eh bien, demain matin, à la même heure, à la
même minute, en pleine santé, comme tu dis, tu sen-
tiras une certaine douleur au cœur, et tout sera fini.

— Et vous ne connaissez aucun remède, aucun 10
moyen de . . . ?

— Aucun ! dit le docteur.

Et cachant sa tête dans sa main, le dos courbé, il se
laissa tomber dans un fauteuil,¹ secoué par des
sanglots prolongés. 15

Devant l'émotion de son vieil ami, Anatole comprit
qu'il était réellement* condamné. Il se dressa soudain et sortit comme un fou.

II

La sueur² au front,³ les idées troublées, le corps
projeté⁴ dans une marche machinale,⁵ Anatole s'en 20
allait dans la nuit, n'apercevant rien de ce qui se
passait autour de lui, ne se doutant même pas que les
rues devenaient désertes. Longtemps il courut ainsi,
puis, rencontrant un banc, il s'assit.

Ce repos lui fit du bien. Jusque-là,⁶ il avait été 25

¹ FAUTEUIL, armchair. ² SUEUR, sweat. ³ front, forehead.
⁴ (projeter), to hurl, throw forward; cf. projet. ⁵ MACHINAL,
mechanical, automatic; cf. machine. ⁶ jusque-là, until then.

115

comme un homme qui aurait reçu un coup de bâton sur la tête; maintenant il commença à rassembler ses idées.

— Ma situation est aussi difficile que celle d'un condamné à mort. Encore celui-ci peut-il espérer le pardon. Mais combien de temps me reste-t-il à vivre ?

Il tira sa montre de sa poche et la regarda.

— Trois heures du matin ? Il est temps d'aller se coucher. Me coucher ? Donner au sommeil[1] mes six dernières heures ! Non. Bien sûr, j'ai mieux que cela à faire. Mais quoi ? Pardieu ! mon testament[2] pour commencer.

Un restaurant qui restait ouvert toute la nuit n'était pas loin. Anatole y entra:

— Garçon, une bouteille de champagne* et une bouteille d'encre.

Il but un verre de champagne et regarda son papier en réfléchissant[3]:

— A qui vais-je laisser mes six mille livres[4] de rente ? Je n'ai plus ni père ni mère; et c'est bien heureux pour eux. Et parmi les personnes qui m'intéressent, je n'en vois qu'une: Nicette !

Nicette était une petite cousine* à la mode de Bretagne,[5] une charmante jeune fille de dix-huit ans, aux cheveux blonds, aux grands yeux noirs. Elle

---

[1] **sommeil**, sleep. [2] TESTAMENT, will. [3] (**réfléchir**), to reflect; *cf.* **réflexion**. [4] **livres**, francs. In stating income, allowance, etc., **livres** replaces **francs**; *cf.* **livre**, pound sterling. [5] A cousin " in the Breton style " is a distant cousin. The relationship of cousins is carried to extremes in Brittany.

était orpheline[1] comme lui, et il s'était établi[2] depuis longtemps entre eux une secrète et entière* sympathie.*

Le testament fut vite préparé: tout à Nicette.

Cela fait, il but un second verre de champagne. 5

— Pauvre Nicette, pensait-il. Elle était bien triste la dernière fois que je l'ai vue. Son tuteur,[3] qui ne connaît personne que sa classe* d'instruments à vent au Conservatoire,[4] ne s'est-il pas mis dans la tête de promettre sa main à un homme brutal* qui 10 passe la vie à se battre en duel, et qu'elle déteste.* Elle le déteste d'autant plus qu'[5]elle en aime un autre, si j'ai bien compris ses propres paroles. Quel est cet heureux mortel? Je ne sais pas; mais il est certainement digne d'elle puisqu'elle l'a choisi. 15

Bonne, douce, belle, aimante, Nicette mérite l'idéal des maris. Ah! c'est bien la femme qu'il m'aurait fallu, si ... C'est une cruauté de gâter sa vie en confiant[6] un tel trésor[7] à une brute.* Mais pourquoi ne serais-je pas le chevalier de Nicette! 20 C'est dit, et à partir de demain matin ... mais, demain, il sera trop tard, c'est maintenant qu'il faut agir. L'heure est peu convenable[8] pour voir les gens; mais quand je me dis que je serai mort dans cinq

---

[1] ORPHELIN, −E, orphan. [2] ÉTABLIR, to establish; il s'était établi, there had been established. [3] TUTEUR, guardian. [4] The *Conservatoire national de musique et de déclamation* at Paris; founded in 1795. [5] d'autant plus que ... , more especially as, all the more because. [6] (confier), to entrust, confide; *cf.* confiance, foi. [7] trésor, treasure. [8] (convenable) suitable; *cf.* convenir.

heures, que m'importe si l'heure est convenable ou non ! Allons ! en route ! ma vie pour Nicette !

III

Il était quatre heures du matin quand Anatole sonna à la porte du tuteur de Nicette. M. Bouvard lui-même, la tête lourde de sommeil, vint ouvrir en
5 bonnet* de coton.[1]

— Est-ce qu'il y a le feu ?

— Non, cher monsieur Bouvard, dit Anatole. C'est une petite visite.

10 — A cette heure-ci !

— Toutes les heures me sont bonnes pour vous voir ; mais vous êtes peu vêtu,[2] monsieur Bouvard. Remettez-vous au lit.

— C'est ce que je fais. Mais je suppose,* mon-
15 sieur, que, pour me déranger de la sorte,[3] vous avez quelque chose de très important à me dire.

— Très important ! monsieur Bouvard, il faut que vous renonciez* à cette idée de marier ma cousine Nicette avec M. Capdenac.

20 — Jamais, monsieur, jamais !

— Il ne faut dire ni jamais ni toujours. Réfléchissez-y bien !

— Je puis vous répondre sans réfléchir, monsieur : ce mariage se fera.[4]

25 — Il ne se fera pas.

---

[1] **bonnet de coton,** cotton nightcap. [2] **(vêtir),** to dress ; *cf.* **vêtement ; peu vêtu,** scantily clothed. [3] **de la sorte,** like this, in this way. [4] **se fera,** will take place.

118

— C'est ce que nous verrons. Et maintenant que vous connaissez ma réponse, monsieur, je ne vous retiens pas.

— Voilà qui est peu aimable; mais je suis bon autant que tenace,[1] monsieur Bouvard; je ne me 5 fâche pas et je reste.

— Restez si vous voulez; je vous considère* comme parti et je ne vous parle plus.

Et M. Bouvard se tourna contre le mur, en se disant: 10

— A-t-on jamais vu?[2] Déranger un homme paisible,[3] le troubler dans son sommeil, pour lui dire de pareilles[4] bêtises!

Tout à coup M. Bouvard bondit* sur son lit.

Anatole venait de prendre le trombone* du pro- 15 fesseur,* dans lequel il soufflait comme un sourd.[5] Des sons infernaux sortaient de l'instrument.

— Mon trombone d'honneur! offert par mes élèves![6] le trésor de ma collection! Laissez cet instrument, monsieur! 20

— Monsieur, répondit Anatole, du fond d'un fauteuil, vous me considérez comme parti; moi, je vous considère comme absent,* et je m'amuse en attendant votre retour. Couac!* couac! Pardieu! quelle belle note! 25

— De grâce,[7] monsieur! Laissez-le! Mon pro-

[1] TENACE, tenacious, persistent, stubborn.   [2] A-t-on jamais vu? Did you ever see the like?   [3] (paisible), peaceful, peaceable; cf. paix.   [4] pareil, –le, such, similar.   [5] sourd, deaf; m. deaf person.   [6] (élève), m. or f., pupil; cf. élever.   [7] grâce, grace, favor; de grâce! for mercy's sake! for pity's sake!

119

priétaire va me chasser; il ne tolère* point le trombone passé minuit.

— Il est bien sûr que cet homme-là n'aime pas
la musique. Moi, je le plains. Couac! Frrout,
5 frrout, prra!

— De grâce, finissez!

— Ai-je votre consentement?

— A quoi?

— A ne plus persister dans ce projet de mariage.

10 — Mais, monsieur, je ne le peux pas.

— Alors, couac! Frrrout!

— M. Capdenac est un terrible homme. Si je lui
fais un pareil affront,* il me tuera.

— Cette raison vous arrête?

15 — Elle en arrêterait bien d'autres.¹

— Dans ce cas, laissez-moi faire.² Vous voyez que
je suis tenace. Jurez-moi seulement que si j'obtiens
le désistement³ de M. Capdenac, ma cousine sera
libre.

20 — Oui, monsieur, elle sera libre.

— Bravo!* j'ai votre parole. Vous permettez que
je parle. Mais où demeure votre Capdenac?

— 100, rue des Deux-Épées.

— J'y cours. Au revoir.

25 — Toi, pensa Bouvard, en tirant son bonnet de
coton sur ses oreilles, tu vas te projeter dans la
gueule⁴ du lion et tu recevras la bonne leçon que tu
mérites.

¹ **bien d'autres,** many another. **Bien de = beaucoup de.**
² **laissez-moi faire,** leave it to me. ³ DÉSISTEMENT, withdrawal (*of a candidate*). ⁴ GUEULE, jaws (*of an animal*).

120

IV

Cependant Anatole courait à l'adresse* indiquée.*
Quand il arriva, il pouvait être six heures du matin.

— Drelin,[1] drelin, drelin, drelin, drelin.

— Qui vive?[2] fit[3] une grosse voix à travers la
porte.   5

— Ouvrez. Communication grave[4] de M. Bouvard.

On entendait le bruit d'une chaîne qu'on dépla-
çait[5] et d'une clef avec laquelle on ouvrait trois
serrures l'une après l'autre.   10

— Voilà un homme bien enfermé, pensa Anatole.
Il doit avoir quelques craintes de sa vie.

Enfin la porte s'ouvrit. Et Anatole se trouva en
présence* d'un monsieur à la moustache* en croc[6]
qui portait pour vêtement de nuit un costume de 15
salle d'armes.[7]

— Vous voyez; toujours prêt. C'est ma devise.[8]

Les murs de la chambre disparaissaient sous un tas
d'armes de toutes sortes: yatagans,[9] flèches[10] empoisonnées, sabres,* pistolets,[11] épées à une ou deux 20

---

[1] **Drelin,** Ting-a-ling (*of a bell*).   [2] **Qui vive?** Who goes
there? *lit.* Who lives? It is the traditional challenge of a senti-
nel.   [3] **fit** = dit. **Faire** is often substituted for **dire** in this sense.
[4] GRAVE, serious, grave.   [5] (**déplacer**), to shift, displace; *cf.*
placer, to place.   [6] **croc,** hook; **moustache en croc,** curled-up
mustache.   [7] **salle d'armes,** fencing academy.   [8] DEVISE,
motto, device. *Toujours prêt* is the motto of the French Boy
Scouts.   [9] YATAGAN, a Mohammedan saber with double-
curved blade.   [10] FLÈCHE, arrow.   [11] PISTOLET, pistol.

mains. Un véritable arsenal.* Il y avait de quoi jeter la crainte dans une âme timide.* Anatole sentit la sueur se former sur son front.

— Bah ! pensa-t-il. Qu'est-ce que je risque*
5 maintenant ? tout au plus¹ deux heures et demie ! Allons-y.

— Monsieur, répondit Anatole, vous voulez épouser Mlle Nicette ?

— Oui, monsieur.

10 — Monsieur, vous ne l'épouserez pas.

— Ah ! tonnerre ! et qui m'en empêchera ?

— Moi !

Capdenac regarda Anatole qui n'était pas très grand, mais qui lui parut très décidé.

15 — Ah ! jeune homme ! dit-il enfin, vous avez de la chance² de me trouver dans un de mes bons moments. Profitez-en.* Savez-vous que je me suis battu vingt fois et que j'ai eu le malheur de tuer cinq de mes adversaires* et de blesser les quinze autres ? Allons,
20 j'ai pitié de votre jeunesse.³ Encore une fois, retirez-vous.

— Je vois, dit Anatole, à vos états de service, que vous êtes un adversaire digne de moi, et mon désir devient de plus en plus ardent de me mesurer⁴ avec
25 un guerrier si redoutable.* Voyons. Prenons-nous ces formidables épées à deux mains ? ou ces deux sabres de cavalerie* sur la cheminée ?⁵ que diriez-

¹ **tout au plus**, at most. ² (**chance**), luck; **avoir de la chance**, to be lucky. ³ (**jeunesse**), youth; *cf.* jeune. ⁴ (**mesurer**), to measure; *cf.* mesure. ⁵ (**cheminée**), mantelpiece, fireplace.

122

vous de ces beaux yatagans courbés ? Vous ne vous
décidez[1] pas ? que faites-vous ?

— Je réfléchis. Votre mère ... sa douleur prochaine[2] ...

— Je n'en ai plus. Préférez-vous le fusil, le pisto- 5
let, le revolver ?*

— Jeune homme, ne jouez pas avec les armes à
feu.[3]

— Est-ce que vous avez peur ? Vous tremblez !

— Trembler ! moi ! c'est de froid.   10

— Alors, battez-vous ou renoncez à la main de
Nicette.

— J'aime votre courage. Les braves sont faits
pour s'entendre.[4] Voulez-vous que je vous avoue[5]
une chose ?   15

— Parlez.

— Depuis quelque temps, je pensais moi-même à
renoncer à ce mariage; mais je ne savais comment
m'y prendre.[6] Je consentirais donc bien volontiers à
ce que vous désirez; mais vous comprenez que je ne 20
puis avoir l'air, moi, Capdenac, de me soumettre à
des menaces.* Et vous m'avez fait des menaces,
n'est-ce pas ?

— Je les retire.

— Alors, c'est entendu.[7]   25

---

[1] (se décider), to make up one's mind; *cf.* décider, décision.
[2] (prochain), impending, near at hand.   [3] armes à feu, firearms.   [4] (s'entendre), to come to an understanding, understand each other; *cf.* entendre.   [5] (avouer), to confess, avow;
cf. vœu.   [6] m'y prendre, to go about it.   [7] c'est entendu, it's
a bargain, it's agreed.

— Voulez-vous écrire et signer votre désistement ?

— J'ai tant de sympathie pour vous que je ne puis rien vous refuser.

V

Le précieux papier dans sa poche, Anatole courut
5 chez M. Bouvard. Il arriva à sa porte vers huit heures du matin.

— Drelin, drelin, drelin.

— Hein ! je ne suis pas sourd ! Qui est là ?

— Anatole.

10 — Allez vous coucher ! cria le professeur, en colère.

— J'ai le désistement de Capdenac. Ouvrez ou je mets la porte en morceaux.

M. Bouvard ouvrit. Anatole lui donna le papier et alla crier à la porte de Nicette:

15 — Cousine, levez-vous, habillez-vous vite et venez.

Quelques instants après, Nicette, fraîche comme l'aurore,[1] arriva dans le petit salon.*

— Qu'y a-t-il donc ?

— Il y a,[2] dit M. Bouvard, que votre cousin est
20 fou.

— Fou, si vous voulez ! fit Anatole. Mais Nicette reconnaîtra que ma folie[3] n'est pas trop à plaindre. Cette nuit,[4] ma chère petite cousine, j'ai obtenu deux choses: M. de Capdenac renonce à votre main et
25 votre excellent tuteur consent à ce que vous épousiez celui que vous aimez. C'est de la chance !

---

[1] AURORE, dawn, aurora. [2] Il y a, The matter is ...
[3] (folie), madness, insanity; cf. fou, fol. [4] cette nuit, last night.

— Vraiment, mon tuteur, vous voulez bien que j'épouse Anatole ? C'est entendu ?

— Hein ! fit Anatole.

— Puisque je vous aime, mon cousin.

A ce moment, Anatole sentit son cœur bondir 5 violemment.[1] Était-ce le plaisir que lui causait* l'aveu[2] surprenant de Nicette ? Était-ce cette douleur fatale prédite par le docteur ? Était-ce la mort prochaine ?

— Malheureux que je suis ! s'écria le pauvre gar- 10 çon. Elle m'aime. Je touche au bonheur et je vais mourir sans l'atteindre.[3]

Alors, prenant les mains de Nicette, il lui dit tout: la lettre reçue, la fleur respirée, la prédiction de son vieil ami, le testament écrit, les visites faites, le 15 succès obtenu.

— Et maintenant, dit-il, je vais mourir !

— Mais c'est impossible ! dit Nicette. Ce médecin se trompe. Qui est-ce donc ?

— Un homme qui ne se trompe jamais, Nicette, le 20 docteur Bardais.

— Bardais ! Bardais ! fit tout à coup Bouvard en éclatant de rire. Écoutez ce que dit mon journal:

« Le savant docteur Bardais vient d'être atteint[4] d'une maladie mentale* des plus graves. Selon les 25 médecins, la folie dont il est atteint a le caractère scientifique.* On sait que le docteur s'était occupé

---

[1] (violemment), violently; *cf.* violent, violence. [2] (aveu), confession, avowal; *cf.* avouer, vœu. [3] ATTEINDRE, to reach, attain. [4] (atteint) *p.p.* atteindre, stricken, seized.

spécialement des substances contenant des poisons.
Il croit maintenant que toutes les personnes qu'il
rencontre sont empoisonnées et il le leur persuade.*
On l'a transporté cette nuit à minuit dans la maison
5 de fous du docteur Blanche. »

— Nicette !
— Anatole !

Les deux jeunes gens étaient tombés dans les bras
l'un de l'autre.

HORTIBUS

ÉMILE POUVILLON

I

10   Le petit collège[1] est en fête. Portes ouvertes,
volets battants,[2] des drapeaux[3] aux fenêtres, des
élèves qui courent dans les corridors,* des gens
partout, et, dans la cour, des ouvriers[4] qui dressent[5]
l'estrade[6] pour la distribution des prix.[7]
15   Les prix ! les vacances ![8] des mots qui rient, des

---

[1] The French collège is a secondary school, plus two years of
instruction somewhat similar to that of an American "college,"
leading to the baccalauréat degree; it is under the direction of
both municipality and State, and charges tuition.   [2] (battant),
swinging; cf. battre.   [3] drapeau, flag; cf. drap.   [4] ouvrier,
workman.   [5] (dresser), to erect.   [6] ESTRADE, platform (for a
speaker).   [7] (prix), prize.   [8] VACANCES pl. vacation, holidays.

mots qui chantent, des mots qui éclatent comme des
soleils et dont le parfum est comme celui d'un
bouquet* de fleurs des champs !

Très triste, là-haut, dans l'infirmerie* toute
blanche, le petit malade[1] se soulève pour écouter. 5
Des pas montent, se pressent, passent le long du
corridor devant la porte; aucun ne s'arrête. Personne. Le docteur — hem ! hem ! — est venu tout à
l'heure, mais il n'y est pas resté longtemps à cause de
la fête: bonjour, bonsoir, adieu mon médecin. L'in- 10
firmière[2] paraît une fois tous les quarts d'heure, fait
voir le bout de son nez, referme la porte et s'en va.

Qu'elle s'en aille !

Ce n'est pas l'infirmière qu'attend le petit malade,
le docteur non plus. Ceux qu'il attend, tenez ! les 15
voilà qui arrivent ! Trois campagnards[3]: un homme
vêtu de noir, une petite femme courte en bonnet
blanc, une petite fille en robe longue, trop longue,
les manches[4] jusqu'au bout des doigts: le père, la
mère, la petite sœur.   20

Ils entrent: l'homme, avec discrétion,* très cir-
conspect,* un peu timide; la mère, sans hésitation,
les bras tendus en avant jusqu'à ce qu'elle tienne
embrassée la chère petite tête de l'enfant. Le père
serre la main du malade, la petite fille s'élève sur la 25
pointe des pieds[5] pour atteindre les joues de son
frère.

---

[1] (malade), *m. or f.*, patient; *cf.* mal, maladie, malade *adj.*
[2] (infirmière), nurse; *cf.* infirmerie.   [3] (campagnard), country
dweller; *cf.* campagne.   [4] manche, *f.*, sleeve.   [5] sur la pointe
des pieds, on tiptoe.

Et les questions pleuvent.[1]

— Qu'as-tu, Tiennet?

— Qu'est-ce qui te fait mal, petit?

— Rien, presque rien. Là, au front, quelque chose
5 qui me pèse.

— Depuis quand?

— Depuis la composition* en thème* latin.* Oh!
ce sera bientôt passé.

— Bientôt? Non; tout de suite, répond la mère.
10 Demain, ce sera le premier jour des vacances; je ferai
des gâteaux. C'est bon, les gâteaux, eh! Tiennet?

Ils causent, et d'en bas, de l'estrade dressée en
plein air, une rumeur[2] monte: des pas pressés; des
crosses[3] de fusil qui sonnent sur le pavé[4] de la cour.
15 Les pompiers[5] sont arrivés.

— Père, allons-y, dit la petite sœur. Bientôt, nous
n'aurons plus de place, et je veux voir les pompiers.

Et elle tire l'homme vers la porte.

— Tu peux bien, dit la mère. Descendez; moi, je
20 reste, s'il me veut, lui, ajoute-t-elle, en caressant de
l'œil son Tiennet.

II

La petite sœur, le père, sont partis. La mère a
fermé les volets à cause du soleil, et, dans l'obscurité[6]

---

[1] **pleuvoir,** to rain; *cf.* **pluie.**   [2] RUMEUR, confused sound,
hum, rumor.   [3] CROSSE, butt (*of a gun*); *cf.* **croix.**   [4] PAVÉ,
paving stone, pavement.   [5] POMPIER, fireman. The fire bri-
gade (les **sapeurs-pompiers**) is semi-military and often takes
part in official, small-town ceremonies, as a guard of honor.
[6] OBSCURITÉ, darkness, dimness.

de l'infirmerie close,* le sommeil les prend tous les deux.

— Dors un peu, petit, ça te guérira.

— Oui, mère.

Et Tiennet ferme les yeux.   5

Mais le moyen de s'endormir, avec la rumeur de la distribution des prix sous la fenêtre ?

— Mère, va voir, s'il te plaît. Que fait-on ?

— Rien encore. Les messieurs sont arrivés; une pleine estrade ! Oh ! je vois au milieu un officier avec 10 un chapeau orné[1] d'une énorme plume ![2]

— Le colonel !*

— Et un autre au premier rang, en face, tout brodé[3] d'argent.

— Le sous-préfet.[4] Bon; que vois-tu encore ?   15

— Mon Dieu ! tant de prix ! Ils en ont fait trois piles* au bord de l'estrade; et des couronnes ![5] une montagne !

Brusquement, une fanfare* éclate. C'est beau, la musique ! Élèves, parents, messieurs, jusqu'au petit 20 malade, tout le monde applaudit.*

Attention, maintenant !

Le monsieur brodé d'argent se lève, un morceau de papier roulé sur le doigt . . . hem ! hem ! . . . le discours. On n'entend pas un mot, rien qu'[6]un chan- 25 tonnement[7] aigu, monotone.*

[1] **orner,** to adorn.   [2] **plume,** feather, plume.   [3] BRODER, to embroider.   [4] SOUS-PRÉFET, sub-prefect. An official in charge of an *arrondissement,* a sub-division of a *département.*   [5] COU-RONNE, wreath (*for the prize winner*).   [6] rien que, nothing but.   [7] (chantonnement), humming; *cf.* chanter, chanson.

C'est curieux comme, à distance, un sous-préfet qui parle peut faire l'effet*d'un moucheron[1] qui siffle.[2]

L'habit brodé d'argent s'assied; une robe noire se lève: un long, chauve,[3] avec un gros livre à la main.
5 Il ne siffle pas, celui-ci, il bourdonne.[4] Il bourdonne comme une grosse mouche qui fait le tour de l'infirmerie. Des phrases interminables,* longues d'une heure: un sermon.*

Tout à coup, la mère s'est endormie.
10 Tiennet, lui, devient impatient.

Aura-t-il, n'aura-t-il pas le prix de thème latin? Le prix, il est là, dans la pile, un superbe livre aux tranches[5] dorées, avec le nom du vainqueur[6] inscrit[7] dedans, sous la devise de la république,* et la signa-
15 ture* du principal.*

S'il pouvait lire le nom du vainqueur!

Et pendant qu'il calcule ses chances, le sommeil le prend à son tour.[8]

III

Il rêve.
20 Quel cauchemar![9] Le beau livre aux tranches dorées est dans ses mains, sous ses yeux. Vite! le nom du vainqueur!... Hélas! un autre a vaincu[10]; Luc Onziès a obtenu le premier prix.

[1] (MOUCHERON), gnat; cf. mouche. [2] siffler, to whistle; here hum. [3] CHAUVE, bald. [4] BOURDONNER, to buzz. [5] TRANCHE, edge; aux tranches dorées, gilt-edged. [6] VAIN-QUEUR, winner, victor. [7] (inscrire), to inscribe; cf. inscription. Inscrit is the past participle; cf. écrit. [8] à son tour, in his turn; cf. tourner, retourner. [9] CAUCHEMAR, nightmare. [10] (vaincre), to conquer, win; cf. vainqueur.

— Erreur ! injustice !* s'écrie Tiennet, ma copie*
était sans faute.

— Sans faute ! répond le professeur, sans faute !
Et ceci, petit malheureux, qu'en faites-vous ?

Suivant alors le doigt mouvant* de M. Regulus 5
Bec sur la copie couverte d'annotations,* Tiennet
découvre,[1] souligné[2] trois fois à l'encre rouge, ce mot
fatal :

$$hortibus[3]$$

Hortibus! Adieu le prix, adieu la gloire,* adieu 10
les vacances paisibles.

Hortibus! Le mot terrible devient une obsession:
il danse devant lui, écrit de toutes les façons, inscrit
en lettres rouges, en lettres bleues, dessiné sur le mur
en capitales,* en lettres comiques,* qui deviennent 15
animées* et font des grimaces au nez du vaincu.

Hortibus!

IV

Le malade s'agite,[4] ses lèvres remuent.

— Il appelle quelqu'un, dit la mère. Tiennet,
Tiennet !   20

Embrassé, secoué de caresses, Tiennet ouvre les
yeux.

Plus de *hortibus!* Parti dans le pays des cauche-

---

[1] (**découvrir**), to discover; *cf.* **couvrir, couverture.** [2] (**souligner**), to underline (**sous + ligne**). [3] **hortibus:** the correct
form is *hortis*, since *hortus*, " garden," is a regular second declension Latin noun, and not of the third declension. [4] **s'agiter,** to stir, be restless.

mars avec la figure irritée* et les moustaches en croc
du professeur Regulus Bec.

Bon voyage[1] à tous deux !

Mais le prix ? la couronne ?

5   Le prix ? la couronne ? Ils viennent, ils montent,
pieusement,* religieusement* apportés par le père et
la petite sœur. Une marche* triomphale !*

Ils entrent, et voilà le volume* sur le lit du petit
malade, la couronne posée sur son front.

10   Le père rit, la mère pleure, tous s'embrassent.
Oh ! le bonheur des braves gens, le vrai bonheur !

Et pendant qu'on fait fête au vainqueur — hem !
hem ! — quelqu'un entre, redingote[2] noire, figure
rose[3]: le docteur.

15   — Hem ! hem !... l'enfant va mieux ; cette couronne sur le front a fait des miracles. Allons, le grand
air[4] finira de le guérir. Des marches à pied, de
l'exercice, et surtout pas de thème latin ! Hem !
hem !

20   Le docteur fait deux pas vers la porte, et, saluant
la famille, le doigt levé dans un geste de menace
amicale[5]:

— Pas de thème latin, entendez-vous !

(*Petites Ames*, Lemerre, Paris.)

[1] **Bon voyage !** Pleasant journey ! Good-bye to you !
[2] REDINGOTE, frock coat; *cf.* English " riding coat," source of
the French word. [3] (**rose**), *adj.*, pink, rosy. [4] **le grand air,**
the open air, the fresh air. [5] (**amical**), friendly, amicable; *cf.*
ami, aimable.

LE LOUIS[1] D'OR

FRANÇOIS COPPÉE

I

Lorsque[2] Lucien de Hem eut vu son dernier billet
de cent francs saisi par le râteau[3] du banquier,[4] et
qu'il se fut levé de la table de roulette* où il venait
de perdre les débris de sa petite fortune, il se sentit
comme une douleur vive au front et crut qu'il allait 5
tomber.

La tête troublée, les jambes faibles, il alla se jeter
sur le large banc de cuir[5] qui faisait le tour de la salle
de jeu. Pendant quelques minutes, il regarda comme
en rêve le tripot[6] dans lequel il avait gâché[7] les plus 10
belles années de sa jeunesse. Il reconnut les visages
ravagés* des joueurs, éclairés par les trois grandes
lampes suspendues au plafond,[8] écouta le léger
frottement[9] de l'or sur le tapis,[10] et pensa qu'il était
ruiné, perdu. Il se rappela qu'il avait chez lui, dans 15
un tiroir[11] de bureau,[12] les pistolets dont son père, le
général de Hem, s'était si bien servi à l'attaque de

---

[1] LOUIS, an old gold coin, worth about four dollars.   [2] LORS-
QUE, when.   [3] RÂTEAU, rake; *cf.* **râcler.**   [4] (**banquier**), banker.
The *banquier*, or *croupier*, as he is sometimes called, spins the
roulette wheel over which the ivory ball rolls, and rakes in the
winnings with his *râteau*.   [5] **cuir**, leather.   [6] TRIPOT, gambling
den.   [7] GÂCHER, to waste.   [8] **plafond**, ceiling; *cf.* **plat + fond.**
[9] (**frottement**), rubbing; *cf.* **frotter.**   [10] **tapis**, carpet; *here*
cloth covering (*of gaming table*).   [11] (**tiroir**), drawer; *cf.* **tirer.**
[12] (**bureau**), desk.

Zaatcha; puis, fatigué, à bout de forces, il s'endormit d'un sommeil profond.

Quand il se réveilla, il remarqua, par un regard jeté à la pendule, qu'il avait dormi une demi-heure à
5 peine, et il sentit un fort besoin de respirer l'air de la nuit. Il était minuit moins le quart. Tout en se levant, Lucien se souvint alors qu'on était à la veille de Noël,[1] et, par un jeu ironique* de la mémoire, il se revit soudain tout petit enfant et mettant, avant
10 de se coucher, ses souliers[2] dans la cheminée.

En ce moment, le vieux Dronski, le portier[3] du tripot, s'approcha de Lucien et murmura quelques mots dans sa sale barbe grise:

— Prêtez-moi[4] donc une pièce de cinq francs,
15 monsieur. Depuis deux jours je n'ai pas bougé du cercle,[5] et depuis deux jours le numéro dix-sept n'est pas sorti[6] ... Moquez-vous de moi, si vous voulez; mais je crois absolument que tout à l'heure, au coup de minuit, le numéro dix-sept sortira ...
20 Lucien de Hem ne lui fit pas de réponse; il n'avait même plus dans sa poche de quoi donner le pourboire habituel* au portier du cercle. Il passa dans l'antichambre, mit son chapeau et son pardessus,[7] et descendit l'escalier.

---

[1] **Noël**, Christmas; **la veille de Noël**, the night before Christmas. [2] SOULIER, shoe. [3] (**portier**), doorman; *cf.* **porte.** [4] **prêter**, to lend, loan. [5] (**cercle**), club. [6] (**sortir**), to appear, show up. [7] (**pardessus**), overcoat; *cf.* **par + dessus.**

II

Depuis quatre heures que Lucien était enfermé
dans le tripot, la neige[1] était tombée, et la rue — une
rue du centre de Paris, assez étroite et bâtie de hautes
maisons — était toute blanche. Dans le ciel clair,
d'un bleu noir, de froides étoiles brillaient.   5

Le joueur ruiné frissonna[2] sous son pardessus et se
mit à marcher, roulant toujours dans son esprit des
pensées de désespoir et pensant plus que jamais aux
pistolets qui l'attendaient dans le tiroir de son
bureau; mais après avoir fait quelques pas, il s'ar-   10
rêta brusquement devant un spectacle douloureux.

Sur un banc de pierre, près de la porte d'un hôtel,
une petite fille de six ou sept ans, vêtue d'une robe
noire, toute trouée,[3] était assise dans la neige. Elle
s'était endormie là, malgré[4] le froid cruel, dans une 15
attitude* de fatigue, reposant sa pauvre petite tête
et son épaule à demi-nue dans un angle* de la
muraille. Un de ses vieux souliers s'était détaché
de son pied qui pendait, et restait tristement devant elle.   20

D'un geste machinal, Lucien de Hem mit la main
dans sa poche; mais il se souvint qu'un instant
auparavant il n'y avait même pas trouvé une pièce
de vingt sous oubliée, et qu'il n'avait pas pu donner
de pourboire au portier du cercle. Cependant, poussé 25
par un instinctif* sentiment de pitié, il s'approcha de

---

[1] **neige,** snow. [2] FRISSONNER, to shiver. [3] (**troué**), full
of holes, in rags; *cf.* **trou.** [4] MALGRÉ, in spite of.

135

la petite fille, et il allait peut-être l'emporter dans ses bras et lui donner abri pour la nuit, lorsque, dans le soulier tombé sur la neige, il vit quelque chose de brillant.

5 Il se baissa. C'était un louis d'or.

III

Une personne charitable,* une femme sans doute, avait passé par là, dans cette nuit de Noël, avait vu ce soulier devant cette enfant endormie, et, se rappelant la touchante* légende,* elle avait laissé
10 tomber un magnifique cadeau,[1] pour que la petite abandonnée crût[2] encore aux cadeaux faits par l'Enfant-Jésus[3] la veille de Noël et gardât, malgré son malheur, quelque confiance et quelque espoir dans la bonté divine.

15 Un louis ! c'étaient plusieurs jours de repos et de richesse pour la mendiante.[4] Lucien était sur le point de l'éveiller pour lui dire cela, quand il entendit près de son oreille, comme dans un rêve, une voix . . . la voix du vieux Dronski . . . qui murmurait tout
20 bas ces mots:

— Depuis deux jours je n'ai pas bougé du cercle, et depuis deux jours le numéro dix-sept n'est pas sorti . . . Je crois absolument que tout à l'heure, au coup de minuit, le numéro dix-sept sortira . . .

---

[1] **cadeau**, gift, present. [2] **crût**, *p. subj.* **croire**, might believe. [3] According to the French legend, Christmas gifts are placed in the shoes before the fireplace by the Child Jesus or by le **père Noël**, an imaginary personage not unlike Santa Claus. [4] (**mendiant, -e**), beggar, mendicant; *cf.* **mendier**.

Alors ce jeune homme de vingt-trois ans, qui descendait d'une race* d'honnêtes gens, qui portait un superbe nom militaire,* et qui n'avait jamais manqué d'honneur, fut pris d'un désir fou, horrible. Il jeta un regard instinctif dans la rue déserte, et, pliant[1] le genou, avançant sa main tremblante, il vola le louis d'or dans le soulier tombé! Puis, courant de toutes ses forces, il revint à la maison de jeu, grimpa vite l'escalier, poussa la porte battante de la salle maudite, y pénétra au moment précis où la pendule sonnait le premier coup de minuit, posa la pièce d'or sur le tapis vert et cria:

— Tout sur le « dix-sept » !

IV

Le « dix-sept » gagna.

D'un mouvement de sa main, Lucien poussa les trente-six louis sur la rouge.[2]

La rouge gagna.

Il laissa les soixante-douze louis sur la même couleur. La rouge sortit de nouveau.

Il doubla la somme deux fois, trois fois, toujours avec le même bonheur. Il avait maintenant devant lui un tas d'or et de billets, et il se mit à jeter son

---

[1] **plier,** to bend, fold; *cf. Eng.* pliable. [2] **la rouge = la couleur rouge.** The disc of the roulette wheel is divided into thirty-six compartments, numbered, and colored alternately red and black. The stake is laid upon color or number, singly or in combination. If laid on a single number, and won, the player is paid thirty-six times his stake (as happens in this story).

argent sur le tapis, comme un fou. Toutes les
combinaisons¹ réussissaient. C'était une chance
telle qu'on ne l'avait jamais vue ! On aurait dit que
la petite bille² d'ivoire* était magnétisée,* fascinée*
5 par le regard de ce joueur, et lui obéissait. Il avait
regagné, en une douzaine de coups, les quelques
misérables billets de mille francs, sa dernière ressource,* qu'il avait perdus au commencement de la
soirée. A présent, mettant sur les combinaisons
10 deux ou trois cents louis à la fois, il allait bientôt
regagner le capital* qu'il avait perdu en si peu
d'années, refaire sa fortune.

Dans sa hâte³ à se mettre au jeu,⁴ il n'avait pas
ôté son lourd pardessus; déjà il en avait rempli les
15 grandes poches de billets et de pièces d'or; et, ne
sachant plus où mettre son gain,⁵ il poussa les louis
et le papier dans les poches intérieures et extérieures
de sa redingote, les poches de son gilet⁶ et de son
pantalon,⁷ son porte-cigares,⁸ son mouchoir, tout ce
20 qui pouvait servir de récipient.⁹ Et il jouait toujours, et il gagnait toujours, comme un homme ivre !¹⁰

Seulement, il avait comme un fer rouge dans le
cœur, et il ne pensait qu'à la petite mendiante endormie dans la neige, à l'enfant qu'il avait volée¹¹:

---

¹ COMBINAISON, combination. ² BILLE, marble. The roulette ball is not much larger than an ordinary marble. ³ HÂTE,
haste, hurry. ⁴ se mettre au jeu, to get into the game.
⁵ (gain), winnings; *cf.* gagner. ⁶ GILET, vest. ⁷ PANTALON,
trousers. ⁸ (porte-cigares), cigar case; *cf.* portefeuille. ⁹ récipient, receptacle, container; *cf.* recevoir. ¹⁰ IVRE, drunk, intoxicated. ¹¹ (voler), to rob; *cf.* vol, voleur.

— Elle est encore à la même place. Certainement, elle doit y être encore !... Tout à l'heure ... oui, quand une heure sonnera, je me le jure !... je sortirai d'ici, j'irai la prendre, tout endormie, dans mes bras, je l'emporterai chez moi, je la mettrai dans 5 mon lit ... Et je l'élèverai, je lui donnerai une belle dot, je l'aimerai comme ma fille, et j'aurai soin d'elle toujours, toujours !

Mais la pendule sonna une heure, et le quart, et la demie, et les trois quarts ... et Lucien était toujours 10 assis à la table infernale.

Enfin, une minute avant deux heures, le banquier posa son râteau sur le tapis, se leva brusquement et dit à haute voix:

— La banque* a sauté,[1] messieurs ... Assez pour 15 aujourd'hui !

V

D'un bond,* Lucien fut debout. S'échappant des joueurs qui l'entouraient[2] et le regardaient avec une envieuse* admiration,* il partit vivement, descendit l'escalier et courut jusqu'au banc de pierre. De loin, 20 à la lumière d'un bec de gaz,[3] il aperçut la petite fille.

— Dieu soit loué ![4] s'écria-t-il. Elle est encore là !

Il s'approcha d'elle, lui saisit la main: 25

---

[1] (sauter), to blow up; **la banque a sauté,** the bank is 'broke.' [2] (entourer), to surround; *cf.* **tour** *m.,* **autour.** [3] **bec de gaz,** gas jet, street lamp. [4] **louer,** to praise.

139

— Oh ! qu'elle a froid ! Pauvre petite !

Il la prit sous les bras, la souleva pour l'emporter. La tête de l'enfant retomba en arrière, sans qu'elle s'éveillât.

5 — Comme on dort, à cet âge-là !

Il la serra contre sa poitrine pour la chauffer,[1] et, pris d'une brusque inquiétude,[2] il voulut, afin de la tirer de ce lourd sommeil, la baiser sur les yeux...

Mais alors il s'aperçut que les yeux de l'enfant 10 n'étaient clos qu'à demi. Il frissonna, l'esprit traversé par un horrible soupçon[3]; il mit sa bouche tout près de la bouche de la petite fille. Aucun souffle n'en sortit.

Pendant qu'avec le louis d'or qu'il avait volé à 15 cette mendiante Lucien gagnait au jeu une fortune, l'enfant était morte, morte de froid !

Saisi à la gorge par une angoisse[4] effroyable,[5] Lucien voulut pousser un cri... et, dans l'effort* qu'il fit, il se réveilla de son cauchemar sur le banc 20 de cuir, où il s'était endormi un peu avant minuit et où le portier, s'en allant le dernier vers cinq heures du matin, l'avait laissé tranquille, par bonté d'âme pour le misérable.

Une aurore de décembre faisait pâlir* les fenêtres 25 de la salle de jeu. Lucien sortit, mit sa montre en gage,[6] prit un bain, déjeuna, et alla au bureau de

---

[1] **chauffer,** to warm; *cf.* **chaud.**   [2] (**inquiétude**), uneasiness; *cf.* **inquiet.**   [3] SOUPÇON, suspicion.   [4] ANGOISSE, anguish.   [5] (**effroyable**), frightful; *cf.* **effrayer.**   [6] GAGE, pledge; **mettre en gage,** to pawn.

recutement[1] signer un engagement* volontaire* au
Ier régiment* de chasseurs d'Afrique.[2]

VI

Aujourd'hui, Lucien de Hem est lieutenant.* Il
n'a que sa solde[3] pour vivre. Il ne touche jamais une
carte[4]; il ne fait pas de bêtises. Il paraît même 5
qu'il trouve encore moyen de faire des économies;
car[5] l'autre jour, à Alger,[6] un de ses camarades, qui le
suivait à quelques pas de distance dans la rue, le vit
donner de l'argent à une petite mendiante endormie
sous une porte, et eut l'indiscrétion* de regarder ce 10
que Lucien avait donné à l'enfant. Il fut très surpris
de la générosité* du pauvre lieutenant.

Lucien de Hem avait mis un louis d'or dans la
main de la petite fille.

MESSIRE TEMPUS[7]

ERCKMANN-CHATRIAN

I

Le jour de la Saint-Sébalt,[8] vers sept heures du 15
soir, je mettais pied à terre devant l'hôtel de la

[1] RECRUTEMENT, recruiting. [2] The **chasseurs d'Afrique** are
the French cavalry serving in Northern Africa. [3] SOLDE, soldier's pay. [4] **carte**, card. [5] CAR, for, because. [6] **Alger**, Al-
giers (*both city and country*); a French colonial possession in
Northern Africa. [7] **Messire Tempus** = *Father Time*. **Messire**
is an old title of respect, equivalent to *Sir*. [8] Saint Sebaldus,
of Danish origin, is the patron saint of Nuremburg.

Couronne, à Pirmasens.[1] Il avait fait une chaleur
d'enfer tout le jour; mon pauvre cheval était à
demi-mort de fatigue. J'étais en train de[2] l'attacher
dans l'ombre de la muraille, quand une assez jeune
5 fille, les manches retroussées,[3] le tablier[4] au bras, sortit du vestibule et se mit à m'examiner en souriant.

— Où donc est le père Blésius ? lui demandai-je.

— Le père Blésius ! fit-elle d'un air étonné. Vous
revenez sans doute de l'Amérique ?*... Il est mort
10 depuis dix ans !

— Mort !... Comment, le brave homme est
mort ! Et Mlle Charlotte ?...

La jeune fille ne répondit pas, elle me tourna le
dos et disparut dans le corridor.

15 J'entrai dans la grande salle. Rien ne me parut
changé: les bancs, les chaises, les tables étaient toujours à leur place, le long des murs. Le chat blanc de
Mlle Charlotte, les pattes sous le ventre[5] et les yeux
demi-clos, rêvait devant le fourneau.[6] Les chopes[7]
20 d'étain[8] brillaient sur leur rayon[9] comme autrefois,[10]
et la grosse horloge,[11] dans son coin, continuait de
battre la mesure.[12] Mais à peine étais-je assis près
du fourneau, qu'un frottement léger me fit tourner
la tête. La nuit envahissait alors la salle, et dans la
25 demi-obscurité, derrière la porte, j'aperçus trois per-

---

[1] Pirmasens is a city of Bavaria, Germany.   [2] être en train
de, to be busy, be in the act of . . .   [3] RETROUSSER, to tuck up,
roll up.   [4] (tablier), apron; cf. table.   [5] VENTRE, stomach (of
an animal).   [6] FOURNEAU, stove.   [7] CHOPE, beer mug.
[8] ÉTAIN, pewter.   [9] rayon, shelf.   [10] (autrefois), formerly.
[11] horloge, clock; cf. heure.   [12] battre la mesure, to beat time.

sonnages bizarres groupés autour des chopes; ils jouaient aux cartes: un borgne,[1] un boiteux,[2] un bossu ![3]

— Singulière* rencontre ![4] me dis-je. Comment
diable ces gens-là peuvent-ils reconnaître leurs cartes
dans une obscurité pareille ? Pourquoi cet air 5
mélancolique ?*

En ce moment, Mlle Charlotte entra, tenant une
chandelle[5] à la main. Pauvre Charlotte ! elle se
croyait toujours jeune; elle portait toujours son
petit bonnet à fines dentelles,[6] son fichu[7] de soie 10
bleue, ses petits souliers et ses bas[8] blancs bien
tirés ! Elle sautillait[9] et se balançait avec grâce,
comme pour dire: « Hé ! hé ! voici Mlle Charlotte !
Oh ! les jolis petits pieds que voilà ! les mains fines,
les beaux bras, hé ! hé ! hé ! »   15

Pauvre Charlotte ! que de[10] souvenirs d'enfance*
me revinrent en mémoire !

Elle posa la chandelle au milieu des joueurs et me
fit une révérence gracieuse,* souriant et pirouettant.*

— Mademoiselle Charlotte, ne me reconnaissez- 20
vous donc pas ? m'écriai-je.

Elle ouvrit de grands yeux, puis elle me répondit
avec un air affecté*:

— Vous êtes M. Théodore. Oh ! je vous avais bien
reconnu. Venez, venez.   25

---

[1] BORGNE, one-eyed.   [2] BOITEUX, crippled, lame.   [3] BOSSU,
hunchbacked.   [4] (rencontre), encounter, meeting; *cf.* rencontrer.   [5] (chandelle), candle; *cf.* chandelier.   [6] DENTELLE,
lace; *cf.* dent.   [7] FICHU *m.*, neckerchief, scarf.   [8] BAS *m.*,
stocking.   [9] (sautiller), to skip, hop (*like a bird*); *cf.* sauter,
saut.   [10] que de = combien de.

143

Et, me prenant par la main, elle me conduisit dans
sa chambre; elle ouvrit un secrétaire, et, cherchant
parmi de vieux papiers, de vieux rubans,[1] des bouquets séchés, de petites images,[2] tout à coup elle
5 s'interrompit et s'écria:

— Mon Dieu! c'est aujourd'hui la Saint-Sébalt!
Ah! monsieur Théodore! monsieur Théodore! quelle
chance!

Elle s'assit à son vieux clavecin[3] et chanta, comme
10 autrefois, d'une façon affectée:

> Rose de mai, pourquoi tarder[4] encore
> À revenir?

Cette vieille chanson, la voix fêlée[5] de Charlotte,
sa petite bouche ridée,[6] qu'elle n'osait[7] plus ouvrir,
15 ses petites mains sèches, qui sautillaient à droite...
à gauche... sans mesure..., levant la tête, regardant le plafond..., les sons métalliques* du
clavecin... et puis je ne sais quelle odeur de réséda[8]
... Oh!   horreur!... décrépitude!*... folie!...
20 Quoi!... c'est   là   Charlotte!... elle!   elle!...
abomination!*

Je pris une petite glace[9] et me regardai... j'étais
bien pâle.

— Charlotte!... Charlotte! m'écriai-je.
25   Aussitôt, revenant à elle et baissant les yeux d'un
air de petite fille:

----

[1] RUBAN, ribbon.   [2] image, picture.   [3] CLAVECIN, harpsichord; *cf.* clef (*Lat. clavus*).   [4] (tarder), to delay, be late; *cf.*
tard.   [5] FÊLÉ, cracked.   [6] RIDER, to wrinkle.   [7] oser, to
dare.   [8] RÉSÉDA, mignonette.   [9] glace, mirror, looking glass.

— Théodore, murmura-t-elle, m'aimez-vous toujours ?

Je frissonnai tout le long de mon dos et ma langue se colla[1] au fond de ma gorge. D'un bond j'atteignis la porte, mais la folle, pendue à mon épaule, me retint: 5

— Oh ! cher ... cher cœur ! s'écria-t-elle, ne m'abandonne pas ... ne me laisse pas au bossu !... Bientôt il va venir ... il revient tous les ans ... c'est aujourd'hui son jour ... écoute ! 10

Alors, prêtant l'oreille, j'entendis mon cœur galoper.* La rue était silencieuse, j'ouvris les volets. L'odeur fraîche du chèvrefeuille[2] remplit la petite chambre. Une étoile brillait au loin sur la montagne ... je la regardai longtemps ... une larme[3] me 15 vint aux yeux, et, me retournant, je vis Charlotte évanouie.[4]

— Pauvre vieille jeune fille, tu seras donc toujours enfant !

Quelques gouttes d'eau fraîche la ranimèrent[5]; 20 et, me regardant:

— Oh ! pardonnez, pardonnez, Monsieur, dit-elle, je suis folle... En vous revoyant, tant de souvenirs !...

Et, se couvrant la figure d'une main, elle me fit 25 signe de m'asseoir.

Son air raisonnable* me donna une certaine inquiétude ... Enfin ... que faire ?

---

[1] **coller**, to glue, stick. [2] CHÈVREFEUILLE, honeysuckle; *cf.* chèvre + feuille. [3] LARME, tear. [4] ÉVANOUIR, to faint. [5] (**ranimer**), to restore, bring to life.

145

Après un long silence:

— Monsieur, dit-elle, ce n'est donc pas l'amour qui vous ramène dans ce pays ?

— Hé ! ma chère demoiselle, l'amour ! l'amour !
5 Sans doute ... l'amour ! J'aime toujours la musique ... j'aime toujours les fleurs ! Mais les vieux airs ... les vieilles sonates* ... le vieux réséda ... Que diable !

— Hélas ! dit-elle en joignant les mains, je suis
10 donc condamnée au bossu !

— De quel bossu parlez-vous, Charlotte ? Est-ce de celui de la salle ? Vous n'avez qu'à dire un mot, et nous le mettrons à la porte.[1]

Mais, remuant la tête tristement, la pauvre fille
15 parut se recueillir[2] et commença cette histoire singulière:

II

« Trois messieurs très respectables, M. le garde général,[3] M. le notaire[4] et M. le juge de paix de Pirmasens me demandèrent autrefois en mariage.
20 Mon père me disait: « Charlotte, tu n'as qu'à choisir: Tu le vois, ce sont de beaux partis ! »[5]

« Mais je voulais attendre. J'aimais mieux les voir tous les trois rassemblés à la maison. On chantait, on riait, on causait. Toute la ville était jalouse* de
25 moi. Oh ! que les temps sont changés !

[1] mettre à la porte, to show the door, show out. [2] (se recueillir), to collect oneself, compose oneself; cf. cueillir. [3] le garde général, supervisor of foresters. [4] notaire, notary. [5] (parti), catch, match (in marriage).

« Un soir ces messieurs étaient rassemblés sur le banc de pierre devant la porte. Il faisait un temps magnifique comme aujourd'hui. Le clair de lune[1] remplissait la rue. On buvait du vin sous le chèvrefeuille. Et moi, assise devant mon clavecin, entre 5 deux beaux chandeliers, je chantais: « Rose de mai! » Vers dix heures, on entendit un cheval descendre la rue; il marchait en boitant,[2] et tout le monde se disait: « Quel bruit étrange! » Mais comme on avait beaucoup bu, chanté, dansé, la joie donnait du 10 courage, et ces messieurs riaient de la peur des dames. On vit bientôt s'avancer dans l'ombre un grand homme à cheval; il portait un immense chapeau à plumes, un habit vert, son nez était long, sa barbe jaune; enfin, il était borgne, boiteux et bossu! 1*

« Vous pensez, monsieur Théodore, combien tous ces messieurs s'amusaient à ses dépens,[3] mes amoureux, surtout; chacun se moquait de lui, mais lui ne répondait rien.

« Arrivé devant l'hôtel, il s'arrêta, et nous vîmes 20 alors qu'il vendait des horloges de Nuremberg. Il en avait beaucoup de petites et de moyennes,[4] suspendues à des cordes qui lui passaient sur les épaules; mais ce qui me frappa le plus, ce fut une grande horloge posée devant lui, sur la selle,[5] le cadran[6] tourné 25 vers nous, et surmonté* d'une belle peinture, repré-

---

[1] le clair de lune, moonlight.   [2] (boiter), to limp, hobble; cf. boiteux.   [3] (dépens), expense.   [4] (moyen, -ne) adj., medium, middle-sized.   [5] selle, saddle.   [6] cadran, dial, face (of a clock).

147

sentant un coq[1] rouge, qui tournait légèrement la tête et levait la patte.

« Tout à coup le ressort[2] de cette horloge partit[3] et l'aiguille[4] tourna comme la foudre,[5] avec un bruit
5 intérieur effroyable. Le marchand fixa ses yeux gris sur chacun de mes amoureux, à son tour: le garde général, que je préférais; le notaire que j'aurais pris ensuite; et le juge de paix que j'estimais beaucoup. Pendant qu'il les regardait, ces messieurs sentirent un
10 frisson[6] leur traverser tout le corps. Enfin, quand il eut fini cette inspection,* il se mit à rire tout bas et passa son chemin au milieu du silence général.

« Il me semble encore le voir s'en aller, le nez en l'air, et frappant son cheval, qui n'en allait pas plus
15 vite.

« Quelques jours après, le garde général se cassa la jambe; puis le notaire perdit un œil, et le juge de paix se courba lentement, lentement. Aucun médecin ne connaît de remède à sa maladie; il a beau
20 mettre des corsets de fer, sa bosse[7] devient de plus en plus grosse tous les jours ! »

III

Ici Charlotte essuya quelques larmes, puis elle continua:

— Naturellement, les amoureux eurent peur de

---

[1] coq, cock. [2] ressort, spring; *cf.* sortir. [3] (partir), to start, go off. [4] aiguille, needle, hand (*of a clock*); *cf.* aigu, aiguiser. [5] foudre, lightning. [6] (frisson), shiver; *cf.* frissonner. [7] bosse, hump; *cf.* bossu.

moi, tout le monde quitta notre hôtel; plus une âme, rarement un voyageur !

— Cependant, lui dis-je, j'ai remarqué chez vous ces trois malheureux; ils ne vous ont pas quittée !

— C'est vrai, dit-elle, mais personne n'a voulu **5** d'eux; et puis je les fais souffrir, sans le vouloir. C'est plus fort que moi: je sens le désir de rire avec le borgne, de chanter avec le bossu, qui n'a plus qu'un souffle, et de danser avec le boiteux. Quel malheur ! quel malheur !... **10**

— Ah çà ! m'écriai-je, vous êtes donc folle ?

— Chut ! fit-elle, pendant que sa figure se changeait d'une manière* horrible, chut ! le voici !...

Elle avait les yeux grands ouverts et me montrait la fenêtre avec terreur. **15**

En ce moment, la nuit était noire comme un fourneau. Cependant, derrière la fenêtre close, je distinguai la silhouette* d'un cheval, et j'entendis un hennissement[1] sourd.[2]

— Calmez-vous, Charlotte, calmez-vous; c'est une **20** bête échappée qui broute[3] le chèvrefeuille.

Mais, au même instant, la fenêtre s'ouvrit comme par l'effet d'un coup de vent.[4] Une longue tête sarcastique,* surmontée d'un immense chapeau pointu,[5] se pencha[6] dans la chambre, et se mit à rire **25** silencieusement, pendant qu'un bruit de ressorts

---

[1] HENNISSEMENT, whinnying. [2] (sourd), dull, muffled.
[3] BROUTER, to browse. [4] coup de vent, gust of wind.
[5] (pointu), pointed; *cf.* point, pointe. [6] PENCHER, to bend forward, bend over.

d'horloge sifflait dans l'air. Ses yeux se fixèrent d'abord sur moi, ensuite sur Charlotte, pâle comme la mort, puis la fenêtre se referma brusquement. Encore un hennissement sourd, et le bruit d'un cheval
5 qui boite sur le pavé.

— Oh ! pourquoi suis-je revenu dans cette maudite maison ! m'écriai-je avec désespoir.

Charlotte, folle de terreur, se jeta sur le clavecin, et jouant de toutes ses forces et au hasard,[1] chantait
10 d'une voix perçante[2] : « Rose de mai !... rose de mai !... » C'était effroyable !

Je m'enfuis[3] dans la grande salle.

La chandelle allait s'éteindre. Le bossu, le borgne et le boiteux étaient toujours à la même place, devant
15 leur chopes d'étain, seulement ils ne jouaient plus, ils ne buvaient plus : penchés sur la table et le menton[4] dans les mains, ils pleuraient mélancoliquement dans les chopes vides.

Cinq minutes après, je remontais à cheval et je
20 partais à toute vitesse.

— Rose de mai !... Rose de mai !... répétait Charlotte. Pourquoi tarder encore à revenir ? Ah ! pourquoi tarder encore...

---

¹ **au hasard**, at random.   ² **(perçant)**, piercing.   ³ **(s'en-fuir)**, to flee, take flight; *cf.* **fuite**.   ⁴ MENTON, chin.

LIST OF IDIOMS

Numbers following the idiomatic expressions refer to the page and line in the text where the expression first occurs, e.g., **2, 14** = page 2, line 14.

151

La Grammaire

PAR EUGÈNE LABICHE

INTRODUCING 283 NEW WORDS AND 53 IDIOMS

BOOK NINE

C'est très lourd, ces machines-là!

ENTRE NOUS

— So you are uncertain as to whether you are going to like this book? Why, I wonder? . . .

— Well, if the title means anything . . .

— Ah! . . . I see! Well, the title does mean something, but not what you think. This is a very gay comedy, a *vaudeville* in the sense of the word as used in the middle of the last century, written by a master playwright in that *genre*. Having presented English "as she is *spoke*" in Book VII, we now offer you French "as she is *wrote*"; you will find this clever bit of light satire quite amusing . . . if not instructive!

— Good! that's better! . . . but these 53 new idioms you advertise on the title-page?

— Can't be helped! You are about through with simple, basic vocabulary, that is, *general* vocabulary. The 2,127 words used in Books I–VIII include both general and specific vocabulary; Book IX adds 283 words, of which 109 are cognates and 81 are derivatives. With Book X, the last of the *Readers*, you will be over the 2500-word level. From now on, your vocabulary problem shifts to the specialized set of words used in the field of your personal interest or of your intended reading in French . . . and to idioms and idiomatic expressions. There is no escape from the latter. One has to stand up to them!

— Surely! . . . or else, like Betty, find oneself *le bec dans l'eau!*

LA GRAMMAIRE*

PERSONNAGES

François Caboussat, ancien marchand
Poitrinas, président* de l'Académie d'Étampes[1]
Machut, vétérinaire*
Jean, domestique de Caboussat
Blanche, fille de Caboussat

(La scène se passe à Arpajon,[1] chez Caboussat.)

Un salon de campagne, avec trois fenêtres ouvertes sur un jardin. Portes latérales* au premier plan. A gauche, près de la porte, un buffet.* A droite, sur le devant de la scène, une table. Au fond, une autre table, sur laquelle se trouvent des tasses.[2]

SCÈNE PREMIÈRE

Jean, *puis* Machut, *puis* Blanche. *Au lever du rideau, Jean range[3] de la vaisselle[4] devant le buffet, à gauche.*

Jean.   L'ennui[5] de la vaisselle quand on l'a rangée, c'est qu'il faut la déranger.[6] (*Un saladier[7] lui échappe des mains et se casse.*)

Machut, *entrant.*   Paf ![8]

Jean.   Sapristi ! le saladier doré !   5

[1] **Étampes** and **Arpajon** are small towns in the department of Seine-et-Oise, a short distance south of Paris. The **Académie** is imaginary. [2] **tasse**, cup. [3] (**ranger**), to arrange; *cf.* **rang, rangée**. [4] vaisselle, dishes. [5] (**ennui**), boredom; nuisance; *cf.* **ennuyer, ennuyeux**. [6] (**déranger**), to disarrange. [7] saladier, salad bowl. [8] paf ! Bang !

Machut. Tu travailles bien, toi !

Jean. Ah ! ce n'est que le vétérinaire !... Vous m'avez fait peur.

Machut. Qu'est-ce que va dire monsieur Ca-
5 boussat, ton maître, en voyant cette fabrique de castagnettes ?[1]

Jean, *ramassant les morceaux.* Il ne la verra pas ...j'enterre[2] les morceaux au fond du jardin... j'ai là une petite fosse[3]... près de l'abricotier[4]... c'est
10 propre et couvert d'herbe.

Blanche, *entrant par la droite, premier plan.* *Apercevant Machut.* Ah ! bonjour, monsieur Machut.

Machut, *saluant.* Mademoiselle...

15 Blanche, *à Jean.* Tu n'as pas vu le saladier doré ?

Jean, *cachant les morceaux dans son tablier.* Non, mademoiselle.

Blanche. Je le cherche pour y mettre des fraises.[5]

20 Jean. Il doit être resté dans le buffet de la salle à manger.[6]

Blanche. Je vais voir... C'est étonnant la quantité* de vaisselle qui disparaît...

Jean. On ne casse pourtant rien. (*Blanche sort*
25 *par la gauche, premier plan.*)

---

[1] castagnette, castanet. Children sometimes use pieces of broken crockery for castanets. [2] (enterrer), to bury; *cf.* enterrement, terre. [3] (fosse), pit, trench; *cf.* fossé. [4] (abricotier), apricot tree; *cf.* abricot. [5] fraise, strawberry. [6] salle à manger, dining room.

SCÈNE II

MACHUT. Ah bien ! tu as de l'assurance, toi !

JEAN. Mais ! si elle savait que son saladier est cassé ... ça lui ferait de la peine,[1] à cette demoiselle.

MACHUT. Ah ça ! Je viens pour la vache.[2]

JEAN. Oh ! c'est inutile. 5

MACHUT. Pourquoi ?

JEAN. La vache est morte ... Il paraît qu'elle avait avalé[3] un petit morceau de tasse ... mal enterré.

MACHUT. Ah ! voilà ! tu ne creuses pas assez. 10

JEAN. C'est vrai ... mais il fait si chaud depuis un mois.

MACHUT. Ah çà ! c'est aujourd'hui le grand jour ! ton maître doit être très agité.

JEAN. Pourquoi ? 15

MACHUT. C'est dans deux heures qu'on va élire[4] le président du comice[5] agricole[6] d'Arpajon.

JEAN. Croyez-vous que monsieur Caboussat soit renommé ?[7]

MACHUT. Je n'en doute pas. J'ai déjà bu treize 20 verres de vin pour son compte.[8]

JEAN. Vrai ? Eh bien, ça ne paraît pas.

---

[1] **faire de la peine,** to grieve, vex.   [2] **vache,** cow.   [3] AVALER, to swallow.   [4] (**élire**), to elect; *cf.* lire, élection.   [5] COMICE, meeting, society.   [6] AGRICOLE, agricultural. The **comice agricole** is an agricultural society, established in the various departments under the auspices of the **ministère de l'Agriculture.**
[7] (**renommer**), to renominate, re-elect; *cf.* **nom, nommer.**
[8] **pour son compte,** on his behalf.

159

MACHUT. Je travaille en secret pour ton maître. C'est juste, j'ai la pratique de la maison.

JEAN. Il a un concurrent[1] qui est un rusé, monsieur Chatfinet[2]... Depuis un mois il ne fait que
5 causer[3] avec les paysans...

MACHUT. Il fait mieux que ça. Dimanche dernier, il a été à Paris et il en est revenu avec une quantité de petits ballons* rouges qui s'élèvent tout seuls... et il les a distribués* gratis* aux enfants
10 de la classe[4] agricole.

JEAN. Ah! c'est très fort!

MACHUT. Oui, mais le coup a manqué... grâce à moi![5] J'ai répandu[6] le bruit que les ballons attiraient la grêle[7]... et on les a tous détruits.

15 JEAN, *à part.* Quel diplomate!*

MACHUT. Nous ne voulons pas de Chatfinet... un intrigant[8]... qui fait venir d'Étampes son vétérinaire!

JEAN. Ah! voilà!

20 MACHUT. Ce qu'il nous faut, c'est monsieur Caboussat... un homme sobre*... et instruit![9]... car on peut dire que c'est un savant, celui-là!

JEAN. Quant à ça[10]... il reste des heures entières

---

[1] (concurrent), competitor, rival candidate; *cf.* courir.
[2] A name coined from chat, cat, + finet, clever. [3] il ne fait que causer, he does nothing but talk. [4] Lecture and demonstration courses in agricultural subjects are offered in each département as part of a program of post-school and adult education. [5] grâce à moi, thanks to me. [6] RÉPANDRE, to spread. [7] GRÊLE, hail, hailstorm. [8] (intrigant), schemer, wirepuller. [9] INSTRUIT, educated. [10] Quant à ça, As far as that is concerned, As for that.

dans son cabinet[1] avec un livre à la main[2]... l'œil fixe... la tête immobile... comme s'il ne comprenait pas.

MACHUT. Il réfléchit.

JEAN. Il creuse... (*Apercevant Caboussat.*) Le 5 voici... (*Montrant les morceaux du saladier.*) Je vais faire comme lui, je vais creuser.[3] (*Il sort par la gauche.*)

SCÈNE III

MACHUT, CABOUSSAT. *Caboussat entre par la droite, premier plan, un livre à la main et plongé* dans sa lecture.*

MACHUT, *à part.* Il ne me voit pas... il creuse.

CABOUSSAT, *lisant à lui-même.* 10

« NOTA. — On reconnaît mécaniquement* que le participe* suivi d'un infinitif* est variable* quand on peut remplacer l'infinitif par le participe présent. »

(*Parlé.*) Il faut remplacer l'infinitif par le participe... Ah! j'en ai mal à la tête! 15

MACHUT, *à part.* Ça doit être du latin... ou du grec.* Hum! hum!

CABOUSSAT, *cachant vivement son livre dans sa poche.* Ah! c'est toi, Machut! 20

MACHUT. Je vous dérange, monsieur Caboussat?

---

[1] CABINET, private study. [2] à la main, in his hand. [3] Jean is punning upon the double meaning of **creuser**: to dig (*literally*), rack one's brains.

Caboussat. Non ... je lisais ... Tu viens pour la vache ?

Machut. Oui ... et j'ai appris l'événement.[1]

Caboussat. Un morceau de tasse ... est-ce
5 drôle ? Une vache de quatre ans.

Machut. Ah ! monsieur, les vaches ... ça avale de la porcelaine* à tout âge ... J'en ai connu une qui a mangé une éponge* à laver les voitures ... à sept ans ! Elle en est morte.

10 Caboussat. Voilà notre pauvre humanité ![2]

Machut. Ah ça ! J'ai à vous parler de votre élection* ... ça marche.[3]

Caboussat. Ah ! vraiment ? Ma circulaire* a été goûtée ?[4]

15 Machut. Je vous en réponds ![5] ... On peut dire qu'elle était joliment faite, votre circulaire ! Je compte sur une forte majorité.*

Caboussat. Tant mieux ![6] Même si cela ne serait que pour faire enrager* Chatfinet, mon con-
20 current.

Machut. Et puis, savez-vous que renommé président du comice agricole d'Arpajon, vous pouvez aller loin ... très loin.

Caboussat. Où ça ?

---

[1] (événement), happening, incident; *cf.* **venir.** [2] **Voilà notre pauvre humanité !** That's what our poor mankind is like ! (A rather weak pun in the use of the stock expression under the circumstances.) [3] **ça marche,** it's going fine, we're making progress. [4] (goûter), to appreciate, relish; *cf.* **goût.** [5] **Je vous en réponds !** You can take my word for it ! [6] **Tant mieux !** So much the better !

MACHUT. Qui sait?... Vous êtes déjà du conseil[1] municipal.* Vous deviendrez peut-être notre maire un jour!

CABOUSSAT. Moi? Oh! quelle idée!... D'abord, je ne suis pas ambitieux*... et puis la 5 place est occupée par monsieur Rognat, depuis trente-cinq ans.

MACHUT. Raison de plus! chacun son tour... Il y a assez longtemps qu'il est là![2]... Entre nous, ce n'est pas un homme fort[3] ni instruit... 10

CABOUSSAT. Mais cependant...

MACHUT. D'abord,... il ne sait pas le grec...

CABOUSSAT. Mais il n'est pas nécessaire* de savoir le grec pour être maire d'Arpajon.

MACHUT. Je n'y vois pas de mal... Voyez-vous, 15 moi, je cause avec l'un et avec l'autre... j'entends bien des choses... et je vous prédis que bientôt vous porterez l'écharpe[4] municipale.

CABOUSSAT. Je ne le désire pas... je ne suis pas ambitieux... mais cependant je reconnais que, 20 comme maire, je pourrais rendre quelques services à mon pays.

MACHUT. Bien entendu![5] et vous ne vous arrêterez pas là.

CABOUSSAT. Certainement, une fois maire... 25

---

[1] (conseil), council. The conseil municipal conducts the affairs of the commune, smallest division of the département.
[2] Il y a...qu'il est là, He has been there long enough.
[3] (fort), clever, skillful. [4] ÉCHARPE, scarf, sash. The mayor of a commune wears a tri-colored sash as a badge of office.
[5] Bien entendu! Of course!

MACHUT. Vous deviendrez conseiller[1] d'arrondissement.*

CABOUSSAT. En effet, je ne m'en crois pas indigne[2] ... et après ?

5 MACHUT. Conseiller général.[3]

CABOUSSAT. Oh! non, c'est trop!... et après?

MACHUT. Qui sait?... Député,[4] peut-être.

CABOUSSAT. J'atteindrais à la tribune![5]... et après ?

10 MACHUT. Eh bien!... après... je ne sais pas!

CABOUSSAT, *à lui-même*. Conseiller général ... député! (*Changeant d'avis,[6] et avec tristesse*.) Mais non, ça ne se peut pas! j'oublie que ça ne se peut pas.

15 MACHUT. Mais il faut commencer par le commencement ... être d'abord président du comice ... J'ai vu les principaux électeurs[7] ... ça marche.

CABOUSSAT. Ah!... ça marche... pour moi?

MACHUT. Tout à fait ... Par exemple, il y a le 20 père Madou qui ne vous aime pas ...

CABOUSSAT. Tiens! il ne m'aime pas?... Qu'est-ce que je lui ai fait?

MACHUT. Il vous trouve fier.

---

[1] (**conseiller**), member of the council. The 89 **départements** of France are divided into 385 **arrondissements**, which are further divided into 3,019 **cantons** and 37,963 **communes**. [2] (**indigne**), unworthy; *cf.* **digne**. [3] The **conseiller général** of the **département** supervises the assessment of taxes. [4] Member of the **Chambre des Députés**, corresponding to our House of Representatives. [5] The **tribune** is the rostrum of the **Chambre des Députés**. [6] AVIS, opinion; **changer d'avis, to** change one's mind. [7] (**électeur**), voter; *cf.* **élire, élection.**

CABOUSSAT. S'il est possible ! Je ne le rencontre pas sans lui demander des nouvelles de sa femme ... à laquelle je ne m'intéresse pas du tout.

MACHUT. Oui ... vous êtes gentil pour sa femme ... mais pas pour ses choux.[1]   5

CABOUSSAT. Comment ?

MACHUT. Il en a fait un gros champ pour ses vaches ... Selon lui, vous êtes passé devant dix fois, et vous ne lui avez jamais dit: « Ah ! voilà de beaux choux ! » Comme président du comice, il dit que 10 c'était votre devoir.

CABOUSSAT. Ma foi ![2] il faut avouer que je ne les ai pas regardés, ses choux.

MACHUT. Faute ! ... faute ! ... Chatfinet, votre concurrent, a été plus rusé; il lui a dit ce matin: 15 « Mon Dieu ! les beaux choux ! »

CABOUSSAT. Il a dit cela, l'intrigant ?

MACHUT. Vous feriez bien d'aller voir le père Madou, comme un bon voisin, et de lui dire un mot de ses choux ... sans bassesse ![3] Je ne vous con- 20 seillerai jamais une bassesse !

CABOUSSAT. Tout de suite ! J'y vais tout de suite ! (*Appelant.*) Jean !

JEAN, *entrant par la droite.* Monsieur !

CABOUSSAT, *va à Jean.* Mon chapeau neuf[4] ... 25 dépêche-toi ! (*Jean sort par la porte latérale, à droite.*)

MACHUT. Je vais avec vous ... en cas de besoin ...

---

[1] CHOU(-X), cabbage.   [2] **Ma foi !** My word ! Really !
[3] (**bassesse**), mean (base) action; *cf.* bas, basse.   [4] **neuf,** new.

JEAN, *apportant le chapeau.* Voilà, monsieur.

CABOUSSAT. Une idée ... Je vais lui en demander de la graine[1] de ses choux.

MACHUT. Superbe !

CHŒUR[2]

CABOUSSAT, JEAN, MACHUT

5   L'électeur est fragile,*
Et pour qu'il vote* bien,
Il nous faut être habile[3]
Et ne négliger* rien.

(Caboussat et Machut sortent par le fond.)

SCÈNE IV

JEAN, *puis* POITRINAS, *puis* BLANCHE

JEAN, *seul.* Monsieur met son chapeau neuf pour
10 aller chercher de la graine de choux ... quelle drôle d'idée !

POITRINAS, *paraît au fond, une valise à la main.* Monsieur Caboussat, s'il vous plaît ?

JEAN, *à part.* Un étranger !

15   POITRINAS. Annoncez-lui monsieur Poitrinas, premier président de l'Académie d'Étampes.

JEAN, *haut.* Il vient de sortir; mais il ne tardera[4] pas à rentrer.

POITRINAS. Alors, je vais l'attendre ... (*Lui*

---

[1] **graine**, seed. [2] CHŒUR, chorus. This was originally sung to the air of *Une femme qui bat son gendre.* [3] HABILE, clever.
[4] (tarder), to delay, be long; *cf.* **tard, retard.**

donnant sa valise.) Débarrasse-moi[1] de ma valise.

JEAN.   Ah! comme ça,[2] monsieur va rester ici ?
(*Il va mettre la valise sur une chaise au fond.*)

POITRINAS.   Probablement.   5

JEAN, *à part.*   Bien! une chambre à faire![3]

POITRINAS.   J'apporte à mon ami Caboussat une
nouvelle . . . considérable.*

JEAN, *curieux.*   Ah! laquelle ?

POITRINAS.   Ça ne te regarde pas . . . Comment 10
se porte mademoiselle Blanche, sa fille ?[4]

JEAN.   Très bien, je vous remercie . . .

POITRINAS.   Je ne l'ai pas beaucoup regardée
quand elle est venue cet été à Étampes, cette chère
enfant . . . Je venais de recevoir un envoi[5] des plus 15
précieux . . . une caisse[6] de poterie,* de vieux clous[7]
et autres antiquités* gallo-romaines.*

JEAN.   Qu'est-ce que c'est que ça ?

POITRINAS.   Mais elle m'a paru jolie et bien
élevée.   20

JEAN.   Oh! je vous en réponds! . . . un peu re-
gardante[8] sur la vaisselle . . .

POITRINAS.   Je vois que je pourrai donner suite
à mes projets[9] . . .

JEAN.   Quels projets ?   25

---

[1] (débarrasser), to rid, relieve; *cf.* **embarrasser, embarras.**
[2] **comme ça,** so.   [3] **une chambre à faire,** a room to make ready.
[4] **Comment se porte . . . sa fille?**   How is his daughter, Miss
Blanche?   [5] (**envoi**), shipment; *cf.* **envoyer.**   [6] (**caisse**), case,
box; *cf.* **caissière.**   [7] CLOU, nail.   [8] (**regardant**), particular,
fussy; *cf.* **regarder.**   [9] **donner suite à mes projets,** to carry
out my intentions.

167

Poitrinas. Ça ne te regarde pas ... Dis-moi, quand on laboure¹ dans ce pays-ci, qu'est-ce qu'on trouve ?

Jean. Où ça ?

5 Poitrinas. Derrière la charrue.²

Jean. Mais ! on trouve des vers³ blancs.

Poitrinas. Je te parle d'antiquités ... de frag-ments* gallo-romains.

Jean. Ah ! monsieur, nous ne connaissons pas ça.

10 Poitrinas. Je profiterai de ma visite pour faire faire quelques fouilles.⁴ J'ai remarqué, sur ma carte⁵ des Gaules,⁶ la présence* d'une voie⁷ romaine à Arpajon.

Jean, *étonné.* Oui ! ...

15 Poitrinas. Vois-tu, moi, j'ai du flair⁸ ... je n'ai qu'à regarder le terrain,⁹ et je dis tout de suite: « Il y a du romain là-dessous ! »¹⁰

Jean, *stupidement.* Oui ... (*A part.*) Qu'est-ce que c'est que cet homme-là ?

20 Blanche, *entrant par le premier plan, à droite; à part.* Impossible de retrouver ce saladier.

Jean. Ah ! voilà mademoiselle. (*Il remonte au fond, près du buffet.*)

Blanche. Monsieur Poitrinas !

25 Poitrinas, *saluant.* Mademoiselle ...

¹ LABOURER, to plow. ² CHARRUE, plow. ³ **ver,** worm.
⁴ FOUILLE, excavation. ⁵ (carte), map; *cf.* **carte, card.** ⁶ *Gal-lia est omnis divisa in partes tres.* Hence, les Gaules. ⁷ VOIE, way, road; *cf.* **voyager.** ⁸ FLAIR, scent (of dogs), sense of smell; **avoir du flair,** to have a gift for nosing, finding, things out. ⁹ (**terrain**), soil, ground, land; *cf.* **terre, enterrer.** ¹⁰ **là-dessous,** underneath; *cf.* **dessous.**

BLANCHE. Quelle bonne surprise !... et que mon père sera heureux de vous voir !

POITRINAS. Oui... je lui apporte une nouvelle ... considérable.

BLANCHE. Monsieur Edmond, votre fils, n'est 5 pas venu avec vous ?

POITRINAS. Non, dans ce moment-ci il souffre d'une entorse.[1]

BLANCHE. Ah ! quel dommage !

POITRINAS. C'est un peu ma faute, cette entorse. 10 J'avais fait des fouilles au bout du parc,* sans rien dire à personne... et le soir il est tombé dedans. (*Consolé.*) Mais j'ai trouvé un manche[2] de couteau du troisième siècle.[3]

BLANCHE. Et c'est pour un vieux manche de 15 couteau que vous m'avez gâché mon danseur.[4]

POITRINAS. Votre danseur ?

BLANCHE. Mais oui; cet été, à Étampes, monsieur Edmond m'invitait tous les soirs... plusieurs fois... Croyez-vous qu'il guérisse ?   20

POITRINAS. C'est l'affaire de quelques jours.

BLANCHE. Il ne sera pas boiteux ?

POITRINAS. Pas du tout... Ce serait bien dommage, car le voilà bientôt d'âge à se marier.

BLANCHE. Ah !   25

POITRINAS. Mais vous aussi, je crois...

BLANCHE. Moi ? je ne sais pas... Papa ne m'en a pas encore parlé. (*A part.*) Est-il possible

[1] ENTORSE, sprain; *cf.* tordre, twist. [2] manche *m.*, handle; *cf.* manche *f.*, sleeve, cuff. [3] SIÈCLE, century. [4] (danseur), dancer, partner (*in a dance*); *cf.* danse, danser.

qu'il soit venu demander ma main pour monsieur Edmond ?

POITRINAS. Je voudrais vous poser une petite question.

5 BLANCHE, *à part.* Ah ! mon Dieu ! voilà que j'ai peur !

POITRINAS. Quand on creuse dans le jardin, qu'est-ce qu'on trouve ?

JEAN, *à part.* C'est un tic ![1]

10 BLANCHE. Mais !... on trouve de la terre... des pierres...

POITRINAS, *vivement.* Avec des inscriptions ?*

BLANCHE. Ah ! je ne sais pas.

POITRINAS. Nous verrons cela... plus tard.

15 BLANCHE. Si vous voulez passer dans votre chambre... je vais vous conduire.

POITRINAS, *prenant sa valise.* Volontiers.

BLANCHE. Vos fenêtres donnent sur le jardin.

POITRINAS. Tant mieux, j'examinerai la con-
20 figuration* du terrain. (*A part, le nez en l'air.*) Ça sent le romain, ici ![2] (*Il entre à gauche avec Blanche.*)

JEAN. Et il va coucher ici, cet homme-là !... Il me fait peur ! (*Ils sortent tous les trois par le premier plan à droite, Jean le dernier.*)

---

[1] TIC, twitching, an unconscious habit, mannerism. **C'est un tic !** It's a habit with him ! [2] **Ça sent le romain, ici !** It smells of Roman antiquities here ! (Poitrinas has said that he had a flair for that sort of thing.)

SCÈNE V

CABOUSSAT, *puis* JEAN

CABOUSSAT, *paraît au fond avec un énorme chou sous un bras et une betterave*[1] *sous l'autre.* L'affaire du père Madou est arrangée. Je lui ai demandé un de ses choux ... comme objet* d'art* ... Je lui ai dit que je le mettrais dans mon salon. Il y avait là un 5 voisin, dans son champ de betteraves, qui commençait à faire la grimace.[2] Je ne pouvais faire moins pour lui que pour l'autre ... C'est un électeur ... Alors je lui ai demandé aussi une betterave ... comme objet d'art ... Il faut savoir prendre les 10 masses.* (*Embarrassé de son chou et de sa betterave.*) C'est très lourd, ces machines-là![3] (*Appelant.*) Jean !

JEAN, *entrant par le premier plan à droite.* Monsieur ...   15

CABOUSSAT. Débarrasse-moi de ça ... tu mettras le chou dans le pot ... quant à la betterave, tu la feras cuire[4]; c'est très bon dans la salade.*

JEAN, *à part, sortant par le fond milieu.* Voilà monsieur qui fait son marché[5] maintenant.   20

CABOUSSAT, *seul.* Tout en promenant mon chou,[6]

---

[1] BETTERAVE, sugar beet.   [2] faire la grimace, to make a wry face (*from jealousy*).   [3] ces machines-là = those gadgets (contraptions).   [4] cuire, to cook; *cf.* cuisine.   [5] (marché), market, market place; *cf.* marchand.   [6] Since chou is colloquially used for *darling, sweetheart,* there is an atrocious pun in this line. Faire son marché, to do one's marketing. Marketing is usually done by one's servants in France; Jean does not approve of his master's apparent lack of confidence in him.

171

j'ai réfléchi à ce que m'a dit Machut... Je serais
maire, le premier magistrat* d'Arpajon ! puis conseiller général ! puis député!... et après ? ministre !*
qui sait ?... (*Tristement.*) Mais non ! ça ne se peut
5 pas !... Je suis riche, considéré, adoré... et une
chose s'oppose* à mes projets... la grammaire
française !... Je ne sais pas... (*regardant autour de
lui avec inquiétude*) je ne sais pas l'orthographe !¹
Les participes surtout, on ne sait par quel bout les
10 prendre²... tantôt³ ils s'accordent,⁴ tantôt ils ne
s'accordent pas... quels fichus caractères ! Quand
je suis embarrassé, je fais une tache d'encre... mais
ce n'est pas de l'orthographe ! Lorsque je parle, ça
va très bien... ça ne se voit pas... j'évite⁵ les
15 liaisons*... A la campagne,⁶ c'est très dangereux
... je dis: « Je suis allé »... (*Il prononce les mots
sans faire de liaison.*) Ah ! de mon temps⁷ on ne se
laissait vieillir sur les bancs des écoles... j'ai appris à
écrire en vingt-six leçons, et à lire... je ne sais pas
20 comment... puis je me suis jeté dans le commerce*
des bois de charpente⁸... je sais calculer la quantité du bois de charpente qui se trouve dans un arbre,
mais je ne trouve pas de plaisir dans la composition
littéraire*... (*Regardant autour de lui.*) Pas même
25 les discours que je prononce... des discours éton-

---

¹ ORTHOGRAPHE, spelling, orthography. ² **on ne sait par
quel bout les prendre,** one cannot make head or tail of them.
³ **tantôt...tantôt,** sometimes...sometimes. ⁴ **(s'accorder),**
to agree; *cf.* accord. ⁵ ÉVITER, to avoid. ⁶ **(campagne),**
campaign. ⁷ **de mon temps,** in my time (day). ⁸ **charpente,**
frame; **bois de charpente,** timber, lumber.

nants !... Arpajon m'écoute la bouche ouverte !...
comme un imbécile !*... On me croit savant...
j'ai une réputation... mais grâce à qui ? grâce à un
ange[1]...

SCÈNE VI

CABOUSSAT, BLANCHE, *revenant par le premier plan
à droite.*

BLANCHE, *paraissant.* Papa...   5
CABOUSSAT, *à part.* Le voici ! voici l'ange !
BLANCHE, *tenant un papier.* Je te cherchais pour
te remettre le discours que tu dois prononcer au
comice agricole.
CABOUSSAT. Si je suis élu[2]... Tu l'as revu ?[3]   10
BLANCHE. Recopié* seulement.
CABOUSSAT. Oui... comme les autres... (*L'em-
brassant.*) Ah ! chère petite... sans toi ! (*Dépliant[4]
le papier.*) Comment trouves-tu le commencement ?
BLANCHE. Très beau.   15
CABOUSSAT, *lisant.* « Messieurs et chers collègues,*
l'agriculture* est la plus noble des professions*... »
(*S'arrêtant.*) Tiens ! tu as mis deux s à profession ?
BLANCHE. Sans doute...
CABOUSSAT, *l'embrassant.* Ah ! chère petite !... 20
(*A part.*) Moi, j'avais mis un t... tout simplement.
(*Lisant.*) « La plus noble des professions. » (*Parlé.*)
Avec deux s. (*Lisant.*) « J'ose le dire, celui qui

[1] ANGE, angel. [2] élu *p.p.* élire, elected. [3] (revoir), to
revise, proofread; *cf.* revoir, see again. [4] (déplier), to unfold;
cf. plier.

n'aime pas la terre, celui dont le cœur ne bondit pas à la vue d'une charrue, celui-là ne comprend pas la richesse des nations !*...» (*S'arrêtant.*) Tiens ! tu as mis un *t* à nations ?

5 BLANCHE. Toujours.

CABOUSSAT, *l'embrassant.* Ah ! chère petite !... (*A part.*) Moi, j'avais mis un *s*... tout simplement ! ... les *t*, les *s*... jamais je ne pourrai retenir ça ! (*Lisant.*) « La richesse des nations...» (*Parlé.*) Avec 10 un *t*...

BLANCHE, *tout à coup.* Ah ! papa, tu ne sais pas ?... Monsieur Poitrinas vient d'arriver.

CABOUSSAT. Comment ! Poitrinas d'Étampes ! (*A part.*) Un vrai savant, lui ! (*Haut.*) Où est-il, 15 ce cher ami ? (*Poitrinas paraît.*)

SCÈNE VII

CABOUSSAT, BLANCHE, POITRINAS

CABOUSSAT, *allant vers Poitrinas.* Ah ! cher ami ! quelle heureuse visite ! (*Ils se serrent la main.*)

POITRINAS, *revenant par le premier plan à droite.* Il y a longtemps que je désirais explorer* votre canton 20 au point de vue archéologique.* (*Blanche remonte à la table, premier plan à droite.*)

CABOUSSAT. Ah ! oui, les vieux clous, les petits pots cassés ! ça vous amuse toujours ?

POITRINAS. Toujours !... Je voulais aussi vous 25 parler d'une affaire... d'une grande affaire...

BLANCHE, *à part.* La demande !¹ (*Haut.*) Je vous laisse ... (*A Poitrinas, très aimable.*) J'espère, monsieur, que vous passerez quelques jours avec nous ?

POITRINAS. Je n'ose vous le promettre ... Cela 5 dépendra de mes fouilles ... Si je trouve ... je reste.

BLANCHE. Vous trouverez ... espérons-le. (*Elle sort par le premier plan à droite.*)

SCÈNE VIII

CABOUSSAT, POITRINAS

CABOUSSAT. N'est-ce pas qu'elle est gentille, ma 10 petite Blanche ?

POITRINAS. Charmante ! et c'est avec bonheur que ... mais plus tard ... Mon ami, je vous apporte une nouvelle ... considérable ...

CABOUSSAT. A moi ? 15

POITRINAS. Vous venez d'être nommé, sur ma recommandation, membre* correspondant* de l'Académie d'Étampes.

CABOUSSAT, *à part.* Académicien !* ... Il me fourre² dans l'Académie ! 20

POITRINAS. Eh bien ! voilà une surprise !

¹ **La demande !** The proposal ! Traditionally, the proposal of marriage is the concern of the parents, as is the question of **dot** or marriage settlement. It is customary, however, for the girl to be consulted before the final decision is made.
² FOURRER, to stuff, cram.

175

CABOUSSAT. Ah oui!... pour une surprise[1]...
mais je ne sais vraiment si je dois accepter... je me
sens très indigne de cet honneur... je n'ai rien fait
qui le mérite...

5 POITRINAS. Et vos discours?

CABOUSSAT. Ah! c'est pour mes discours...
Chère petite!

POITRINAS. Et puis j'avais mon idée en vous
présentant... Vous pourrez nous être fort utile.

10 CABOUSSAT. Comment?

POITRINAS. Vous surveillerez les fouilles que je
vais entreprendre[2] dans ce pays; vous relèverez[3] les inscriptions latines et vous nous enverrez des rapports.[4]

CABOUSSAT, *effrayé.* Des rapports?... en latin?

15 POITRINAS, *mystérieusement.* Chut!... J'ai examiné la carte et je soupçonne[5] aux environs* d'Arpajon la présence d'un camp* de César... N'en
parlez pas!

CABOUSSAT. Soyez tranquille!

20 POITRINAS. Notre département n'en a pas...
c'est peut-être le seul.

CABOUSSAT. C'est une tache.

POITRINAS. Alors, j'ai fait des recherches... que
je vous communiquerai*... Il y avait une voie ro-
25 maine à Arpajon... Gabius Lentulus[6] a dû passer
par ici...

---

[1] **pour une surprise,** as surprises go. [2] **(entreprendre), to**
undertake; *cf.* **prendre.** [3] **(relever), to notice, make out, de-**
cipher; *cf.* **lever.** [4] **(rapport), report;** *cf.* **apporter, rapporter.**
[5] SOUPÇONNER, to suspect. [6] Gabius Lentulus was an officer
⌐ the army of Caesar.

CABOUSSAT. Vraiment?... Gabius... Lin...
turlus... Vous en êtes sûr?

POITRINAS. Certain!... N'en parlez à personne! (*Il remonte.*)

CABOUSSAT. Soyez donc tranquille. 5

POITRINAS. Mais je suis venu encore pour un autre motif*... Mon fils Edmond a vu cet été mademoiselle Blanche à Étampes... Il a conçu[1] pour elle un sentiment ardent* mais honorable*... et je profite de l'occasion* de mes fouilles pour vous 10 faire une demande en mariage.

CABOUSSAT. Mon Dieu!... je ne dis pas non... mais je ne dis pas oui... Il faut que je consulte ma fille...

POITRINAS. C'est très juste... Edmond est un 15 bon jeune homme, aimable, rangé,[2] jamais de liqueurs*... excepté dans son café[3]...

CABOUSSAT. Le gloria[4]...

POITRINAS. Cent trente·mille francs de dot...

CABOUSSAT. C'est à peu près[5] ce que je donne à 20 Blanche.

POITRINAS. Mais avant tout, il faut être franc* ... Edmond a un défaut[6]... un défaut qui est presque un vice*...

CABOUSSAT. Ah! diable!... lequel? 25

POITRINAS. Eh bien! sachez... non!... je ne

---

[1] **conçu** *p.p.* **concevoir,** conceived; *cf.* **recevoir.** [2] **(rangé),** steady, regular in his habits; *cf.* **ranger, rang.** [3] **(café),** coffee. [4] The **gloria** is a small cup of strong, black coffee with a few drops of brandy in it; a favorite after-dinner drink. [5] **à peu près,** almost. [6] DÉFAUT, defect, failing.

puis pas !... moi, président de l'Académie d'É-
tampes. (*Lui tendant une lettre*.) Tenez, lisez...

CABOUSSAT. Une chanson qui se moque de l'A-
cadémie ?[1]

5 POITRINAS. Une lettre qu'il m'a adressée il y a
quelques jours... et que je vous soumets avec con-
fusion.*

CABOUSSAT. Vous m'effrayez !... voyons. (*Lisant.*) « Mon cher papa, il faut que je te fasse un
10 aveu dont dépend le bonheur de toute ma vie... »

POITRINAS, *à part.* Dépend avec un *t*... le misérable !

CABOUSSAT, *lisant.* « J'aime mademoiselle Blanche
d'un amour ardent, depuis que je l'ai vue... »

15 POITRINAS, *à part.* Vu... sans *e*... le régime[2]
est avant, imbécile !

CABOUSSAT, *lisant.* « Je ne mange plus, je ne
dors plus... »

POITRINAS, *à part.* Dors... il écrit ça comme
20 dorer ![3]

CABOUSSAT, *lisant.* « Son image remplit ma vie et
trouble mes rêves... »

POITRINAS, *à part.* Rêves... *r-a-i-v-e-s*... (*Haut.*)
C'est abominable, n'est-ce pas ?

25 CABOUSSAT. Quoi ?[4]

[1] The French Academy is a favorite butt for jokes, sa-
tirical verse and songs, and caricature. [2] RÉGIME, object (*in
grammar*). The agreement of participles evidently bothers
Edmond, as it does Caboussat. [3] Edmond wrote: **Je ne dore
plus,** confusing **dormir** with **dorer.** [4] Caboussat has not
heard the side remarks of Poitrinas, and because of his own
failing has not noticed Edmond's mistakes.

POITRINAS. Enfin, je devais vous le dire; maintenant vous le savez.

CABOUSSAT. Je sais qu'il adore ma fille.

POITRINAS. Oui, mais contre toutes les règles[1] ... Voyez, décidez ... Je vais faire un petit tour de 5 votre jardin ... il m'a semblé reconnaître un renflement[2] du sol sous un abricotier ... ça sent le romain. A bientôt![3] (*Il sort par le fond milieu.*)

SCÈNE IX

CABOUSSAT, *puis* BLANCHE

CABOUSSAT, *mettant la lettre dans sa poche.* De quel diable de défaut a-t-il voulu me parler? 10 (*Blanche paraît habillée.*) Tiens! tu as fait toilette?[4] ... tu vas sortir?

BLANCHE, *revenant par le premier plan à droite.* Oui, je dois, depuis longtemps, une visite à notre voisine, madame de Vercelles ... C'est une famille 15 très influente[5] et très enthousiaste* pour ton élection ... je prendrai la voiture.

CABOUSSAT. Un mot seulement ... Blanche, as-tu quelquefois pensé à te marier?

BLANCHE, *faisant semblant d'être surprise.* Moi? 20 ... jamais, papa!

CABOUSSAT. Enfin, s'il se présentait un parti honorable ... un bon jeune homme ... aimable,

---

[1] règles, rules. [2] RENFLEMENT, swelling, bulging. [3] A bientôt! See you again soon! [4] faire toilette, to dress up, put on one's best clothes. [5] INFLUENT, influential.

rangé ... jamais de liqueurs ... excepté dans son café ...

BLANCHE, *à part.* Monsieur Edmond !

CABOUSSAT. Sentirais-tu quelque aversion ?*

5 BLANCHE, *vivement.* Oh ! non ! ... c'est-à-dire[1] ... je ferai tout ce que tu voudras.

CABOUSSAT. Moi, je désire que tu sois heureuse ... c'est bien le moins[2] ... après ce que tu as fait pour moi ...

10 BLANCHE. Quoi donc ?

CABOUSSAT. Eh bien ! ... (*Regardant autour de lui.*) Mes discours ... mes lettres ...

BLANCHE, *avec embarras.*[3] Je les recopie.

CABOUSSAT. Oui ... c'est convenu ... nous ne 15 devons pas en parler ... (*Il l'embrasse au front*). Va ... et reviens bien vite. (*Blanche sort par le fond milieu.*)

SCÈNE X

CABOUSSAT, *puis* JEAN, *puis* POITRINAS

CABOUSSAT, *seul.* Ah çà ! J'ai un invité, il faut que je pense au dîner ... un académicien, ça doit 20 aimer les petits plats[4] ... (*Appelant.*) Jean !

JEAN, *entre par la droite, et traverse.* Monsieur ?

CABOUSSAT. Qu'est-ce que nous avons pour dîner ?

---

[1] c'est-à-dire, that is. [2] c'est bien le moins ..., it is certainly the least (that I can do for you). [3] (embarras), embarrassment; *cf.* embarrasser, débarrasser. [4] les petits plats, delicacies; *cf.* plat.

180

JEAN. Monsieur ... il y a le chou ... ensuite la betterave ...

CABOUSSAT. Je ne te parle pas de ça, imbécile !

JEAN. Mais ! puisque monsieur fait son marché lui-même ... monsieur n'a pas de confiance ... 5

POITRINAS, *entrant triomphant* par le fond; il porte un fragment de cuisinière*[1] *plein de terre et une vieille broche*[2] *rouillée.*[3] Je suis venu, j'ai fouillé,[4] j'ai trouvé ![5]

CABOUSSAT. Qu'est-ce que c'est que ça ? 10

POITRINAS. Un bouclier[6] romain ... *scutum* ... le bouclier long, vous savez ...

CABOUSSAT. Oui ...

POITRINAS. *Clypeus* ... c'est le bouclier rond.

JEAN, *bas à Caboussat.* Monsieur, c'est notre 15 vieille cuisinière, toute rouillée et pleine de trous.

CABOUSSAT. Sapristi ! je l'ai bien reconnue !

POITRINAS, *brandissant*[7] *la broche.* Maintenant voici le *gladium* ... l'épée du centurion[8] ... pièce extrêmement rare ... 20

JEAN, *bas à Caboussat.* C'est notre broche cassée ...

CABOUSSAT, *à part.* Cet homme-là trouverait du romain dans une allumette ![9] (*Poitrinas est allé poser*

[1] (cuisinière), a sort of Dutch oven, of sheet iron, half cylinder in shape, used for roasting meat; *cf.* cuire, cuisine. [2] BROCHE, spit, skewer (*for roasting meat*). [3] ROUILLÉ, rusty, rusted. [4] (fouiller), to excavate; cf. fouille. [5] In imitation of Caesar's *veni, vidi, vici,* "I came, I saw, I conquered." [6] BOUCLIER, shield, buckler. [7] BRANDIR, to brandish, wave. [8] CENTURION, the commander of a division of 100 men in the Roman army. [9] allumette, match; *cf.* allumer, lumière.

181

les objets* dont il a parlé sur la table au fond et revient
au milieu.)

POITRINAS, *avec enthousiasme.* Mon ami, j'ai découvert un tumulus[1] au fond du jardin !

5 JEAN, *à part, inquiet.* Comment ! au fond du
jardin ?

POITRINAS. Je suis en nage[2] ... c'est la joie ...
et la pioche[3] ... (*A Jean.*) Tu vas aller me chercher
tout de suite du blanc de craie[4] ... tu me l'apporte-
10 ras dans un pot.

CABOUSSAT. Qu'est-ce que vous voulez faire de
ça ?

POITRINAS. Je veux nettoyer[5] les fragments ...
j'espère y relever quelques inscriptions ... (*A*
15 *Jean.*) Va !

JEAN, *passe au milieu.* Tout de suite. (*A part.*)
Ça, c'est un marchand de vieilles ferrailles ![6] (*Il sort*
par le fond milieu.)

POITRINAS, *à Caboussat.* Ah ! j'oubliais ... il y a
20 un abricotier qui m'empêche de creuser dans le tumulus.

CABOUSSAT. Où ça ?

POITRINAS. Au fond ... à gauche ... Je vous
demanderai la permission de l'abattre.[7]

25 CABOUSSAT. Ah non ! permettez ... il n'y a que

---

[1] TUMULUS, mound, tumulus. [2] (**nage**), swimming; **être en
nage,** to be bathed in perspiration. [3] PIOCHE, pickaxe, mattock. [4] **craie,** chalk; **blanc de craie,** whiting (*powder used in
polishing silver*); *cf.* **crayon.** [5] **nettoyer,** to clean. [6] (**ferraille**), scrap iron; *cf.* **fer.** [7] (**abattre**), to cut down; *cf.*
battre.

lui qui me donne... les abricots sont petits, mais
d'un bon goût...

POITRINAS. Mon cher collègue, je vous le demande au nom de la science.*

CABOUSSAT. Ah! du moment que c'est pour la 5
science... je n'ai rien à lui refuser. (A part.) A
elle,[1] qui me refuse tout!

POITRINAS. Merci, merci!... pour l'archéologie!* Je retourne continuer mes recherches. (Il va
vers le fond, puis il change d'avis.) Eh bien, avez- 10
vous parlé à votre fille du mariage?

CABOUSSAT. Je lui en ai parlé... la proposition
l'intéresse un peu...

POITRINAS. Et le défaut, le lui avez-vous confié?

CABOUSSAT. Pas encore... je cherche un moyen. 15

POITRINAS. C'est horrible, n'est-ce pas... Je
retourne là-bas... ça sent le romain! (Il sort par
le fond.)

SCÈNE XI

CABOUSSAT, puis MACHUT

CABOUSSAT, seul. Il commence à m'inquiéter[2]
avec ce défaut... qui est presque un vice... je ne 20
serais pourtant pas fâché de le connaître.

MACHUT, paraissant au fond, très agité et parlant à
la coulisse,[3] revenant par la gauche. C'est une calomnie[4]... et je le prouverai!

[1] à elle = à la science. [2] (inquiéter), to worry, make uneasy; cf. inquiet, inquiétude. [3] COULISSE, wings (of a stage).
[4] CALOMNIE, slander, calumny.

183

CABOUSSAT. Machut!... à qui parles-tu donc?

MACHUT. C'est monsieur Chatfinet, votre concurrent ... qui fait circuler sur mon compte une calomnie abominable!

5 CABOUSSAT. Une calomnie... abominable!

MACHUT. Il prétend[1] que j'ai tué votre vache.

CABOUSSAT. Mais c'est faux[2] ... puisqu'elle était morte avant ton arrivée.

MACHUT. Eh bien, écrivez-moi ça sur un bout de 10 papier, pour que je lui prouve que c'est un mensonge![3]

CABOUSSAT. Écrire, moi?... (*A part.*) Et ma fille qui n'est pas là! (*Haut.*) Mon ami, il y a des injures[4] auxquelles un homme qui se respecte* ne 15 doit répondre que par le silence.

MACHUT. Oui, mais moi, je préfère en finir avec lui ... Vite! écrivez-moi un mot ...

CABOUSSAT. Tu n'y penses pas ... j'aurais l'air de te donner un certificat.*

20 MACHUT. Précisément, voilà ce que je veux ...

CABOUSSAT. Non ... je ne peux pas ... c'est impossible ...

MACHUT. Comment! vous me refusez?... vous refusez de dire la vérité?... moi qui depuis une se-25 maine cours sur les chemins du pays pour vous ramasser des votes ...

CABOUSSAT. Tu as raison ... ce certificat, je te le donnerai.

---

[1] (**prétendre**), to claim, assert. [2] **faux** (*f.* **fausse**), false.
[3] (**mensonge**), lie; *cf.* **mentir**. [4] INJURE, insult.

Machut. Ah!

Caboussat. Plus tard ... demain ...

Machut. Tout de suite ... Les électeurs sont assemblés, et je veux le faire lire à tout le monde.

Caboussat, *à part.* A tout le monde!... Et ma 5 fille qui n'est pas là!

Machut. Il s'agit de ma réputation, de mon honneur de vétérinaire ... si je ne démens[1] pas tout de suite un pareil bruit, je suis perdu; je suis ruiné, obligé de quitter le pays. (*Avec émotion.*) Réfléchis- 10 sez que j'ai une femme et cinq enfants.

Caboussat, *avec faiblesse, à part.* Le fait[2] est qu'il a cinq enfants ...

Machut, *préparant le papier sur la table.* Voyons ... mettez-vous là ... Il vous est si facile d'écrire 15 deux lignes, à vous, un savant. (*Il le fait passer à la table, premier plan.*)

Caboussat, *s'asseyant.* Deux lignes ... seulement?

Machut. « Je certifie* que ma vache était déjà 20 morte quand le sieur[3] Machut s'est présenté chez moi ... » Ce n'est pas long.

Caboussat. C'est vrai. (*A part.*) Après tout, en creusant un peu et en faisant des pâtés[4] ... (*Il se met à table et écrit.*) « Je certifie ... » (*A part.*) f ... 25 i ... fi ... non! je crois qu'il faut un *t* à la fin ... Ces diables de *t!* ... Bah! je vais faire un pâté! (*Il continue à écrire.*)

[1] (démentir), to give the lie to; *cf.* mentir, mensonge.
[2] (fait), *n.* fact; *cf.* faire. [3] le sieur Machut, the said Machut. [4] (pâté), blob, blot; *cf.* pâté, meat pie, pasty.

MACHUT. Ah ! nous allons voir un peu le grimace que fera monsieur Chatfinet !

CABOUSSAT, *se levant et lui remettant le papier.*
Voilà, mon ami ... Il y a quelques pâtés par-ci
5 par-là[1]. mais j'ai une mauvaise plume.[2]

MACHUT. Ça n'y fait rien,[3] je ne suis pas regardant ... avec un pareil papier, je suis tranquille ...

CABOUSSAT, *à part.* Oui ... mais moi, je ne le
suis pas.

SCÈNE XII

LES MÊMES, BLANCHE

10 BLANCHE, *paraissant au fond.* Me voici de retour.[4]

CABOUSSAT. Ah ! tu arrives bien tard ... je viens
d'écrire un certificat ... moi-même.

BLANCHE, *effrayée.* Comment ?

MACHUT, *brandissant le papier.* Le voici; je vais
15 le montrer à tout le monde ... (*Il met le papier dans
sa poche de redingote et cherche son chapeau.*)

CABOUSSAT, *bas à sa fille.* Tu n'étais pas là !

BLANCHE, *bas à son père.* A tout prix,[5] il faut obtenir cette lettre !

20 CABOUSSAT. Oui, mais comment ?

---

[1] **par-ci par-là**, here and there. [2] (**plume**), pen; *cf.* **plume**,
feather. [3] **Ça n'y fait rien**, It doesn't make any difference,
It's all right. [4] (**retour**), return; **être de retour**, to be back
(again); *cf.* **retourner**. **Me voici de retour**, I'm back again.
[5] **A tout prix**, At all costs.

186

BLANCHE, *à part.* Elle est dans la poche de sa redingote... Oh! quelle idée! (*Haut, à Machut.*) Monsieur Machut, avez-vous vos instruments?

MACHUT. Oui, pourquoi?

BLANCHE. Courez vite! Notre cheval vient de 5 tomber d'un coup de sang[1] en rentrant.

CABOUSSAT. Ah! Mon Dieu! le cheval!... et ce matin, la vache.

MACHUT. J'y cours... j'espère qu'on ne va pas m'accuser encore... (*Il remonte.*) 10

BLANCHE. Laissez votre redingote... elle vous embarrassera.

MACHUT, *sortant vivement.* Non, ça me ferait arriver peut-être trop tard. (*Il sort par la gauche.*)

BLANCHE. Manqué! 15

CABOUSSAT. Quoi?... Et tu penses que ce pauvre animal?...

BLANCHE. Il se porte très bien.

CABOUSSAT. Comment!

BLANCHE. Une ruse pour obliger Machut à ôter 20 sa redingote, et pour reprendre la lettre...

CABOUSSAT. Ah! je comprends! Il opère[2] toujours en bras de chemise.[3]

BLANCHE. J'espère qu'il ne va pas trouver que notre cheval est malade! 25

CABOUSSAT. Oh! je suis tranquille... Machut connaît son affaire... il est très habile... il a une manière de regarder les bêtes dans l'œil ... il leur

---

[1] **coup de sang,** stroke, fit. [2] OPÉRER, to operate. [3] CHE-MISE, shirt; **en bras de chemise,** in shirt sleeves.

ouvre la paupière[1] . . . et il vous dit: « Ça, c'est une entorse ! . . . »

SCÈNE XIII

Les Mêmes, Machut, *puis* Jean

Machut, *paraissant au fond.* Voilà ! . . . c'est fait !

5   Caboussat. Quoi ?

Machut. Je l'ai saigné ![2]

Caboussat. Allons, bon !

Machut. Ah oui ! . . . Deux minutes de plus, l'animal aurait été perdu.

10   Caboussat, *à part.* Et dire[3] que si je savais l'orthographe, on n'aurait pas saigné la pauvre bête !

Jean, *entrant avec un pot plein de blanc de craie, par la gauche.* Voilà le blanc de craie.

Blanche, *à part.* Oh ! (*Bas, à Jean.*) Jette tout 15 cela sur Machut.

Jean, *étonné.* Hein !

Blanche, *bas.* Va donc !

Jean, *à part.* Je veux bien, moi ! (*Il passe entre Machut et Caboussat et renverse*[4] *le blanc de craie sur* 20 *la redingote de Machut.*)

Machut. Ah ! sapristi !

Blanche, *marchant sur Jean.* Maladroit !

Caboussat. Imbécile !

Jean. Mais c'est mamzelle[5] qui m'a dit . . .

---

[1] paupière, eyelid.   [2] (saigner), to bleed; *cf.* sang.   [3] Et dire . . ., And to think . . .   [4] renverser, to upset, spill; *cf.* verser.   [5] mamzelle = mademoiselle (*a popular abbreviation*).

Blanche. Moi?

Caboussat. Tais-toi,[1] animal! espèce[2] d'idiot!*

Jean, *se sauvant par la porte de droite.* Je vais chercher une brosse![3]

Caboussat, *à Machut.* Vite! ôtez votre redin- 5 gote!

Machut. Merci! il ne vaut pas la peine...

Blanche. Si![4]

Caboussat, *exaspéré.* Mais ôtez donc votre re- dingote! (*Il la lui ôte, aidé par sa fille.*) Là! 10

Blanche, *se sauvant avec la redingote.* Un coup de brosse... je reviens. (*Elle sort vivement par le pre- mier plan gauche.*)

SCÈNE XIV

Caboussat, Machut, *puis* Jean, *puis* Poitrinas

Machut. Vraiment, c'est trop de bonté!... quand je pense que mademoiselle Blanche va bros- 15 ser[5] elle-même...

Caboussat. Oui, nous sommes comme ça...

Machut, *à part.* On voit bien que c'est le jour des élections...

Jean, *entrant vivement par la porte de droite.* Voilà 20 la brosse! (*Il brosse la chemise de Machut sans s'a- percevoir que celui-ci ne porte plus sa redingote.*)

---

[1] se taire, to be silent, hold one's tongue; tais-toi! shut up! keep still! [2] espèce, species, sort; espèce d'idiot! you con- founded idiot! [3] brosse, brush. [4] Si! Yes indeed! Si re- places oui in an affirmative reply to a negative question or statement. [5] (brosser), to brush; *cf.* brosse.

Mᴀᴄʜᴜᴛ, *le repoussant.*[1] Aïe ![2] tu me piques avec ta brosse !

Pᴏɪᴛʀɪɴᴀs, *entrant triomphant par le fond, avec des fragments de vaisselle cachés dans un mouchoir.* Ah ! 5 mes enfants !... quelle chance !... quelle émotion ! ... je suis en nage !... c'est la joie !... ou la pioche ! J'ai découvert un tumulus ... sous l'abricotier.

Jᴇᴀɴ, *à part.* Ma cachette ![3]

Pᴏɪᴛʀɪɴᴀs, *tirant du mouchoir un morceau de por-* 10 *celaine dorée.* Examinez d'abord ceci !

Jᴇᴀɴ, *à part.* Ah ! sapristi ! le saladier doré !

Cᴀʙᴏᴜssᴀᴛ. Hein ! (*Regardant Jean.*) Mais je reconnais ça !

Pᴏɪᴛʀɪɴᴀs. J'ai nettoyé le fond ... regardez des- 15 sus, c'est la marque[4] ... un F et un C.

Cᴀʙᴏᴜssᴀᴛ, *à part.* François Caboussat.

Pᴏɪᴛʀɪɴᴀs. Fabius Cunctator ![5] c'est signé !

Cᴀʙᴏᴜssᴀᴛ, *faisant de gros yeux à Jean.* Qui est- ce qui a cassé ça ?

20 Pᴏɪᴛʀɪɴᴀs. Les Romains, bien entendu !

Jᴇᴀɴ. C'est les Romains !... (*A part.*) Ah ! il est ennuyeux, il déterre[6] tout ce que je casse ! (*Il sort par la gauche.*)

Pᴏɪᴛʀɪɴᴀs, *enthousiaste.* Voici un autre frag- 25 ment ... Savez-vous ce que c'est que ça ? ...

[1] (**repousser**), to push (thrust) aside (back). [2] **Aïe !** Ouch ! [3] (**cachette**), hiding place; *cf.* **cacher.** [4] **marque**, trademark, stamp, imprint. [5] Fabius Cunctator was a Roman general whose strategy in the Carthaginian wars won him the epithet *cunctator*, "the Delayer." He was never in Gaul. [6] (**déterrer**), to unearth, dig up; *cf.* **terre, terrain, enterrer, enterrement.**

Machut, *s'approchant.* Voyons... Ah ! je connais ça.

Caboussat, *s'approchant.* Moi aussi ! (*A part.*) Pourquoi nous apporte-t-il cela ici ?

Poitrinas. Très rare ! C'est un lacrymatoire.[1] 5

Caboussat. Ça ? (*A part.*) A quoi bon lui dire la vérité... ça lui fait du plaisir...

Poitrinas. Quand les Romains perdaient un membre de leur famille, c'est là-dedans qu'ils recueillaient leurs larmes. 10

Machut. Vraiment ? singulier* peuple ! (*Poitrinas remonte au fond et range tous ses fragments sur le buffet.*)

Jean, *revenant par la gauche, à Machut.* Voici votre redingote. 15

Machut, *la mettant.* Merci... (*Cherchant dans ses poches.*) Ai-je bien ma lettre ? (*Il la tire.*) Oui, la voilà !...

Caboussat, *à part.* L'écriture de Blanche !... Je suis sauvé ! 20

Machut. Je vous quitte... je vais aux élections ... je reviendrai vous en donner des nouvelles. (*Il sort par le fond milieu.*)

Caboussat, *bas à Jean.* A nous deux maintenant ![2] 25

Jean, *effrayé.* Monsieur !

Caboussat. Ici ! ici !

---

[1] An earthen vase said to have been used to collect the tears shed over the deceased at a funeral, but in reality a vase for perfume. [2] **A nous deux maintenant !** Now we two will have it out !

JEAN, *s'approchant.* Voilà !

CABOUSSAT. M'expliqueras-tu maintenant comment le saladier doré . . .

JEAN. Pardon . . . on m'attend pour fendre[1] du
5 bois. (*Il sort vivement par la gauche.*)

SCÈNE XV

CABOUSSAT, POITRINAS, *puis* BLANCHE

POITRINAS, *au fond, rangeant sur le buffet.* **Un** morceau de verre ! . . . du verre !

CABOUSSAT, *à part.* Bien ! ma carafe !*

POITRINAS, *descendant.* Et il y a des ânes qui pré-
10 tendent que les Romains ne connaissaient pas le verre ! . . . et taillé ![2] Je vais préparer un rapport qui les démentira.

CABOUSSAT. Et vous ferez bien !

POITRINAS. Mon ami, je vous dois un des plus
15 beaux jours de ma vie . . . et je veux, sans tarder, faire connaître à mes collègues . . . (*Se souvenant.*) à nos collègues de l'Académie d'Étampes ce grand fait archéologique . . .

CABOUSSAT. C'est une bonne idée.

20 POITRINAS. Je vais les prier de nommer une sous-commission[3] pour continuer les fouilles dans votre jardin.

[1] FENDRE, to split. (Firewood for the kitchen, probably.)
[2] (tailler), to cut, cut out, shape, trim; *cf.* tailleur. Verre taillé, cut glass. Cristal taillé is the usual expression for *cut glass.* [3] (sous-commission), sub-committee; *cf.* commettre, commissaire.

192

CABOUSSAT. Ah! mais non!

POITRINAS. Au nom de la science! vite! une plume... de l'encre. (*Il passe à la table, premier plan à droite.*)

CABOUSSAT. Tenez... là! 5

POITRINAS. Ah! vous vous servez de plumes d'oie?[1]

CABOUSSAT. Toujours! (*Avec importance.*) Une habitude de quarante années!

POITRINAS. Elle est trop fendue... Vous n'au- 10 riez pas un canif?[2]

CABOUSSAT, *lui donnant un canif.* Si... voilà!

POITRINAS, *tout en taillant sa plume.* Ah! les Romains ne connaissaient pas le verre! (*Poussant un cri.*) Aïe! 15

CABOUSSAT. Quoi?

POITRINAS. Je me suis coupé!

CABOUSSAT. Attendez... dans le tiroir... un chiffon[3]... (*L'enroulant[4] autour de son doigt.*) Je vais vous arranger une petite poupée[5]... Ne bougez 20 pas... Là... voilà ce que c'est...

POITRINAS. Merci... maintenant je vais vous demander un service.

CABOUSSAT. Lequel?

POITRINAS. C'est de tenir la plume à ma place; 25 je vais dicter.[6]

---

[1] OIE, goose; plume d'oie, quill pen made from a goose feather. [2] CANIF, penknife, pocketknife. [3] CHIFFON, rag. [4] (enrouler), to wind; *cf.* rouler. [5] POUPÉE, doll. The bandaged finger looks like a rag doll. Caboussat has assumed a fatherly air as to an injured child. [6] DICTER, to dictate, give dictation.

193

CABOUSSAT, *à part.* Diable ! (*Haut.*) Mais..!.
c'est que ...

POITRINAS. Quoi ?

CABOUSSAT. Écrire à une académie ...

5 POITRINAS. Puisque vous êtes membre correspondant ... c'est pour correspondre*...

CABOUSSAT, *va s'asseoir à la table.* C'est juste !
(*A part.*) Ils ont tous la rage de me faire écrire[1]
aujourd'hui ... et ma fille qui n'est pas là !

10 POITRINAS. Êtes-vous prêt ?

CABOUSSAT. Un moment ! (*A part.*) Peut-être
qu'avec beaucoup de pâtés ...

POITRINAS, *dictant.* « Messieurs et chers collègues ... L'archéologie vient de s'enrichir[2] ... »

15 CABOUSSAT, *à part.* Allons, bon ! Voilà qu'il me
fourre des mots difficiles ... Archéologie !

POITRINAS. Vous êtes prêt ?

CABOUSSAT. Attendez ... (*A part.*) Archéologie ... est-ce *q-u-é* qué ? ou *k-é ?* Oh ! une idée !

20 (*Il prend le canif et taille sa plume.*)

POITRINAS, *dictant.* « Vient de s'enrichir, grâce à
mes infatigables[3] travaux ... »

CABOUSSAT, *poussant un cri.* Aïe !

POITRINAS. Quoi ?

25 CABOUSSAT. Je me suis coupé ... Donnez-moi
du chiffon dans le tiroir. (*Poitrinas ouvre le tiroir et y
prend un chiffon.*)

---

[1] Ils ont tous la rage ... écrire, They all have a mania for
making me write... [2] (s'enrichir), to become rich, be en-
riched; *cf.* riche, richesse. [3] (infatigable), tireless, indefatig-
able; *cf.* fatigue, fatiguer.

Poitrinas. En voilà... Attendez... je vais à mon tour... une poupée... (*Il enroule le chiffon autour du doigt de Caboussat.*)

Caboussat, *à part, agitant*[1] *son doigt.* Ça y est!... Je suis sauvé!　　　　　　　　　　　　　　　　5

Poitrinas, *agitant aussi son doigt.* C'est dommage... Enfin, j'écrirai demain.

Caboussat. Voulez-vous que j'appelle ma fille? Elle écrit comme Noël et Chapsal.[2]

Poitrinas, *soupirant.*[3] Ah! vous êtes un heureux 10 père, vous! Croyez-vous qu'elle consente à accepter mon fils?

Caboussat. Pourquoi pas?

Poitrinas. Excusez-moi... c'est un petit détail de ménage[4]... mais je désirerais avoir une prompte* 15 réponse... parce qu'il y a, sur le boulevard, à Étampes, une maison charmante qui sera libre à la Toussaint[5]...

Caboussat. Eh bien?

Poitrinas. Je la louerais[6] pour le jeune ménage. 20

Caboussat. Comment! ma fille habiterait Étampes?

Poitrinas. Sans doute: la femme suit son mari.

Caboussat, *à part.* Ah! mais non! ça ne me va

---

[1] **agiter,** to wave, wag, shake. [2] Noël and Chapsal were two grammarians of the first half of the XIX century who collaborated in a number of widely used grammatical works. [3] (**soupirer**), to sigh; cf. **soupir.** [4] MÉNAGE, housekeeping, household, family; *cf.* **ménagerie.** [5] **Toussaint,** All Saints' Day (**tous les saints**), November 1st, is the favorite moving day in France. [6] **louer,** to rent.

195

pas !¹ mon orthographe serait à Étampes et moi à Arpajon ! Ça ne se peut pas !

BLANCHE, *paraissant par le porte, premier plan à gauche.* Je vous dérange ? . . .

5 POITRINAS. Je vous laisse, mademoiselle; je viens de prier monsieur votre père de vous faire une communication . . . considérable . . .

BLANCHE. Ah !

POITRINAS. Et je serais bien heureux de vous la
10 voir accepter.

UNE VOIX, *en dehors, à la coulisse.* Monsieur Poitrinas ! monsieur Poitrinas !

POITRINAS. C'est votre jardinier² que j'ai chargé³ d'une nouvelle fouille sous le prunier.⁴ (*Saluant*
15 *Blanche.*) Mademoiselle . . . (*Il sort par le fond.*)

SCÈNE XVI

CABOUSSAT, BLANCHE

CABOUSSAT, *à part.* Eh bien ! ce jeune homme-là ne nous va pas du tout . . . D'abord, il a un défaut . . . Je ne sais pas lequel . . . mais c'est presque un vice.

20 BLANCHE. Eh bien, papa . . . cette communication ?

CABOUSSAT. Voilà ce que c'est . . . une bêtise . . .

¹ **ça ne me va pas,** that doesn't suit me. ² (**jardinier**), gardener; *cf.* **jardin.** ³ **charger de,** to entrust with. ⁴ PRU-NIER, plum tree; *cf.* **pommier, abricotier.**

Poitrinas s'est mis dans la tête[1] de te marier à son fils Edmond . . .

BLANCHE. Ah ! vraiment ?

CABOUSSAT. Tu ne le connais pas . . . je vais te le dépeindre[2] . . . Ce n'est pas un mauvais garçon . . . 5 mais il est chauve, myope,[3] petit, commun[4] . . . avec un gros ventre . . .

BLANCHE. Mais, papa . . .

CABOUSSAT. Ce n'est pas pour t'influencer* . . . car tu es parfaitement libre . . . De plus, il lui manque 10 trois dents . . . par devant.[5]

BLANCHE. Oh ! par exemple ![6]

CABOUSSAT. De plus . . . il a un défaut . . . un défaut énorme . . . qui est presque un vice . . .

BLANCHE, *effrayée.* Un vice, monsieur Edmond ! 15

CABOUSSAT, *tirant la lettre remise par Poitrinas, et la dépliant.* Attends ! Je l'ai là, dans ma poche . . . Écoute ! (*A part.*) Elle trouvera peut-être le défaut, elle ! (*Lisant.*) « Mon cher papa, il faut que je te fasse un aveu . . . dont dépend le bonheur de toute 20 ma vie . . . j'aime mademoiselle Blanche d'un amour ardent . . . »

BLANCHE, *à part, touchée.* Ah ! qu'il est bon !

CABOUSSAT, *lisant.* « Depuis que je l'ai vue, je ne mange plus, je ne dors plus . . . » 25

BLANCHE, *à part.* Pauvre garçon !

---

[1] se mettre dans la tête, to take it into one's head, get the idea. [2] (dépeindre), to depict, describe; *cf.* peindre, peinture. [3] MYOPE, nearsighted, myopic. [4] (commun), ordinary, vulgar, common. [5] par devant, in front. [6] par exemple ! the idea ! bless my soul !

CABOUSSAT. Le trouves-tu?

BLANCHE. Non!

CABOUSSAT, *à part.* Alors, c'est plus loin. (*Lisant.*) «Son image remplit ma vie...» (*Parlé.*) 5 C'est abominable, n'est-ce pas?

BLANCHE. Oh! c'est bien doux, au contraire!*

CABOUSSAT. Comment, doux!... (*Mettant vivement la lettre dans sa poche.*) J'étais sûr que ce mariage ne te conviendrait pas!

10 BLANCHE. Mais, papa...

SCÈNE XVII

LES MÊMES, POITRINAS

POITRINAS, *revenant par le fond.* On a abattu un prunier... mais il n'y avait rien dessous!

CABOUSSAT. Mon prunier! que diable!...

POITRINAS, *à Blanche.* Eh bien, mademoiselle, 15 quelle réponse dois-je porter à mon fils?

BLANCHE. Mon Dieu! monsieur...

CABOUSSAT, *bas à Blanche.* Laisse-moi répondre ... (*à Poitrinas.*) J'ai le regret,* mon cher ami, de vous annoncer qu'il nous est impossible de passer 20 par-dessus le défaut[1]...

POITRINAS. Je vous comprends... Je m'y attendais...

CABOUSSAT, *à sa fille.* Tu vois... Monsieur s'y attendait...

25 POITRINAS. Mais ne m'ôtez pas tout espoir... et

[1] **passer par-dessus le défaut,** to overlook the fault.

198

promettez-moi . . . qu'un jour . . . si, par impossible,[1]
Edmond réussissait à se faire recevoir bachelier[2] . . .

CABOUSSAT. Oh! alors! . . .

BLANCHE. Bachelier?

POITRINAS. Nous nous comprenons . . . Je vais 5
refermer ma valise et repartir immédiatement . . .
(*Il remonte.*)

BLANCHE, *à Caboussat.* Comment!

POITRINAS, *redescendant.* J'ai hâte[3] de communiquer cette mauvaise nouvelle à mon fils. (*Blanche* 10
remonte à la table du premier plan et s'assied.) Mais
j'ai encore une prière[4] à vous adresser . . . Voulez-
vous me permettre d'emporter ces fragments d'un
autre âge?

CABOUSSAT. Certainement . . . puisque c'est 15
cassé . . .

POITRINAS. Je vous donne ma parole de les
mettre au musée* d'Étampes, avec cette inscription: CABOUSSATUS DONAVIT.[5] (*Il prend les objets sur
la table du fond et revient.*)   20

CABOUSSAT. Vous êtes bien bon.

POITRINAS, *entrant dans sa chambre.* Je vais refermer ma valise. (*Il sort par la porte latérale à
droite.*)

---

[1] **par impossible,** through the impossible. [2] Candidates for
the bachelor's degree (**bachelier**) pass an entrance examination
for the University on leaving the secondary school; those who
pass are "received" (**reçu**) into the University for further
studies. [3] **avoir hâte,** to be in a hurry. [4] (**prière**), request;
cf. **prier.** [5] "Gift of Caboussat."

SCÈNE XVIII

CABOUSSAT, BLANCHE, *puis* MACHUT, *puis* JEAN. *Blanche s'est assise devant la table et met ses mains devant ses yeux.*

CABOUSSAT. Allons! voilà notre affaire terminée!*... Es-tu contente? Comment! tu pleures! ... Qu'as-tu donc?

BLANCHE, *se lève et traverse devant son père.* Je
5 crois bien![1] Vous dépeignez monsieur Edmond comme un homme myope, laid, commun, petit... c'est faux! c'est une calomnie! Il n'est pas myope; il est grand, distingué, spirituel[2]...

CABOUSSAT. Tu le connais donc?

10 BLANCHE. Nous avons dansé ensemble cet été.

CABOUSSAT. Ah! diable!... et... et il ne te déplaît[3] pas, ce jeune homme?

BLANCHE, *baissant la tête.* Pas beaucoup.

CABOUSSAT, *à part.* Elle l'aime! pauvre petite!
15 que j'ai fait pleurer!

MACHUT, *entrant, un bouquet à la main, par le fond milieu.* Vous êtes nommé... Chatfinet n'a eu qu'un vote... le sien... (*Caboussat ne répond pas.*) Ça n'a pas l'air de vous faire plaisir...

20 CABOUSSAT, *préoccupé.* * Si... si... beaucoup...

MACHUT. A la bonne heure![4]... (*Appelant.*)

---

[1] **Je crois bien!** I should say so! (Apparently in affirmation that something *is* the matter.) [2] SPIRITUEL, witty; *cf.* **esprit.** [3] (déplaire), to displease, be unpleasing; *cf.* **plaire, plaisir.** [4] **A la bonne heure!** Fine! Capital!

Jean !... Je lui ai dit de préparer deux paniers[1]
de vin.

CABOUSSAT. Pourquoi faire ?[2]

MACHUT. Pour arroser[3] la classe agricole...
c'est l'usage ! (*Appelant.*) Jean ! Jean ! du li- 5
quide !*

JEAN, *entrant avec deux paniers de vin par la droite.*
Voilà ![4] voilà ! (*Bas à Machut.*) J'y ai fourré une
bouteille de Bordeaux[5] pour les gens de la maison.[6]

MACHUT, *lui prenant le panier.* Allons ! en route ! 10
(*Il sort avec Jean par le fond milieu.*)

CABOUSSAT, *à part.* Ma pauvre petite Blanche
... il ne faut pas hésiter. (*Il s'assied devant la table,
premier plan à droite, et prend la plume.*)

BLANCHE, *étonnée, à part.* Comment ! il écrit... 15
tout seul ! (*Elle s'approche doucement de son père, et
lit ce qu'il écrit par-dessus son épaule.*)

CABOUSSAT, *écrivant.* « Arpajonnais[7]... je donne
ma démission[8] ... »

BLANCHE. Par exemple ! (*Elle prend le papier et* 20
le déchire.[9])

CABOUSSAT. Que fais-tu ?

BLANCHE, *bas.* Démission prend deux *s* !

CABOUSSAT, *se levant.* J'ai encore mis un *t*... (*A*

---

[1] **panier,** basket. [2] **Pourquoi faire ?** What for? [3] ARRO-
SER, to water, irrigate. It is also used colloquially to mean
"to stand in well " with someone; hence the humor in the use
of the word here. [4] **Voilà !** Here ! (*in answer to the calls*).
[5] BORDEAUX, an especially fine wine coming from the region
around Bordeaux. [6] **les gens de la maison = les domestiques.**
[7] **Arpajonnais,** People of Arpajon. [8] (DÉMISSION), resignation; *cf.* de + mettre. [9] (déchirer), to tear, tear up.

part.) Je ne peux pas même donner ma démission sans ma fille ! (*On entend la voix de Poitrinas dans la coulisse.*)

CABOUSSAT. Lui !

5 BLANCHE. Je me retire.

CABOUSSAT. Non ... reste !

SCÈNE XIX

LES MÊMES, POITRINAS

POITRINAS, *avec sa valise et ses objets.* Mon cher collègue, avant de vous quitter ...

CABOUSSAT, *lui prenant sa valise.* Mon ami, sou-
10 vent femme varie[1] ... Je viens de causer longtemps avec ma fille ... nous avons pesé le pour et le contre ... et j'ai la satisfaction de vous annoncer qu'elle consent à épouser votre fils Edmond. (*Poitrinas laisse tomber ce qu'il porte sur les pieds de Ca-*
15 *boussat.*)

POITRINAS, *à Blanche.* Ah ! mademoiselle ! que je suis heureux ! je vais tout de suite louer la petite maison d'Étampes.

BLANCHE. Quelle maison ?

20 CABOUSSAT, *tristement.* Celle que tu vas habiter avec ton mari.

BLANCHE, *à part.* Ah ! pauvre père ! et ses dis-cours ! (*Haut à Poitrinas.*) Monsieur Poitrinas, il

---

[1] **souvent femme varie,** often woman is inconsistent. (The form here is proverbial.)

y a une condition dont mon père a oublié de vous parler.

POITRINAS. Laquelle, mademoiselle?

BLANCHE. A aucun prix et sous aucun prétexte,* je ne consentirai à quitter Arpajon. 5

CABOUSSAT, *bas, serrant la main de sa fille.* Ah! chère petite!

POITRINAS. Je le comprends... c'est une ville si riche au point de vue archéologique... Ce ne sera pas un obstacle*... nous vous demandons seule- 10 ment de venir passer deux mois par an à Étampes.

BLANCHE, *regardant son père.* C'est que... deux mois...

CABOUSSAT, *bas, à sa fille.* Accepte... je m'arrangerai.[1] (*A part.*) J'ai un moyen, je me cou- 15 perai... (*Haut.*) C'est convenu.

POITRINAS, *à Blanche.* Que vous êtes bonne d'avoir bien voulu passer par-dessus le défaut d'Edmond!

BLANCHE. Mais quel défaut? 20

POITRINAS, *à Caboussat.* Comment! vous n'avez donc pas dit?

CABOUSSAT. Non!... le courage m'a manqué ... dites-le, vous! (*A part.*) Comme ça, nous allons le connaître. 25

POITRINAS, *à Blanche.* Mon fils est un bon jeune homme, aimable, rangé, jamais de liqueurs, excepté dans son café...

CABOUSSAT. Le gloria!

[1] s'arranger, to make arrangements (shift), get along.

203

Poitrinas. Mais il n'a jamais pu faire accorder les participes.

Caboussat. Ah ! ce n'est que cela ! mais nous ne sommes pas des participes ... pourvu que[1] nous
5 nous accordions ...

Blanche. De plus, il ne faudra que quelques leçons ... mon père connaît quelqu'un qui s'en chargera.[2]

Caboussat, *à part.* Un élève de plus !... Elle
10 sera la grammaire de la famille.

Chœur

La science qui doit nous plaire
Est bien la science du cœur ;
Dans un ménage, la grammaire
N'enseigne[3] jamais le bonheur.

RIDEAU

[1] **pourvu que,** provided (that). [2] **qui s'en chargera, who will take charge of them.** [3] **enseigner,** to teach.

204

LIST OF IDIOMS

Numbers refer to the page and line in the text where the expression first occurs, e.g., **2**, 14 = page 2, line 14.

La Ronde de la Vie

A CULTURAL ANTHOLOGY

INTRODUCING 1013 NEW WORDS AND 106 IDIOMS

BOOK TEN

ENTRE NOUS

— Well, I suppose the time has come at last . . .

— Surely! The *ronde de la vie* can not be trod within a limited vocabulary. The intricate pattern of the hours and the seasons and of man's activities therein, and his many moods, require a considerable stretching of our vocabulary horizon. We need a stock of literary, emotional, or "decorative" words, together with the specific content words of daily life in town and country, to care for the breadth and diversity of unfettered, "free" reading. It is the function of this book to provide for the transition from controlled to uncontrolled reading.

— But how can you do that without making the reading too difficult?

— Perhaps we should welcome difficulty at this point? However, the transition has been eased a bit by the presence of 283 cognates and cognate derivatives among the 1013 words introduced for the first time in *Book X*. That leaves the new *learning burden* at a maximum of 730 words, or 72 percent of the total number of new items. And that does not take into account 38 percent representing noncognate derived items, some of which should properly be deducted from the percentage of burden words, don't you think?

— In theory, yes . . . but sometimes I think that a new word is just *another* word, you know. Well, what's the grand total for me, at the end of this book?

— 3423 words and 480 idioms, 32 percent cognate and 31 percent derivative.

— *Vive la statistique!* I feel fit for anything! And what have we here?

— A cultural anthology of prose, poetry, drama, and

exposition, representing some of the best French writing of the last five centuries, arranged so as to give a sampling of the seasonal activities of men, beasts and birds, and of the four elements, the whole constituting a mosaic of life in France.

Since our common journey ends here, I would suggest that, in your further exploration of the reaches of French thought, you test the soundness of that formula for the French people which Lin Yutang has given in his *Importance of Living*, namely:

$$R^2D^3H^3S^3$$

That is, two grains of *Realism*, three grains of *Dreams* (idealism), three grains of *Humor*, and three grains of *Sensitivity* (Fr.*sensibilité*). Remember the formula: $R^2D^3H^3S^3$, and . . . *bon voyage!*

CONTENTS

PRÉLUDE

L'AUTOMNE

L'HIVER

LE PRINTEMPS

Prélude

FORT

I

Si toutes les filles du monde voulaient
  s'donner[2] la main,
    Tout autour de la mer,
    Elles pourraient faire une ronde ...

II

Si tous les gars[3] du monde voulaient
  bien être marins,[4]
    Ils f'raient[5] avec leurs barques*
    Un joli pont sur l'onde[6] ...

III

    Alors on pourrait faire
    Une ronde autour du monde,
    Si tous les gens du monde
    Voulaient s'donner la main ! ...

— *Ballades* françaises*, Flammarion, éditeur.[7]

[1] (ronde), round. A dance in which the dancers move in a circle, at times holding hands or singing in unison. *Cf.* rond. [2] s'donner = se donner. [3] gars = garçon. [4] (marin), sailor; *cf.* mer, marine. [5] f'raient = feraient. [6] onde, wave; *also* sea. [7] ÉDITEUR, publisher.

L'AUTOMNE

L'Automne

I

MATIN D'AUTOMNE

COPPÉE

C'est l'heure exquise* et matinale[1]
Que rougit un soleil soudain[2];
A travers la brume[3] automnale*
Tombent les feuilles du jardin.

Leur chute[4] est lente. On peut les suivre
Du regard, en reconnaissant
Le chêne à sa feuille de cuivre,
L'érable[5] à sa feuille de sang.

Les dernières, les plus rouillées,
Tombent des branches dépouillées.[6]
Mais ce n'est pas l'hiver encor.[7]

Une blonde lumière arrose[8]
La nature, et dans l'air tout rose
On croirait qu'il neige[9] de l'or.

— *Poésies*,[10] Lemerre, éditeur.

[1] (matinal), morning, early; *cf.* **matin.**   [2] An inverted
clause: **qu'un soleil soudain rougit.**   [3] BRUME, mist, fog, haze.
[4] CHUTE, fall.   [5] ÉRABLE, maple.   [6] DÉPOUILLER, to strip.
[7] **encor** = **encore.**   [8] (arroser), to bathe.   [9] (neiger), to snow;
cf. **neige.**   [10] **poésie,** poetry.

217

II

LE LABOUR [1]

Sand

A l'extrémité* de la plaine* un jeune homme conduisait un attelage[2] magnifique: quatre paires* de
jeunes bœufs à robe[3] sombre mêlée[4] de noir . . .

L'homme qui les gouvernait* avait à labourer un
5 terrain inculte[5] et rempli de racines[6] d'arbres vieux
de plus d'un siècle, travail d'athlète* auquel suffi-
saient[7] à peine son énergie, sa jeunesse et ses huit animaux vigoureux.*

Un enfant de six à sept ans, beau comme un ange,
10 et les épaules couvertes, sur sa blouse, d'une peau
d'agneau[8] qui le faisait ressembler au petit saint*
Jean-Baptiste des peintres[9] de la Renaissance, marchait dans le sillon[10] parallèle* à la charrue et piquait
le flanc* des bœufs avec un bâton long et léger armé
15 d'une pointe de fer. Les fiers animaux frémissaient[11]
sous la petite main de l'enfant et faisaient grincer[12]
les jougs[13] liés à leurs fronts, en donnant au timon[14]
de violentes secousses.[15]

[1] (labour), plowing; *cf.* labourer. [2] ATTELAGE, team, yoke.
[3] (robe), coat (of animals). [4] MÊLER, to mix, mingle, blend.
[5] (inculte), barren, uncultivated; *cf.* cultiver. [6] racine, root.
[7] SUFFIRE, to suffice, be sufficient. [8] AGNEAU, lamb.
[9] (peintre), painter; *cf.* peindre, peinture. [10] SILLON, furrow.
[11] FRÉMIR, to tremble, quiver. [12] GRINCER, to creak, grate.
[13] JOUG, yoke. [14] TIMON, plow beam. [15] (secousse), jolt,
jerk; *cf.* secouer.

Lorsqu'une racine arrêtait la charrue, le laboureur[1] criait d'une voix puissante, appelant chaque bête par son nom, mais plutôt pour calmer que pour exciter*; car les bœufs, irrités par cette brusque résistance, bondissaient, creusaient la terre de leurs 5 larges pieds, et se seraient jetés de côté,[2] emportant la charrue à travers champs, si, de la voix et du bâton, le jeune homme n'eût pas maintenu[3] les quatre premiers, tandis que[4] l'enfant gouvernait les quatre autres. 10

Il criait aussi, le pauvre petit, d'une voix qu'il voulait rendre terrible, mais qui restait douce comme sa figure angélique.*

Tout cela était beau de force ou de grâce: le paysage,[5] l'homme, l'enfant, les bœufs sous le joug; et, 15 malgré cette lutte puissante où la terre était vaincue, il y avait un sentiment de douceur et de calme profond qui planait[6] sur toutes choses . . .

— *La Mare*[7] *au Diable*, Calmann-Lévy, éditeur.

[1] (laboureur), plowman; *cf.* labourer, labour. [2] de côté, sideways, to one side; *cf.* à côté. [3] (maintenir), to keep together (in order); *cf.* main + tenir. [4] tandis que, while, whilst. [5] (paysage), landscape; *cf.* pays, paysan. [6] PLANER, to soar, hover. [7] MARE, pool.

III

LES CHASSEURS[1] DE CASQUETTES

DAUDET

Vous saurez d'abord que là-bas tout le monde est
chasseur, depuis le plus grand jusqu'au plus petit.
La chasse[2] est la passion des Tarasconnais[3] . . .

Donc tous les dimanches matin, Tarascon prend
5 les armes et sort de ses murs, le sac au dos, le fusil à
l'épaule, avec un tremblement[4] de chiens, de furets,[5]
de trompes,[6] de cors de chasse.[7] C'est superbe à
voir . . . Par malheur,[8] le gibier[9] manque, il manque
absolument . . . A cinq lieues[10] autour de Tarascon,
10 les terriers[11] sont vides, les nids[12] abandonnés. Pas un
merle,[13] pas une caille,[14] pas le moindre lapin[15] . . .

Elles sont cependant bien tentantes,[16] ces jolies
collines tarasconnaises, toutes parfumées* de myrte,[17]

---

[1] (chasseur), hunter; *cf.* chasser, chasse.   [2] (chasse),
hunting.   [3] Tarasconnais, inhabitant of Tarascon, a small
town midway between Avignon and Arles, on the Rhone;
it owes its name to the *Tarasque*, a mythical monster that
preyed upon the countryside.   [4] (tremblement), quivering,
trepidation; *cf.* trembler.   [5] FURET, ferret.   [6] (trompe),
horn; *cf.* trompette.   [7] (cor), horn; cors de chasse, hunting horn.   [8] Par malheur, Unfortunately.   [9] GIBIER, game.
[10] LIEUE, league (2½ miles).   [11] (terrier), burrow; *cf.* terre.
[12] NID, nest.   [13] MERLE, blackbird.   [14] CAILLE, quail.   [15] LAPIN,
rabbit.   [16] (tentant), tempting.   [17] MYRTE, myrtle.

de lavande,[1] de romarin[2]; et ces beaux raisins[3] muscats* gonflés[4] de sucre,[5] qui descendent en terrasse* jusqu'au bord du Rhône, sont bien appétissants* aussi . . . Oui, mais il y a Tarascon derrière, et dans le petit monde du poil[6] et de la plume, Tarascon est mal noté.[7] Les oiseaux de passage[8] eux-mêmes l'ont marqué d'une grande croix sur leurs feuilles de route,[9] et quand les canards[10] sauvages, descendant vers la Camargue[11] en longs triangles,* aperçoivent de loin les clochers[12] de la ville, celui qui est en tête se met à crier bien fort: « Voilà Tarascon ! » et toute la bande fait un crochet.[13]

En effet, il ne reste plus de gibier dans le pays qu'un vieux coquin[14] de lièvre[15] qui s'entête[16] à vivre là. A Tarascon ce lièvre est bien connu. On lui a donné un nom. Il s'appelle *le Rapide*.[17] On sait qu'il a son terrier dans la terre de M. Bompard, — ce qui a doublé* et même triplé* le prix de cette terre, — mais on n'a encore pu l'atteindre . . .

Ah çà ! me direz-vous, puisque le gibier est si rare à Tarascon, qu'est-ce que les chasseurs tarasconnais font donc tous les dimanches ?

---

[1] LAVANDE, lavender. [2] ROMARIN, rosemary. [3] RAISIN, grape. [4] gonfler, to swell. [5] sucre, sugar. [6] POIL, fur. [7] est mal noté, has a bad (black) mark. [8] oiseaux de passage, migratory birds. [9] feuille de route, road map. [10] canard, duck. [11] Camargue, the delta of the Rhone. [12] CLOCHER, spire, steeple. [13] faire un crochet, to swerve; *cf.* croc, crochet. [14] COQUIN, rascal. [15] LIÈVRE, hare. [16] (s'entêter), to persist, be stubborn (à, in); *cf.* en + tête. [17] le Rapide, *the Express.*

Ce qu'ils font ? Eh, mon Dieu ! ils s'en vont en pleine campagne[1] à deux ou trois lieues de la ville. Ils se réunissent[2] par petits groupes de cinq ou six, s'allongent[3] tranquillement à l'ombre d'un puits,[4]
5 d'un vieux mur, d'un olivier,[5] tirent de leurs sacs un bon morceau de bœuf, des oignons* crus,[6] un saucisson,[7] quelques anchois,[8] et commencent un déjeuner interminable,* arrosé d'un de ces jolis vins du Rhône qui font rire et qui font chanter.

10 Après quoi, quand l'estomac* est bien rempli, on se lève, on arme les fusils, et on se met en chasse.[9] C'est-à-dire que chacun de ces messieurs prend sa casquette, la jette en l'air de toutes ses forces et la tire au vol[10] ... Celui qui met le plus souvent dans
15 sa casquette[11] est proclamé* roi de la chasse, et rentre le soir en triomphe à Tarascon, la casquette trouée au bout du fusil, au milieu des aboiements[12] et des fanfares.

— *Tartarin de Tarascon*, Flammarion, éditeur.

[1] **en pleine campagne,** in the open country. [2] **se réunir,** to meet, gather. [3] (s'allonger), to stretch out; *cf.* long, le long de. [4] PUITS, well. [5] OLIVIER, olive tree. [6] **cru,** raw, uncooked. [7] SAUCISSON, sausage (Tarascon is famous for its sausages). [8] ANCHOIS, anchovies. [9] **se mettre en chasse,** to start hunting (shooting). [10] **tirer au vol,** to shoot (fire at) on the fly (wing). [11] **Celui qui ... casquette,** The one who hits his cap most often. [12] (aboiement), barking; *cf.* aboyer.

IV

LES VENDANGES [1]

BORDEAUX

Du sommet* de la colline, la voix du maître descendit vers les vendangeuses [2] qui, le long des vignes
en pente,[3] cueillaient les grappes [4] noires.

« Le soir tombe. Allons ! un peu plus vite ! »

C'était une voix bienveillante,[5] mais de commande- 5
ment.* Elle communiqua de l'agilité* à tous les
doigts et courba les épaules des ouvrières [6] qui flâ-
naient [7] . . .

Entre les branches claires, les taches sombres des
raisins attiraient le regard. Le couteau ouvert et la 10
main sanglante,[8] les vendangeuses, se hâtant,[9] cher-
chaient les grappes, les tranchaient [10] d'un coup net [11]
et les jetaient dans un panier. Elles relevaient leur
jupe [12] en l'attachant en arrière afin d'être plus libres
de leurs mouvements, et portaient un mouchoir ou 15

---

[1] VENDANGE, grape (wine) harvest. [2] (vendang-eur, -euse),
grape gatherer (harvester); *cf.* vendange. [3] (pente), slope;
en pente, sloping: *cf.* pendre. [4] GRAPPE, cluster. [5] (bienveillant), kind, benevolent; *cf.* bien + veiller. [6] OUVRI-ER,
-ÈRE, worker. [7] FLÂNER, to loaf, idle. [8] (sanglant), blood-
stained, reddened; *cf.* sang, saigner. [9] (se hâter), to hasten,
hurry; *cf.* hâte. [10] (trancher), to cut (off); *cf.* tranche.
[11] net, nette, clean, sharp; *cf.* nettoyer. [12] JUPE, skirt.

un fichu de couleurs variées noué[1] autour de la tête
pour se protéger contre les rayons[2] du soleil . . .

Sur le chemin, à mi-côte,[3] le chariot,[4] attelé[5] de
deux bœufs, attendait avec patience l'heure de gagner
5 le pressoir.[6] Les vignerons[7] le chargeaient avec gravité.[8] On ne les entendait pas rire comme les
filles, mais seulement échanger des indications*
brusques* . . . Ils passaient un bâton de bois dur
dans les anses[9] du panier rempli jusqu'aux bords, le
10 soulevaient sur l'épaule, et le déposaient[10] dans le
chariot.

Un vieux à barbe grise qui, debout sur le chariot,
les dirigeaient,[11] finissait d'écraser[12] le raisin dans les
paniers déjà chargés. Parfois il se dressait de toute
15 sa taille,[13] les mains rougies du sang des vignes . . .

Se groupant autour des quelques vignes épar-
gnées,[14] les ouvrières cueillaient les derniers raisins.
Un panier encore fut élevé, et du haut du chariot le
vieux s'écria en triomphe:

20 — Ça y est !

— Combien de chariots ? demanda le maître.

— Douze.

— C'est une bonne année.

— *Les Roquevillard*, Plon, éditeur.

[1] **(nouer)**, to knot, tie; *cf.* **nœud.** [2] **(rayon)**, ray. [3] **côte,**
slope, side; **à mi-côte,** half way up. [4] CHARIOT, cart.
[5] **(atteler)**, to hitch, yoke; *cf.* **attelage.** [6] **(pressoir)**, wine
press; *cf.* **presser.** [7] **(vigneron)**, vine grower; *cf.* **vin, vigne.**
[8] **avec gravité,** solemnly; *cf.* **grave.** [9] ANSE, handle (curved).
[10] **(déposer)**, to set down, deposit; *cf.* **poser, position.** [11] **di-**
riger, to direct; *cf.* **direction.** [12] ÉCRASER, to crush, tread
down. [13] **taille,** stature, height; *cf.* **tailleur, tailler.**
[14] ÉPARGNER, to spare.

V

LA MAISON D'ÉCOLE

Moselly

J'ai eu le bonheur d'aller à l'école primaire,* à
l'école de mon village. Elle ne ressemblait pas aux
grands bâtiments tristes qu'on voit dans les grandes
villes, dont les fenêtres sont garnies[1] de vitres[2] dé-
polies,[3] et dont les cours sont pareilles à des cours de 5
prison . . .

Pour mes enfants, pour les petits de la France, je
ne souhaiterais[4] pas d'autre lieu d'apprentissage[5] que
mon école.

C'est qu'elle était installée* au milieu des champs, 10
au milieu des bruits rustiques,* au milieu des odeurs
de printemps,[6] comme une ruche.[7] La vie de l'air
l'entourait largement.[8]

C'était une grande salle au premier étage de la
maison commune,[9] ouverte sur les marronniers[10] de 15
la place. Par moments, on voyait la voile[11] brune*
d'un chaland[12] glissant au niveau[13] des toits; et,

[1] GARNIR, to furnish, fit, equip. [2] VITRE, pane; *cf.* **verre.**
[3] (dépoli), frosted, ground (*glass*). [4] SOUHAITER, to desire
urgently. [5] APPRENTISSAGE, apprenticeship. [6] **printemps,**
spring. [7] RUCHE, beehive. [8] (largement), abundantly, copiously; *cf.* **large.** [9] **maison commune,** town hall. [10] MAR-
RONNIER, horse-chestnut tree. [11] **voile** *f.*, sail. [12] CHALAND,
barge, canal boat. [13] NIVEAU, level; **au niveau de,** level
with.

quand on rentrait les foins,[1] les larges voitures se frottaient contre les murailles, cahotant [2] les faucheurs[3] et les faneuses[4] qui, couchés sur la masse odorante, [5] nous faisaient des signes d'amitié[6] au
5 passage. [7]

L'hiver, quand on célébrait* des mariages, le maître s'absentait* un instant, et nous remettait à la surveillance* d'un moniteur.* Grande émotion: la mariée, [8] blanche dans sa robe de noce, s'arrêtait,
10 et, regardant par les vitres de la porte, nous souriait.

— *Le Rouet*[9] *d'ivoire,* Plon, éditeur.

VI

LA RENTRÉE [10]

France

Je vais vous dire ce que me rappellent, tous les ans, le ciel agité de l'automne, les premiers dîners à la

---

[1] FOIN, hay. [2] CAHOTER, to jolt. [3] FAUCHEUR, mower, reaper. [4] FANEUSE, haymaker (faner = to toss or turn hay). [5] (odorant), sweet-smelling; *cf.* odeur. [6] (amitié), friendship; *cf.* ami, aimable, aimer, amour, amical, amoureux. [7] au passage, in passing; *cf.* passer. [8] (mariée) *n.*, bride; *cf.* marier, mariage, mari. [9] (rouet), spinning wheel; *cf.* roue. [10] (rentrée), return; *here* reopening of school; *cf.* entrer, entrée, rentrer.

lampe,[1] et les feuilles qui jaunissent[2] dans les arbres qui frissonnent. Je vais vous dire ce que je vois quand je traverse le Luxembourg[3] dans les premiers jours d'octobre, lorsqu'il est un peu triste et plus beau que jamais, car c'est le temps où les feuilles tom- 5 bent une à une sur les blanches épaules des statues.*

Ce que je vois alors dans ce jardin, c'est un petit bonhomme[4] qui, les mains dans les poches et son sac au dos, s'en va au collège[5] en sautillant comme un moineau.[6] Ma pensée seule le voit; car ce petit bon- 10 homme est une ombre, c'est l'ombre du moi que j'étais il y a vingt-cinq ans.

Il y avait vingt-cinq ans à pareille époque,* il traversait, avant huit heures, ce beau jardin pour aller en classe. Il avait le cœur un peu serré[7]: c'était 15 la rentrée.

Pourtant, il trottait, ses livres sur son dos et sa toupie[8] dans sa poche. L'idée de revoir ses camarades lui remettait de la joie au cœur. Il avait tant de choses à dire et à entendre ! Ne lui fallait-il pas 20 savoir si Laboriette avait chassé pour de bon[9] dans la forêt de l'Aigle ?[10] Ne lui fallait-il pas répandre

---

[1] à la lampe, by lamplight. [2] (jaunir), to turn yellow; *cf.* jaune. [3] Luxembourg: garden and palace, built by Marie de Médicis, located in the Latin Quarter of Paris; the palace now houses the Sénat and a famous collection of contemporary art. [4] (bonhomme), chap. [5] collège: a secondary school. [6] MOINEAU, sparrow. [7] avoir le cœur serré, to have a heavy heart, be downhearted. [8] TOUPIE, top. [9] pour de bon, really. [10] l'Aigle: the forest of Laigle is in the department of Orne, in Normandy.

qu'il avait, lui, monté à cheval[1] dans les montagnes
d'Auvergne ?[2]   Quand on a fait une pareille chose,
ce n'est pas pour la tenir cachée ! Et puis, c'est si
bon de retrouver des camarades ! Comme il était
5 impatient de revoir Fontanet, son ami, qui se moquait
de lui d'une manière si gentille, Fontanet qui, pas
plus gros qu'un rat,* prenait partout la première
place avec une grâce naturelle.

Il se sentait tout léger à la pensée de revoir Fon-
10 tanet.   C'est ainsi qu'il traversait le Luxembourg
dans l'air frais du matin.   Tout ce qu'il voyait alors,
je le vois aujourd'hui.   C'est le même ciel et la même
terre, et les choses ont leur âme d'autrefois, leur âme
qui m'égaie[3] et m'attriste[4] et me trouble; lui seul
15 n'est plus.

— *Le Livre de mon Ami*, Calmann-Lévy, éditeur.

VII

MAMAN

C–L. Philippe

Maman, c'est à douze ans que j'ai commencé à te
comprendre.   C'est à douze ans que j'ai commencé
à te voir.

---

[1] **monter à cheval,** to ride horseback.   [2] The mountains of
Auvergne are a part of the Massif Central, in the southeastern part of France.   [3] (**égayer**), to gladden, cheer; *cf.* **gai,**
gaieté.   [4] (**attrister**), to sadden; *cf.* **triste, tristesse.**

Maman, tu es toute petite, tu portes un bonnet blanc, un corsage[1] noir et un tablier bleu. Tu marches dans notre maison, tu ranges le ménage, tu fais la cuisine[2] et tu es maman. Tu te lèves le matin pour balayer,[3] et puis tu prépares la soupe, et 5 puis tu viens m'éveiller.

J'entends tes pas sur les marches[4] de l'escalier. C'est le jour qui arrive avec l'école, et je ne suis pas bien content. Mais tu ouvres la porte, c'est maman qui vient avec du courage et de la bonté. Tu m'em- 10 brasses et je passe les bras autour de ton cou et je t'embrasse. Tu es une bonne divinité* qui chasse la paresse[5] . . . et ta tendresse me donne mon premier bonheur.

Maman, tu es travailleuse[6] . . . Tu veux que rien 15 ne manque, et tout ton corps, et tes mains et tes yeux et tes jambes s'occupent à ce soin, et je sens que tu en as fait les serviteurs de notre vie et les ordonna- teurs[7] de notre joie.

Il y a la vaisselle, il y a le ménage, il y a la cuisine, 20 il y a l'eau que tu puises,[8] il y a le balai[9] et la lessive.[10] Il y a les commissions[11] chez l'épicier,[12] chez le bou- langer[13] et chez tous les marchands. Il y a le raccom-

---

[1] CORSAGE, bust, bodice. [2] faire la cuisine, to do the cook- ing. [3] (balayer), to sweep; *cf.* balai. [4] (marche), step (of ladder, stairs); *cf.* marcher. [5] PARESSE, sloth, idleness. [6] (travaill-eur, -euse) *adj.*, industrious, hard-working; *cf.* travail, travailler. [7] (ordonnateur), manager, ruler; *cf.* ordre. [8] PUISER, to draw (water); *cf.* puits. [9] (balai), broom. [10] LESSIVE, washing (of clothes). [11] (commission), errand; *cf.* commettre (commis), commissaire. [12] ÉPICIER, grocer. [13] BOULANGER, baker.

modage[1] et la confection.[2] Ce sont des travaux
simples qui s'étendent devant ta vie et que tu ac-
complis* sans cesse.[3] Après chacun d'eux, tu re-
gardes le suivant et tu vas où il te conduit, docile*
5 et calme.

Et je te vois, maman; je te vois avec tes joues
tendres où mes baisers s'enfoncent.[4] Je vois tes
mains un peu ridées que la vie a frottées avec tous ses
travaux . . . Le soir, tu te fais un peu plus belle et
10 tu prends un bonnet orné de dentelles . . .

Maman, lorsque tu es assise à la fenêtre, tu couds[5]
et tu penses. Je sais bien à quoi tu penses . . . Tu
penses à la chemise que tu couds, à un gilet, à un
pantalon, ou à la soupe du soir . . .

15 Mais surtout tu penses à moi. Tu veux vivre, non
pas tant pour me voir grandir[6] que pour m'aider à
cela. Ton cœur est plein de forces et tu veux toutes
les employer . . . Tu m'aimes comme la fin de toutes
choses . . . Alors, maman, tu n'es plus qu'une simple
20 femme qui coud et qui pense, tu es la mère d'un enfant de douze ans, tu te recueilles et tu travailles pour
l'humanité, toi qui prépares un homme.

— *La Mère et l'Enfant,* Nouvelle Revue Française,
éditeur.

[1] RACCOMMODAGE, mending, darning, repairing. [2] CONFEC-
TION, making clothes. [3] cesse, ceasing; **sans cesse,** incessantly, continually; *cf.* cesser. [4] (s'enfoncer), to sink into,
bury itself; *cf.* en + fond. [5] COUDRE, to sew. [6] (grandir),
to grow up (big, tall); *cf.* grand, grandeur.

VIII

MES GRANDS-PARENTS

About

Mon grand-père était un grand vieillard,[1] un peu
courbé, mais solide et vigoureux. Ses cheveux blonds,
qui ne se sont jamais décidés à blanchir,[2] tombaient
en boucles sur le cou et encadraient[3] un visage très
fier, aux yeux bleus, aux dents puissantes, au menton 5
carré.[4] Son col[5] ouvert en toutes saisons, sans cravate,* montrait les veines,* les muscles et les tendons*
d'un cou noueux[6]; on devinait[7] un corps parfaitement sec[8] et sain,[9] maintenu en bon état par le perpé-
tuel* entraînement[10] du travail. 10

Ma grand'mère avait été, disait-on, la plus jolie du
village. Elle était devenue une bonne grosse[11] mère,
et les fossettes[12] de ses joues se noyaient[13] un peu
dans les rides.[14] Mais l'œil était toujours vif, les
joues fraîches, les dents blanches, la voix jeune. 15

---

[1] (vieillard), old man; *cf.* vie, vieux, vieille, vieillir.
[2] (blanchir), to turn white (gray); *cf.* blanc, blanche. [3] (encadrer), to frame; *cf.* cadre, cadran. [4] carré, square. [5] col,
collar; *cf.* cou. [6] (noueux), knotty; *cf.* nœud, nouer. [7] DE-
VINER, to guess, divine. [8] (sec), gaunt, lean; *cf.* sec, dry.
[9] (sain), healthy; *cf.* santé. [10] (entraînement), training.
[11] (gros, grosse), stout, plump. [12] (fossette), dimple; *cf.*
fosse, fossé. [13] NOYER *v.*, to drown; *here* to lose, be lost.
[14] (ride), wrinkle; *cf.* ridé.

D'ailleurs,[1] c'était ma grand'mère; je l'aimais telle
que l'âge et le travail l'avaient faite.

Du plus loin que[2] je m'en souvienne, je vois mon
grand-père et ma grand'mère levés avant le jour,
5 bien lavés dans l'eau fraîche de leur puits, marchant,
chacun de son côté, vers une besogne[3] ou une autre.

C'est grand'maman qui faisait le pain et la cuisine;
elle filait,[4] cousait,[5] tricotait,[6] lavait et repassait[7] avec
la dextérité* d'une fée.

10 Et il faut croire que le bonhomme de grand-père
n'était pas maladroit non plus, car pour fabriquer[8]
une échelle, réparer un tonneau,[9] ajuster* une vitre,
il ne se fiait qu'à[10] lui-même.

Ils étaient donc à l'aise[11] sans argent; ce qui leur
15 restait après la satisfaction de leurs besoins, s'écou-
lait[12] chez mes oncles et chez mon père, en paniers de
fruits et de légumes,[13] ou en fromages salés[14]; et
jamais un mendiant ne frappait à leur porte sans recevoir un morceau de pain.

— *Le Roman*[15] *d'un brave homme,* Hachette,
éditeur.

---

[1] ailleurs, elsewhere; d'ailleurs, however, moreover. [2] Du
plus loin que, As far back as. [3] BESOGNE, task. [4] (filer), to
spin; *cf.* fil. [5] cousait = *p. desc.* coudre, to sew. [6] (tricoter),
to knit; *cf.* tri- + côte. [7] (repasser), to iron; *cf.* re- + passer.
[8] (fabriquer), to make, manufacture; *cf.* fabrique, fabrication.
[9] TONNEAU, cask. [10] se fier à, to trust; *cf.* confiance. [11] AISE,
ease, comfort; à l'aise, well off. [12] S'ÉCOULER, to flow. [13] légume, vegetable. [14] (salé), salt, salted; *cf.* sel. [15] ROMAN,
novel, story.

IX

IRÈNE

La Bruyère

Irène se transporte à grands frais en Epidaure,[1] voit Esculape dans son temple* et le consulte sur tous ses maux.

D'abord, elle se plaint qu'elle est épuisée[2] de fatigue; et le dieu prononce que cela arrive par la 5 longueur du chemin qu'elle vient de faire. Elle dit qu'elle est, le soir, sans appétit; le dieu lui ordonne[3] de dîner peu. Elle ajoute qu'elle est sujette[4] à des insomnies,* et il lui ordonne de n'être au lit que pendant la nuit. Elle lui demande pourquoi elle devient 10 pesante[5] et quel remède; le dieu répond qu'elle doit se lever avant midi, et quelquefois se servir de ses jambes pour marcher. Elle lui déclare que le vin lui est nuisible[6]: le dieu lui dit de boire de l'eau; qu'elle a des indigestions,* et il ajoute qu'elle fasse la diète.[7] 15

— Ma vue devient faible, dit Irène.

— Prenez des lunettes,[8] dit Esculape.

[1] **Epidaure:** a town in ancient Argolis (Greece), on the Aegean Sea, site of a temple to Aesculapius, son of Apollo and god of medicine. [2] (**épuiser**), to exhaust, wear out; *cf.* **puiser.** [3] (**ordonner**), to order, prescribe; *cf.* **ordre, ordonnateur.** [4] (**sujet, –te**) *adj.*, subject. [5] (**pesant**), heavy, sluggish; *cf.* **peser.** [6] NUISIBLE, harmful, injurious. [7] DIÈTE, diet; **faire la diète,** to diet, go on a diet. [8] (**lunettes**), spectacles, glasses; *cf.* **lune.**

— Je deviens faible moi-même, continue-t-elle, et je ne suis ni si forte ni si saine que j'ai été.

— C'est, dit le dieu, que vous vieillissez.

— Mais quel moyen de guérir de cette langueur ?*

5 — Le plus court, Irène, c'est de mourir comme ont fait votre mère et votre grand'mère.

— Fils d'Apollon, s'écrie Irène, quel conseil me donnez-vous ? Est-ce là toute cette science que les hommes célèbrent, et qui vous fait respecter de toute 10 la terre ? Que m'apprenez-vous de rare et mystérieux ?* et ne savais-je pas tous ces remèdes que vous m'enseignez ?

— Pourquoi n'en usez-vous* donc pas, répond le dieu, sans venir me chercher de si loin, et abréger[1] 15 vos jours par un long voyage ?

— *Les Caractères: De l'Homme*, chap. XI.

X

UN TÉLÉGRAMME

VALLOTTON

Le facteur[2] ouvrit la porte de l'école dont les enfants, poussant des cris aigus, venaient de se disperser.* Louise, l'institutrice,[3] mettait son manteau.[4]

---

[1] ABRÉGER, to shorten, cut short.　[2] FACTEUR, postman.
[3] INSTITUTRICE, schoolmistress.　[4] MANTEAU, mantle, cloak.

234

« Mademoiselle, un télégramme* . . . Quoi, vous comprenez . . . Si ce n'est pas malheureux . . . Ils m'en ont dit le texte* au bureau . . . Notre pauvre Savoie,[1] elle paye, elle paye . . . Il en restera combien ?   Angelin, votre frère . . . Le meilleur de 5 tous . . . »

Maladroit dans sa bonté, l'homme qui portait dans son sac les larmes et les rires des gens était parti.

Angelin ?   Louise ne versa[2] pas une larme.   Comment pleurer quand on a le cœur tordu,[3] la gorge 10 serrée ?[4] . . .

Elle sortit de l'école en courant.   Son pas, dans la nuit tombante, répétait: mort . . . mort . . . Dans le bois qu'ils avaient si souvent traversé ensemble pour aller à l'école, parlant à son frère, elle lui jeta des 15 mots sans suite,[5] elle l'appela: Angelin !   C'est vrai ? . . . Angelin ! . . .

Un tronc d'arbre était là, étendu toujours au bord de la route, un tronc couvert de mousse.[6]   Quand ils remontaient autrefois avec le panier au pain, ils s'y 20 asseyaient pour reprendre haleine.[7]   Malgré la pluie elle s'y assit encore une fois.   Les larmes, soudain, lui sautèrent hors des yeux et elle pleura, pleura jusqu'au moment où le calme se fit en elle.   Sentant quelle douleur elle apportait chez elle, elle dit à haute 25

---

[1] **Savoie:** the province of Savoy, in the southeastern part of France, on the Italian frontier, has belonged to France since 1860.   [2] **verser,** to shed.   [3] **tordre,** to twist, wring; *cf.* **entorse.**   [4] **la gorge serrée,** a lump in one's throat.   [5] **sans suite,** incoherent, disconnected.   [6] MOUSSE, moss.   [7] HALEINE, breath.

voix[1] pour reprendre possession* de sa volonté[2]:
« Angelin est mort . . . »

Le jardin, l'allée[3] qui s'étend le long de la maison.
Louise s'arrêta derrière la vitre éclairée de la cuisine.
5 Assises près du foyer,[4] ses deux sœurs jouaient avec
le chat. La mère écrémait[5] une jarre* de lait. Le
père lisait le journal. Que de fils[6] d'argent dans sa
barbe ! . . . Il fallait donc pousser cette porte, et,
comme on jette une pierre dans l'eau qui brille,
10 lancer[7] le malheur dans cette paix ? Un chien hur-
lait[8] au village voisin. Le père plia[9] le journal.

Elle ouvrit la porte. Et tous tournèrent la tête et
tous furent debout: « Louise, qu'est-ce qu'il y a ? »

La mère eut un cri, un cri de pauvre femme dont
15 on déchire le cœur avec les ongles[10]: « Ils m'ont tué
mon Angelin ! »

Alors, quels appels, quels gémissements ![11] Le
chat se sauva sous le buffet où ses yeux mirent[12] des
braises[13] vertes. Dans les bras l'une de l'autre, la tête
20 sur l'épaule de l'autre, Mariette et Félicité pleuraient
à petits sanglots brusques et irréguliers. Assise près
de l'horloge, la tête cachée dans son tablier, la mère
poussait des cris aigus. Son Angelin ! son fils, son
seul fils ! . . .

---

[1] à haute voix, aloud. [2] (volonté), will, will power; *cf.*
vouloir. [3] (allée), garden path, walk; *cf.* aller. [4] FOYER,
hearth. [5] ÉCRÉMER, to skim, remove the cream (crème)
from. [6] fil, thread; *cf.* filer. [7] (lancer), to throw, cast, hurl.
[8] HURLER, to howl. [9] (plier), to fold; *cf.* déplier, plier (bend).
[10] ongle, fingernail. [11] (gémissement), moan, moaning. [12] mirent = *p. abs.* mettre. [13] BRAISE, coal (of fire).

Et le père s'était sauvé dans la chambre où était le grand lit. Lui si calme, si fort, lui qui tant de fois avait porté la nouvelle aux autres, et dit et répété: « Courage ! », il avait des sanglots d'homme, des sanglots qui déchirent la poitrine . . . Puis un silence, le 5 silence des choses définitives,* le silence de l'irréparable.* Et dehors, le bruit doux de la pluie sur la terre du jardin . . .

— *Ceux de Barivier*, Payot, éditeur.

XI

RÉVEILLON [1]

LEGRAND

La nappe[2] est blanche et nette,
Tout le monde est présent.*
Verres, couteaux, fourchettes
S'alignent,[3] reluisants.[4]

Sous la lampe allumée,
La table resplendit.[5]
La soupe parfumée
Excite l'appétit.

[1] RÉVEILLON, a midnight supper on Christmas Eve, or New Year's Eve. *Cf.* éveiller, réveiller. [2] NAPPE, cloth, tablecloth. [3] (s'aligner), to be in a line (row); *cf.* ligne. [4] (reluisant), shining, gleaming; *cf.* lumière. [5] RESPLENDIR, to glitter, be resplendent.

Holà,[1] mes amis !
Le couvert est mis [2]:
C'est le réveillon,
Chantons et rions !
— *Recueil.*[3]

XII

LES ÉTRENNES [4]

LOTI

Dès[5] la fin de novembre,* nous avions l'habitude,
ma sœur Lucette et moi, d'afficher[6] chacun la liste*
des choses qui nous faisaient envie.[7] Dans nos deux
familles, tout le monde nous préparait des surprises,
5 et le mystère* qui entourait ces cadeaux était mon
grand amusement* des derniers jours de l'année.
Entre parents, grand'mères et tantes,[8] commen-
çaient, pour exciter davantage[9] ma curiosité,* de
continuelles* conversations à mots couverts,[10] des
10 chuchotements[11] qu'on faisait semblant d'étouffer[12]
dès que[13] je paraissais . . .

---

¹ HOLÀ ! Ho ! (in calling).   ² mettre le couvert, to set the
table.   ³ (recueil), miscellany, collection; *cf.* cueillir, recueillir.   ⁴ ÉTRENNES, *pl.* New Year's (or Christmas) gifts.   ⁵ dès,
from, since, as early as.   ⁶ (afficher), to post; *cf.* affiche.
⁷ ENVIE, envy, longing, desire; faire envie, to be tempting; *cf.*
envieux.   ⁸ tante, aunt.   ⁹ DAVANTAGE, further, more.   ¹⁰ à
mots couverts, cryptical, ambiguous.   ¹¹ (chuchotement),
whisper(ing); *cf.* chut !   ¹² ÉTOUFFER, to stifle, suppress.
¹³ dès que, as soon as.

Entre Lucette et moi, cela devenait même un vrai jeu de devinettes[1] comme pour les « mots à double sens ».[2] On avait le droit de poser certaines questions déterminées,* par exemple: « Ça a-t-il des poils de bête ? » 5

Et les réponses étaient de ce genre[3]: « Ce que ton père te donne (un nécessaire de toilette,[4] en cuir) en a eu, mais n'en a plus . . . Ce que ta mère te donne (une fourrure[5]) en a quelques-uns encore . . . » Par les crépuscules[6] de décembre, à la nuit tombante, 10 quand on était assis sur les petits tabourets* bas, devant les feux de bois de chêne, on continuait la série* de ces questions de jour en jour plus émouvantes,[7] jusqu'au 31, jusqu'au grand soir des mystères dévoilés[8] . . . 15

Ce soir-là, les cadeaux des deux familles, enveloppés,[9] ficelés,[10] étiquetés,[11] étaient assemblés* sur des tables, dans une salle dont l'entrée nous avait été interdite,[12] depuis la veille. A huit heures, on ouvrait les portes et tout le monde entrait en procession, les 20 grand'mères les premières, chacun venant chercher sa part dans ce tas de paquets[13] blancs ficelés de ru-

---

[1] (devinette), riddle, conundrum; cf. deviner. [2] sens, meaning, sense; cf. sentir. [3] GENRE, kind, sort. [4] nécessaire de toilette, dressing case, toilet case. [5] FOURRURE, fur (clothing). [6] CRÉPUSCULE, dawn, twilight. [7] (émouvant), stirring, exciting; cf. ému, mouvoir, mouvement. [8] (dévoiler), to unveil; cf. voile. [9] (envelopper), to envelop, wrap up; cf. enveloppe. [10] (ficeler), to tie (as with string, ficelle). [11] ÉTIQUETER, to tag, label; cf. Eng. etiquette. [12] (interdire), to forbid, prohibit; cf. dire, prédire. [13] paquet, package.

bans. Pour moi, entrer là était un moment de telle joie que, jusqu'à douze ou treize ans, je n'ai jamais pu me tenir de faire des sauts de chèvre[1] en manière de[2] salut, avant de franchir[3] le seuil[4] . . .

— *Le Roman d'un enfant*, Calmann-Lévy, éditeur.

XIII

DÉCEMBRE

RÉGNIER

L'année a douze fils qui portent au visage
La nuance[5] du ciel et la couleur du vent,
Et tous, d'un pas égal,[6] fidèle et vigilant,*
Ils font, de par le monde,[7] un éternel voyage.

Tour à tour,[8] chacun vient et s'arrête au passage,
Puis s'en va. Aucun n'est à l'autre ressemblant.[9]
Ils ont, selon leur nom, leur saison et leur rang,
Le profil* nu d'un Dieu ou la barbe d'un mage.[10]

Ce sont les mois. Salut, Frères! Tu frappes;
    j'ouvre:
Décembre! Laisse au seuil le manteau qui te couvre.
Que viens-tu, le dernier, m'apporter dans la nuit?

---

[1] CHÈVRE, goat. [2] **en manière de,** by way of. [3] FRAN-CHIR, to cross (over). [4] SEUIL, threshold, door sill. [5] NUANCE, shade (of color), hue. [6] **égal,** equal, even, steady. [7] **de par le monde,** throughout the world. [8] **tour à tour,** in turn, one after the other. [9] (ressemblant), like, similar; *cf.* **ressembler, ressemblance.** [10] MAGE, magus, wise man; *cf. Lat.* **magi.**

Eux, leurs espoirs menteurs[1] ne sont plus que des
　　ombres,
Mais toi ! Si j'allais voir se lever aujourd'hui
L'étoile du bonheur au fond de tes yeux sombres !

— *Esquisses*[2] *et Sonnets,** Mercure de France, éditeur.

　　[1] (menteur) *adj.*, lying, false; *cf.* **mentir, menteur** *n.*, **mensonge.**　　[2] ESQUISSE, sketch.

L'HIVER

L'Hiver

XIV

LE CHANT DU GRILLON[1]

GAUTIER

Souffle, bise ![2] tombe à flots,[3] pluie !
Dans mon palais tout noir de suie[4]
Je ris de la pluie et du vent;
En attendant que l'hiver fuie,[5]
Je reste au coin du feu, rêvant.   5

C'est moi qui suis l'esprit de l'âtre ![6]
Le gaz,* de sa flamme* bleuâtre,[7]
Lèche[8] plus doucement le bois;
La fumée, en filet[9] d'albâtre,[10]
Monte et se contourne[11] à ma voix.   10

La bouilloire[12] rit et babille[13];
La flamme aux pieds d'argent sautille

[1] GRILLON, cricket. [2] BISE, cold wind. [3] FLOT, flood; **à flots,** in floods; *cf.* flotter. [4] SUIE, soot. [5] (fuir), to flee; *cf.* fuite. [6] ÂTRE, hearth. [7] (bleuâtre), bluish; *cf.* bleu. [8] LÉCHER, to lick. [9] (filet), thread, wisp; *cf.* fil, filer, ficelle. [10] ALBÂTRE, alabaster. [11] (se contourner), to twist, circle round; *cf.* tour, tourner. [12] (bouilloire), kettle; *cf.* bouillir. [13] BABILLER, to babble.

En accompagnant* ma chanson;
La bûche[1] de duvet[2] s'habille;
La sève[3] bout[4] dans le tison.[5]

* * *

5   Du fond de ma cellule[6] noire,
Quand Berthe vous conte[7] une histoire,
Le Chaperon[8] ou *l'Oiseau bleu*,[9]
C'est moi qui soutiens[10] sa mémoire,
C'est moi qui fais taire le feu.

J'étouffe le bruit monotone
10   Du rouet qui grince et bourdonne[11];
J'impose* silence au matou[12];
Les heures s'en vont, et personne
N'entend le timbre[13] du coucou.[14]

* * *

Souffle, bise ! Tombe à flots, pluie !
15   Dans mon palais tout noir de suie,
Je ris de la pluie et du vent;
En attendant que l'hiver fuie,
Je reste au coin du feu, rêvant.

         — *Poésies complètes*, Fasquelle, éditeur.

---

[1] (bûche), fire log; *cf.* bûcheron.   [2] DUVET, down.   [3] SÈVE, sap.   [4] bout = *pres. ind.* bouillir.   [5] TISON, firebrand, ember. [6] CELLULE, cell.   [7] (conter), to tell, relate; *cf.* conte, raconter. [8] Le Chaperon, *Little Red Riding Hood.*   [9] L'Oiseau bleu: a charming tale by Mme d'Aulnoy, dramatized by Maeterlinck. [10] (soutenir), to support, aid; *cf.* maintenir, retenir, tenir. [11] (bourdonner), to hum.   [12] MATOU, tomcat.   [13] TIMBRE, bell, sound.   [14] COUCOU, cuckoo clock.

244

XV

LA PLAINE SOUS LA NEIGE

Maupassant

J'étais alors médecin de campagne, habitant le village de Rolleville,[1] en pleine Normandie. L'hiver, cette année-là, fut terrible. Dès la fin de novembre, les neiges arrivèrent après une semaine de gelées.[2] On voyait de loin les gros nuages venir du nord; et la 5 blanche descente des flocons[3] commença.

En une nuit, toute la plaine fut ensevelie.[4] Les fermes, isolées* dans leurs cours carrées, derrière leurs rideaux de grands arbres poudrés[5] de givre,[6] semblaient s'endormir sous l'accumulation* de cette 10 mousse épaisse et légère.

Aucun bruit ne traversait plus la campagne immobile. Seuls, les corbeaux,[7] par bandes, traçaient* de longs festons[8] dans le ciel, cherchant leur vie inutilement, s'abattant[9] tous ensemble sur les champs 15 livides[10] et piquant la neige de leurs longs becs. On n'entendait rien que le glissement[11] vague* et continu* de cette poussière tombant toujours.

Cela dura huit jours pleins, puis l'avalanche*

---

[1] **Rolleville:** a village north of Le Havre, on the road to Dieppe, near the coast. [2] (gelée), frost; *cf.* geler. [3] FLOCON, flake. [4] ENSEVELIR, to shroud, bury. [5] (poudrer), to dust, powder; *cf.* poudre. [6] GIVRE, hoarfrost. [7] CORBEAU, raven, crow. [8] FESTON, festoon, garland. [9] (s'abattre), to swoop down, alight. [10] LIVIDE, livid, colorless. [11] (glissement), slipping, gliding; *cf.* glisser.

s'arrêta. La terre avait sur le dos un manteau épais de cinq pieds.

Et, pendant trois semaines ensuite, un ciel clair comme un cristal,* bleu le jour, et, la nuit, tout
5 semé[1] d'étoiles qu'on aurait crues de givre, tant le vaste* espace* était rigoureux,[2] s'étendit sur la nappe unie,[3] dure et reluisante des neiges.

La plaine, les haies, les ormes[4] le long des chemins, tout semblait mort, tué par le froid. Ni hommes, ni
10 bêtes ne sortaient plus; seules les cheminées des chaumières[5] en chemise blanche révélaient* la vie cachée, par les minces[6] filets de fumée qui montaient droit dans l'air glacial.[7]

— *Conte*[8] *de Noël,*[9] Conard, éditeur.

XVI

L'HIVER AUX CHAMPS

Pérochon

Il y avait, pour nourrir[10] cinquante têtes de gros
15 bétail,[11] deux immenses champs de choux. L'effeuil-

---

[1] SEMER, to sow, sprinkle.   [2] RIGOUREUX, severe, inclement.   [3] (uni) *adj.*, smooth, level; *cf.* unir, to unite.   [4] ORME, elm tree.   [5] CHAUMIÈRE, cottage (covered with thatch, chaume).   [6] MINCE, thin.   [7] (glacial), icy, ice-cold, glacial; *cf.* glace.   [8] (conte), tale, story; *cf.* conter, raconter.   [9] Noël, Christmas.   [11] nourrir, to feed, nourish.   [11] (bétail), cattle; *cf.* bête. Gros bétail consists of horses, mules, cows, oxen, donkeys; menu bétail, of sheep, goats, pigs.

leur[1] travaillait dans ces champs du matin au soir, tous les jours, par le vent, la pluie, le givre, la neige: dur métier pour ceux dont le sang est un peu refroidi[2] par l'âge; métier terrible pour ceux qui n'ont pas de vêtements imperméables,[3] et qui, mouillés jusqu'aux 5 os[4] dès la première heure, grelottent[5] toute la journée dans le vent froid . . .

Par chance, le mois de décembre fut froid, mais sec. Le mauvais temps commença la veille de Noël. Ce matin-là, Séverin dit au nouveau valet,[6] un gar- 10 çon de seize ans qu'on appelait Fourchette à cause de ses jambes longues et trop minces:

— Hé! mon vieux! il y a des chiens blancs; prends garde aux doigts!

Il y avait en effet une lourde gelée blanche; les 15 petites feuilles dures brillaient et les herbes craquaient[7] sous les pieds. A l'est,[8] un soleil rouge et très large commençait à monter dans le ciel pâle. Une ligne noire se détacha de l'horizon; des corbeaux vinrent, lourds, bruyants,[9] et s'abattirent sur 20 un grand marronnier au coin du champ de choux.

Fourchette cria: « Pies-grolles,[10] pies-grollas! Allez-vous-en, ne revenez pas! »

[1] (**effeuilleur**), stripper; *cf.* **feuille.** The "stripper" strips the leaves from the stalks. [2] (**refroidir**), to cool; *cf.* **froid.** [3] IMPERMÉABLE, waterproof. [4] **os,** bone. [5] GRELOTTER, to shiver (with cold), shake. [6] (**valet**), farm hand; *cf.* **valet,** personal servant. [7] CRAQUER, to creak, snap, crackle. [8] **est,** east. [9] (**bruyant**), noisy; *cf.* **bruit.** [10] PIE, magpie; GROLLE, rook, crow. The children shout this jingle at the birds to scare them.

Quelques-uns s'envolèrent[1]; mais après avoir tourné en cercle une minute, ils se posèrent de nouveau sur les branches du marronnier . . .

Séverin et Fourchette s'enfoncèrent entre les sil- 5 lons où ils disparurent tout de suite, car les choux y étaient magnifiques, hauts presque comme des hommes.[2] De grosses gouttes glacées[3] roulaient encore sur les feuilles; les deux valets étaient mouillés. Ils travaillaient vite à cause du froid; la tache jaune 10 de leur dos apparaissait seule entre les feuilles remuées. De temps en temps, Fourchette se redressait, pâle, grelottant, et, pendant une minute, sautait en l'air en agitant ses bras comme un coq qui bat des ailes:

15 — Hé! disait-il, j'en crève![4] Je ne sais plus où sont mes doigts!

La pluie, une pluie glacée, avait recommencé à tomber. Le vent courait au travers en sifflant; il la dispersait même et la jetait avec furie* sur les 20 choses. Les gouttes à peine fondues[5] frappaient leur visage; elles tombaient avec un bruit sourd sur les choux, qui les secouaient sur le dos des effeuilleurs. Séverin entendit encore une fois la plainte du garçon:

— Hé! j'en crève!

— *Les Creux-des-Maisons*, Plon, éditeur.

[1] (s'envoler), to take flight, fly away; *cf.* vol. [2] The Jersey or branching cabbage, a species of kale, may grow to a height of eight feet. [3] (glacé), frozen, icy cold; *cf.* glace, glacial. [4] CREVER, to burst, split; *slang* to die, "pass out." [5] fondre, to melt.

XVII

UN NAUFRAGE [1]

Fénelon

Tout à coup, une noire tempête* enveloppa le ciel et irrita les ondes de la mer. Le jour se changea en nuit, et la mort se présenta à nous. Un coup de vent rompit[2] notre mât,[3] et un moment après, nous entendîmes les pointes des rochers qui pénétraient dans 5 le fond du navire.[4]

L'eau entre de tous côtés; le navire s'enfonce; tous nos rameurs[5] poussent de lamentables* cris vers le ciel.

J'embrasse Mentor[6] et je lui dis: « Voici la mort; 10 il faut la recevoir avec courage, il serait inutile de disputer* notre vie contre la tempête. »

Mentor me répondit:

« Le vrai courage trouve toujours quelque ressource. Ce n'est pas assez d'être prêt à recevoir 15 tranquillement la mort; il faut, sans la craindre, faire tous ses efforts pour la repousser. Tandis que

---

[1] NAUFRAGE, shipwreck. [2] (rompre), to break (off); *cf.* interrompre. [3] MÂT, mast. [4] NAVIRE, ship. [5] RAMEUR, rower. [6] **Mentor:** in Greek mythology, the friend of Ulysses and tutor of his son, Telemachus; his name has become the synonym of the perfect guide and advisor. Fénelon has followed the tradition in his Télémaque, written for the young Duke of Burgundy who was under his tutelage.

cette multitude* d'hommes timides et troublés re-
grette la vie sans chercher les moyens de la garder,
ne perdons pas un moment pour sauver la nôtre !»

Aussitôt, il prend une hache,[1] il finit de couper le
5 mât qui était déjà rompu et qui, penchant dans la
mer, avait mis le navire sur le côté; il jette le mât
hors du navire et s'élance[2] dessus, au milieu des ondes
furieuses; il m'appelle par mon nom et m'encourage*
à le suivre . . .

10 Nous nous conduisions nous-mêmes sur ce mât
flottant.* C'était un grand secours pour nous, car
nous pouvions nous asseoir dessus; et s'il eût fallu
nager[3] sans cesse, nos forces auraient été bientôt
épuisées. Mais souvent la tempête faisait tourner
15 cette grande pièce de bois, et nous nous trouvions
enfoncés dans la mer; nous étions forcés de disputer
contre les flots pour regagner le dessus du mât.

Nous passâmes toute la nuit tremblants de froid
et demi-morts, sans savoir où la tempête nous jetait.

20 Enfin les vents commencèrent à se calmer, et la
mer mugissante[4] ressemblait à une personne qui,
ayant été longtemps irritée, n'a plus qu'un reste[5] de
trouble et d'émotion; elle grondait[6] sourdement, et
ses flots n'étaient plus que comme les sillons dans un
25 champ labouré.

— *Télémaque.*

[1] HACHE, axe.   [2] (s'élancer), to leap, fling oneself; *cf.*
lancer.   [3] nager, to swim.   [4] MUGIR, to bellow; *here* to roar.
[5] (reste), remnant, remainder; *cf.* rester.   [6] gronder, to scold.

XVIII

LA VIGNE ARRACHÉE [1]

BAZIN

Toussaint Lumineau avait résolu,[2] selon le conseil donné par son fils, d'arracher la vigne de la Fromentière,[3] que le phylloxera[4] avait détruite.

Le fermier et André montèrent donc jusqu'au petit champ bien exposé au midi,[5] sur la hauteur 5 que coupe la route de Challans.[6] Ils avaient devant eux, et ne voyaient autre chose, sept rangées de vieille vigne entre quatre haies, un sol[7] pauvre, et les ailes de deux moulins qui tournaient.

— Attaque une des rangées, dit le fermier; moi, 10 j'attaquerai celle d'à côté.[8]

Et ôtant leur veste,[9] malgré le froid, car le travail allait être rude,[10] ils se mirent à arracher la vigne. En route, ils avaient causé d'assez belle humeur.* Mais, dès qu'ils eurent commencé à bêcher,[11] ils de- 15

---

[1] ARRACHER, to pull (tear) up (out), uproot.   [2] RÉSOLU *p.p.*
résoudre, to resolve.   [3] Fromentière: the name of Lumineau's
farm ("Wheatland").   [4] phylloxera: an insect that attacks
and kills the grapevine.   [5] MIDI, south.   [6] Challans: a small
town south of Nantes, in the Breton Marais.   [7] sol, soil,
ground.   [8] celle d'à côté, the one next to it.   [9] VESTE, short
coat.   [10] rude, hard, rough.   [11] BÊCHER, to dig, spade
(up).

vinrent tristes, et ils se turent[1] pour ne pas se communiquer les idées que leur inspiraient* leur œuvre[2] de mort et cette fin de la vigne. Lorsqu'une racine résistait par trop,[3] le père essaya deux ou trois fois
5 de plaisanter[4] et de dire: « Elle se trouvait bien là, vois-tu, elle a du mal à s'en aller » . . . Il y renonça bientôt. Il ne réussissait point à éloigner[5] de lui-même, ni de son fils, la pensée pénible[6] du temps où la vigne prospérait,* où elle donnait en abondance*
10 un bon vin blanc qu'on buvait dans la joie les jours de fête passés . . .

Silencieux, ils levaient donc et ils abattaient sur le sol leur pioche d'ancien modèle,* forgée* pour des géants. La terre volait[7] en éclats[8]; la vigne fré-
15 missait; quelques feuilles tordues tombaient et fuyaient au vent; le pied de la vigne apparaissait tout entier, vigoureux et difforme,[9] vêtu en haut de la mousse verte, tordu en bas et mince comme une vrille.[10] Cette vigne avait un âge dont personne ne
20 se souvenait. Chaque année, depuis qu'il avait conscience des choses,[11] André avait taillé la vigne, cueilli le raisin de la vigne, bu le vin de la vigne. Et elle mourait !

---

[1] **se turent** = *p. abs.* **se taire.** [2] (**œuvre**), work; *cf.* **ouvrier.** [3] **par trop,** too much. [4] **plaisanter,** to joke; *cf.* **plaisir.** [5] (**éloigner**), to remove, put away, dismiss; *cf.* **loin, lointain.** [6] (**pénible**), painful, distressing; *cf.* **peine.** [7] (**voler**), to fly; *cf.* **vol, s'envoler.** [8] (**éclat**), splinter, fragment; *cf.* **éclater.** [9] (**difforme**), deformed, distorted; *cf.* **forme, uniforme.** [10] VRILLE, tendril, gimlet. [11] **depuis qu'il . . . choses,** since he had been conscious of things.

Chaque fois qu'il donnait à une racine le coup de grâce,[1] il sentait une peine; jamais plus la fleur de la vigne, avec ses étoiles pâles et ses gouttes de miel,[2] n'attirerait les moucherons d'été, et ne répandrait dans la campagne son parfum de réséda! Jamais les enfants de la ferme, ceux qui viendraient, ne passeraient la main par les trous de la haie pour saisir les grappes du bord! Jamais plus les femmes n'emporteraient les paniers de vendange! Le vin, d'ici longtemps,[3] serait plus rare à la ferme, et ne serait plus de « chez nous ». Quelque chose qui touchait la famille, une richesse héréditaire* et sacrée,* périssait[4] avec la vigne, servante ancienne et fidèle des Lumineau.

Ils avaient, l'un et l'autre, le sentiment si profond de cette perte,[5] que le père ne put s'empêcher de dire, à la nuit tombante, en relevant une dernière fois sa pioche pour la mettre sur son épaule:

— Vilain[6] métier, André, que nous avons fait[7] aujourd'hui!

— *La Terre qui meurt,* Calmann-Lévy, éditeur.
[American edition, Appleton-Century Company.]

[1] **coup de grâce,** finishing stroke, death blow. [2] MIEL, honey. [3] **d'ici longtemps,** henceforth for a long time. [4] PÉRIR, to perish. [5] (**perte**), loss; *cf.* **perdre.** [6] VILAIN, wretched, vile. [7] **faire un métier,** to follow (ply) a trade.

XIX

TOUS LES MÉTIERS SONT NOBLES

AICARD

Sans le paysan, aurais-tu du pain ?
C'est avec le blé qu'on fait la farine;
L'homme et les enfants, tous mourraient de faim,
Si dans la vallée et sur la colline
On ne labourait et soir et matin.

Sans le boulanger, qui ferait la miche ?[1]
Sans le bûcheron — roi de la forêt —
Sans poutres,[2] comment est-ce qu'on ferait
La maison du pauvre et celle du riche ?
Même notre chien n'aurait pas sa niche ![3]

Sans le tisserand,[4] qui ferait la toile ?[5]
Et sans le tailleur, qui coudrait l'habit ?
Il ne fait pas chaud à la belle étoile ![6]
Irions-nous tout nus, le jour et la nuit,
Et l'hiver surtout, quand le nez bleuit ?[7]

Aimez les métiers, le mien et les vôtres.
On voit bien des sots,[8] pas un sot métier;

---

[1] MICHE, round loaf of bread.   [2] POUTRE, beam.   [3] NICHE,
alcove; *here* dog kennel; *cf.* nid.   [4] TISSERAND, weaver.
[5] toile, cloth (linen).   [6] à la belle étoile, in the open, under the
stars.   [7] (bleuir), to turn blue; *cf.* bleu (**rougir, blanchir,
jaunir**).   [8] SOT, —TE *n.*, fool; *adj.*, foolish.

254

Et toute la terre est comme un chantier[1]
Où chaque métier sert à tous les autres,
Et tout travailleur sert le monde entier.

— *Recueil.*

XX

CUISINE D'AUBERGE

HUGO

J'ai vu à Sainte-Menehould[2] une belle chose, c'est
la cuisine de l'*Hôtel de Metz.*

C'est là une vraie cuisine. Une salle immense. Un
des murs occupé par les cuivres,[3] l'autre par les
faïences.[4] Au milieu, en face des fenêtres, la chemi- 5
née, énorme caverne que remplit un feu splendide.*
Au plafond, des poutres noires magnifiquement
enfumées,[5] auxquelles pendent toutes sortes de
choses joyeuses, des paniers, des lampes, un garde-
manger,[6] et de vastes carrés de lard.[7] Sous la che- 10

[1] CHANTIER, work yard (such as a lumberyard, shipyard,
stoneyard, building yard). [2] **Sainte-Menehould:** small city
northeast of Châlons, on the Aisne river, in the Argonne
region. [3] **cuivres** *pl.*, copper (brass) utensils. [4] FAÏENCE,
earthenware, crockery (one of the industries of Sainte-
Menehould). [5] **(enfumé)**, smoked, blackened with smoke; *cf.*
fumer, fumée. [6] **(garde-manger)**, food box (with wooden
frame and sides of wire screen). [7] LARD, bacon, salt pork.

minée, outre[1] le tournebroche[2] et la chaudière,[3] brillent une douzaine de pelles[4] et de pincettes[5] de toutes formes et de toutes grandeurs.[6] La flamme envoie des rayons dans tous les coins, découpe[7] de
5 grandes ombres sur le plafond, jette une fraîche teinte[8] rose sur les faïences bleues et fait reluire[9] l'édifice* fantastique* des casseroles[10] comme une muraille de braise ...

Cette cuisine est un monde où se meut[11] toute
10 une république d'hommes, de femmes et d'animaux. Des garçons, des servantes, des marmitons,[12] des ouvriers attablés,[13] des poêles[14] sur des réchauds,[15] des pipes, des cartes, des enfants qui jouent, et des chats, et des chiens, et le maître qui surveille.

15 Dans un angle, une grande horloge en bois de chêne dit gravement l'heure à tous ces gens occupés.

Parmi les choses innombrables[16] qui pendent au plafond, j'en ai admiré une surtout, le soir de mon arrivée. C'est une petite cage* où dormait un petit
20 oiseau. Cet oiseau m'a paru être le plus admirable emblème* de la confiance. Cette cuisine effrayante

[1] OUTRE, in addition to. [2] (tournebroche), turnspit (for roasting meats before the open fire); *cf.* tourner + broche. [3] (chaudière), boiler; *cf.* chaud, chauffer. [4] PELLE, shovel. [5] PINCETTES, tongs; *cf.* pincer. [6] (grandeur), size; *cf.* grand, grandir. [7] (découper), to cut out, shape; *cf.* couper. [8] TEINTE, tint. [9] (reluire), to shine, glisten; *cf.* reluisant. [10] (casserole), saucepan, casserole; *cf.* casser. [11] se meut = *pres. ind.* se mouvoir. [12] MARMITON, scullion. [13] (attablé), seated at table; *cf.* table. [14] POÊLE *f.*, frying pan. [15] (réchaud), small charcoal stove, warmer. [16] (innombrable), innumerable; *cf.* nombreux.

est jour et nuit pleine de bruit, l'oiseau dort. On a
beau faire rage[1] autour de lui, les hommes jurent,
les femmes se disputent, les enfants crient, les chiens
aboient, les chats miaulent,[2] l'horloge sonne, le
tournebroche grince . . . les vitres frissonnent, les 5
voitures passent dans la rue comme le tonnerre: la
petite boule[3] de plume ne bouge pas.

— *Le Rhin*, Hachette, éditeur.

XXI

DÎNER D'AVARE[4]

MOLIÈRE

HARPAGON. Eh bien, maître Jacques, approchez-
vous.

MAÎTRE JACQUES. Est-ce à votre cocher,[5] mon- 10
sieur, ou bien à votre cuisinier,[6] que vous voulez
parler ? car je suis l'un et l'autre.

HARPAGON. C'est à tous les deux.

MAÎTRE JACQUES. Mais à qui des deux le premier ? 15

---

[1] **faire rage**, to rage, storm. [2] MIAULER, to mew, cater-
waul. [3] (boule), ball; *cf.* **boulet.** [4] AVARE, miser. Harpagon, the miser, is giving a dinner, and is conferring with
his steward, Valère, and his cook-and-coachman, Maître
Jacques, about the menu. [5] COCHER, coachman. [6] (cuisinier), cook; *cf.* **cuire, cuisine.**

HARPAGON. Au cuisinier.

MAÎTRE JACQUES. Attendez donc, s'il vous plaît. (*Il ôte son habit de cocher et paraît vêtu en cuisinier.*)

5 HARPAGON. Que diable! quelle cérémonie est-ce là?

MAÎTRE JACQUES. Vous n'avez qu'à parler.

HARPAGON. Je me suis engagé,[1] maître Jacques, à donner ce soir à souper.

10 MAÎTRE JACQUES, *à part.* Grande merveille![2]

HARPAGON. Dis-moi un peu: nous feras-tu bonne chère?[3]

MAÎTRE JACQUES. Oui, si vous me donnez bien de l'argent.

15 HARPAGON. Que diable! toujours de l'argent! Il semble qu'ils n'aient autre chose à dire: de l'argent, de l'argent, de l'argent! Ah! ils n'ont que ce mot à la bouche: de l'argent! Toujours parler d'argent!...

20 VALÈRE. Je n'ai jamais vu de réponse plus impertinente* que celle-là. Voilà une belle merveille que de faire bonne chère avec bien de l'argent. C'est une chose la plus facile du monde, et il n'y a si pauvre esprit qui n'en fît bien autant[4]; mais pour agir en

25 habile homme, il faut parler de faire bonne chère avec peu d'argent.

[1] Je me suis **engagé**, I have undertaken (promised, agreed).
[2] MERVEILLE, wonder, miracle; **grande merveille!** wonder of wonders! [3] CHÈRE, cheer, fare: **faire bonne chère**, to set a good table, dine sumptuously. [4] **et il n'y a ... autant,** and there's no wit so poor that couldn't do as much.

MAÎTRE JACQUES.　Bonne chère avec peu d'argent !

VALÈRE.　Oui.

MAÎTRE JACQUES.　Par ma foi, monsieur l'Intendant,[1] vous nous obligerez de nous faire voir ce secret, 5
et de prendre mon office[2] de cuisinier ! . . .

HARPAGON.　Taisez-vous ! Qu'est-ce qu'il nous
faudra ?

MAÎTRE JACQUES.　Voilà monsieur votre intendant qui vous fera bonne chère pour peu d'argent. 10

HARPAGON.　Hé ! je veux que tu me répondes.

MAÎTRE JACQUES.　Combien serez-vous de gens à
table ?

HARPAGON.　Nous serons huit ou dix; mais il ne
faut prendre que huit. Quand il y a à manger pour 15
huit, il y en a bien pour dix.

VALÈRE.　Cela s'entend.

MAÎTRE JACQUES.　Eh bien ! il faudra quatre
grands potages[3] et cinq assiettes.[4] Potages . . . en-
trées[5] . . . 20

HARPAGON.　Que diable ! voilà pour traiter une
ville entière !

MAÎTRE JACQUES.　Rôt[6] . . .

HARPAGON, *en lui mettant la main sur la bouche.*
Ah ! traître,* tu manges tout mon bien.[7] 25

---

[1] INTENDANT, steward, manager.　[2] OFFICE, duty, function;
cf. officier.　[3] (**potage**), soup; *here* vegetable and meat cooked
in a **pot** (seventeenth-century usage).　[4] **assiette**, plate; *here*
course.　[5] (**entrée**), entrée (one of the first dishes served in a
meal); *cf.* entrer.　[6] Jacques was about to say rôti, roast.
[7] **manger son bien,** to squander one's property (money).

MAÎTRE JACQUES. Entremets[1] . . .

HARPAGON, *même jeu.*[2] Encore ?

VALÈRE, *à maître Jacques.* Est-ce que vous avez
envie de faire crever tout le monde ? Et monsieur
5 a-t-il invité des gens pour les assassiner à force de[3]
manger ? Allez-vous-en lire un peu les préceptes*
de la santé, et demandez aux médecins s'il y a rien
de plus nuisible à l'homme que de manger avec
excès.*

10 HARPAGON. Il a raison.

VALÈRE. Apprenez, maître Jacques, vous et vos
pareils, que c'est un assassin qu'une table remplie
de trop de viandes[4]; que pour se bien montrer ami
de ceux qu'on invite, il faut que la frugalité* règne[5]
15 dans les repas[6] qu'on donne, et que, suivant le conseil d'un ancien,[7] il faut manger pour vivre et non
pas vivre pour manger.

HARPAGON. Ah ! que cela est bien dit ! Approche,
que je t'embrasse pour ce mot. Voilà la plus belle
20 sentence* que j'aie entendue de ma vie[8]: Il faut
vivre pour manger et non pas manger pour vi . . .
Non, ce n'est pas cela. Comment est-ce que tu dis ?

VALÈRE. Qu'il faut manger pour vivre et non pas
vivre pour manger.

25 HARPAGON. Oui. Entends-tu ? Qui est le grand
homme qui a dit cela ?

---

[1] (entremet), side dish; *cf.* entre + mettre. [2] même jeu,
same action as before. [3] à force de, by dint of. [4] (viande),
food, viand. [5] RÉGNER, to reign, prevail. [6] repas, meal,
repast. [7] (ancien), Ancient, a Greek or Roman scholar. [8] de
ma vie, in my whole life.

VALÈRE. Je ne me souviens pas maintenant de son nom.

HARPAGON. Souviens-toi de m'écrire ces mots. Je veux les faire inscrire en lettres d'or sur la cheminée de ma salle. 5

VALÈRE. Je n'y manquerai pas. Et pour votre souper, vous n'avez qu'à me laisser faire. Je règlerai[1] tout cela comme il faut.[2]

HARPAGON. Fais donc.

MAÎTRE JACQUES. Tant mieux; j'en aurai moins 10 de peine.

HARPAGON. Il faudra de ces choses dont on ne mange guère et qui satisfont l'appétit d'abord; quelque bon ragoût[3] bien gras, avec quelque pâté en pot garni[4] de marrons.[5] 15

VALÈRE. Reposez-vous sur moi.[6]

— *L'Avare*, Acte III, scène *v.*

XXII

LE SAVETIER [7] ET LE FINANCIER *

LA FONTAINE

Un Savetier chantait du matin jusqu'au soir.
C'était merveilles de le voir,

[1] (régler), to regulate, arrange, settle; *cf.* règle, régulier. [2] comme il faut, as is proper, suitably. [3] RAGOÛT, stew; *cf.* goût. [4] (garni), garnished. [5] (marron), large, edible chestnut; *cf.* marronnier. [6] Reposez-vous sur moi, Rely upon me. [7] SAVETIER, cobbler.

Merveilles de l'ouïr[1]; il faisait des passages,[2]
    Plus content qu'aucun des Sept Sages[3];
Son voisin, au contraire, étant tout cousu d'or,[4]
    Chantait peu, dormait moins encor[5]:
5   C'était un homme de finance.*
Si, sur le point du jour, parfois il sommeillait,[6]
Le Savetier alors en chantant l'éveillait;
    Et le Financier se plaignait
    Que les soins de la Providence*
10 N'eussent pas au marché fait vendre le dormir,[7]
    Comme le manger[7] et le boire.[7]
    En son hôtel[8] il fait venir
Le chanteur, et lui dit: « Ah çà, sire Grégoire,
Que gagnez-vous par an? — Par an, ma foi, mon-
15   sieur,
    Dit avec un ton* de rieur[9]
Le gaillard[10] Savetier, ce n'est point ma manière
De compter de la sorte, et je n'entasse[11] guère
    Un jour sur l'autre: il suffit qu'à la fin
20   J'attrape[12] le bout de l'année;
    Chaque jour amène son pain.
-— Eh bien! que gagnez-vous, dites-moi, par journée?
— Tantôt plus, tantôt moins: le mal est que toujours

---

[1] OUÏR, to hear (*obsolete*).   [2] **faire des passages,** to make flourishes (in singing).   [3] SAGE, wise; *n.*, wise man. The Seven Wise Men were seven philosophers of ancient Greece. [4] **être cousu d'or,** to be rolling in money (**cousu** = *p.p.* **coudre,** to sew).   [5] encor = encore.   [6] (sommeiller), to slumber, doze; *cf.* **sommeil.**   [7] The infinitive is used as a noun: *sleep, food, drink.*   [8] (hôtel), *here* town house, mansion. [9] (rieur), laughing, merry; *cf.* **rire.**   [10] (gaillard), jovial, gay; *cf.* **gai, gaieté.**   [11] (entasser), to heap (pile) up; *cf.* **tas.** [12] ATTRAPER, to overtake, catch up with.

(Et sans cela nos gains seraient assez honnêtes),
Le mal est que dans l'an s'entremêlent[1] des jours
   Qu'il faut chômer[2]; on nous ruine* en fêtes;
L'une fait tort[3] à l'autre, et monsieur le curé[4]
De quelque nouveau saint charge toujours son   5
   prône. »[5]
Le Financier, riant de sa naïveté,*
Lui dit: « Je veux vous mettre aujourd'hui sur le
   trône*:
Prenez ces cent écus,[6] gardez-les avec soin,   10
   Pour vous en servir au besoin. »
Le Savetier crut voir tout l'argent que la terre
   Avait, depuis plus de cent ans,
   Produit pour l'usage[7] des gens.
Il retourne chez lui; dans sa cave[8] il enserre[9]   15
   L'argent, et sa joie à la fois.
   Plus de chant: il perdit la voix
Du moment qu'il gagna ce qui cause nos peines.
   Le sommeil quitta son logis[10];
   Il eut pour hôtes[11] les soucis,[12]   20
   Les soupçons, les alarmes* vaines.*
Tout le jour il avait l'œil au guet[13]; et la nuit,
   Si quelque chat faisait du bruit,
Le chat prenait l'argent. A la fin, le pauvre homme
S'encourut[14] chez celui qu'il ne réveillait plus: 25

[1] (s'entremêler), to intermingle; *cf.* **mêler, mélange.**
[2] CHÔMER, to be idle, take a holiday.   [3] TORT, wrong; **faire
tort,** to wrong, do an injustice.   [4] CURÉ, priest.   [5] PRÔNE,
sermon.   [6] ÉCU, crown (coin worth 3 francs).   [7] (usage),
use; *cf.* **user.**   [8] (cave), cellar; *cf.* **caverne.**   [9] (enserrer), to
lock up, hide away; *cf.* **serrer.**   [10] LOGIS, house, lodgings.
[11] (hôte), guest; *cf.* **hôtel.**   [12] SOUCI, worry, care.   [13] GUET,
watch; **avoir l'œil au guet,** to keep a sharp lookout.
[14] (s'encourir), to hasten; *cf.* **courir.**

« Rendez-moi, lui dit-il, mes chansons et mon
   somme,[1]
Et reprenez vos cent écus. »

*— Fables.**

XXIII

UNE JEUNE MÉNAGÈRE [2]

ERCKMANN-CHATRIAN

— Notre enfant, monsieur Kobus, dit le vieux
fermier, est née pour conduire un ménage; elle sait
filer, laver, battre le beurre,[3] presser le fromage et
faire la cuisine aussi bien que ma femme. On n'a
5 jamais eu besoin de lui dire: « Sûzel, il faut s'y
prendre de telle manière. »[4] C'est venu tout seul[5] . . .
Ce sera une vraie ménagère: elle a reçu le don,[6] elle
fait ces choses avec plaisir.

— C'est vrai, répondit Fritz, mais le don de la
10 cuisine est une véritable bénédiction.[7] On peut
battre le beurre, filer, laver, tout ce que vous voudrez,
avec des bras, des jambes, et de la bonne volonté;

---

[1] SOMME *m.*, nap, sleep; *cf.* **sommeil, sommeiller.**
[2] (**ménagère**), housekeeper; *cf.* **ménage, ménagerie.** [3] **beurre,**
butter; **battre le beurre,** to churn butter.   [4] **de telle manière,** in such and such a way. [5] **C'est venu tout seul,** It came
of itself. [6] (**don**), gift; *cf.* **donner.** [7] BÉNÉDICTION, blessing.

mais distinguer une sauce* d'une autre, et savoir les employer à propos,[1] voilà quelque chose de rare. Aussi j'estime plus ces beignets[2] que tout le reste, et pour les faire aussi bons, je maintiens qu'il faut mille fois plus de talent* que pour filer et blanchir cin- 5 quante aunes[3] de toile.

— C'est possible, monsieur Kobus, vous êtes plus fort[4] sur ces articles* que moi.

— Oui, Christel, et je suis si content de ces bei- gnets que je voudrais savoir comment elle s'y est 10 prise pour les faire.

— Eh ! nous n'avons qu'à l'appeler, dit le vieux fermier, elle nous expliquera cela. Sûzel ! Sûzel !

Sûzel était en train de battre le beurre dans la cuisine, le tablier blanc serré[5] à la taille, passé au- 15 tour du cou, et remontant du bas de sa petite jupe de laine[6] bleue à son joli menton rose. Il y avait des centaines[7] de petites taches blanches sur ses bras nus et sur ses joues; il y en avait même dans ses cheveux tant elle mettait d'ardeur* à son ouvrage.[8] C'est 20 ainsi qu'elle entra tout animée demandant: « Quoi donc, mon père ? »

— Eh bien ! voici monsieur Kobus qui trouve tes beignets si bons qu'il voudrait en connaître la re- cette.[9]   25

---

[1] à propos, appropriately; *cf.* propos. [2] BEIGNET, fritter. [3] AUNE, ell. The French ell is 54 inches. [4] être fort sur, to be well up on (in), be good at. (Kobus had the reputation of being a *gourmet*.) [5] (serré) *adj.*, tight, close (fitting). [6] laine, wool. [7] (centaine) *n.*, a hundred; *cf.* cent. [8] (ouvrage), work, task; *cf.* ouvrier, œuvre. [9] RECETTE, recipe; *cf.* recevoir.

Sûzel devint toute rouge de plaisir . . .

— Oh ! monsieur Kobus, ce n'est pas difficile. J'ai mis . . . Mais, si vous voulez, j'écrirai cela, vous pourriez oublier.

5 — Comment ! elle sait écrire, père Christel ?

— Elle tient tous les comptes de la ferme, depuis deux ans, dit le vieux fermier.

— Diable, diable . . . voyez-vous cela . . . mais c'est une vraie ménagère . . . Je n'oserai plus la tu-
10 toyer[1] tout à l'heure. Eh bien, Sûzel, c'est convenu, tu écriras la recette.

Alors Sûzel, heureuse comme une petite reine, rentra dans la cuisine, et Kobus alluma sa pipe en attendant le café.

— *L'Ami Fritz*, Hachette, éditeur.

XXIV

POURQUOI J'AIME PARIS

France

15 J'aime à regarder de ma fenêtre la Seine[2] et ses quais par ces matins d'un gris tendre qui donnent aux choses une douceur infinie.*

J'ai contemplé* le ciel d'azur* qui répand sur la

[1] TUTOYER, to address familiarly (using **tu** and **toi**, instead of **vous**). [2] **Seine:** starting west of Dijon, in Burgundy, the river flows for 800 kilometers across northern France, traversing Troyes, Paris, and Rouen to empty into the English Channel at Le Havre.

baie* de Naples sa sérénité* lumineuse. Mais notre
ciel de Paris est plus animé, plus bienveillant et plus
spirituel. Il sourit, menace, caresse,* s'attriste et
s'égaie comme un regard humain.* Il verse en ce
moment une douce lumière sur les hommes et les 5
bêtes de la ville qui s'occupent de leurs travaux jour-
naliers.[1]

Là-bas, sur l'autre berge,[2] les porte-faix[3] du port
Saint-Nicolas[4] déchargent[5] des cargaisons[6] de cornes
de bœuf, et font sauter vivement, de bras en bras, 10
des pains de sucre[7] jusque dans la cale[8] du bateau à
vapeur. Sur le quai du nord, les chevaux de fiacre,[9]
alignés à l'ombre des platanes,[10] la tête dans leur musette,[11] mâchent[12] tranquillement leur avoine, tandis
que les cochers vident leur verre devant le comptoir 15
du marchand de vin, en guettant[13] du coin de l'œil le
bourgeois[14] matinal.

Les bouquinistes[15] déposent leurs boîtes[16] sur le
parapet.* Ces braves marchands, qui vivent sans
cesse dehors, la blouse au vent, sont si bien travaillés[17] 20
par l'air, les pluies, les gelées, les neiges, les brouil-

---

[1] (journalier), daily; *cf.* jour, journée, journal. [2] BERGE,
bank (of a river). [3] PORTE-FAIX, porter, dock hand. [4] le port
Saint-Nicolas: a dock between the Pont des Arts and the Pont
Royal, alongside the Louvre. [5] (décharger), to unload; *cf.*
charge, charger. [6] (cargaison), cargo. [7] pain de sucre,
conical loaf of sugar. [8] CALE, hold. [9] FIACRE, cab. [10] PLA-
TANE, plane tree (like the sycamore). [11] MUSETTE, feed
bag. [12] MÂCHER, to munch, chew. [13] (guetter), to watch for;
cf. guet. [14] BOURGEOIS, citizen, townsman (of the middle
class). [15] BOUQUINISTE, second-hand bookseller. [16] boîte,
box. [17] (travaillé), wrought, weathered.

lards[1] et le grand soleil, qu'ils finissent par ressembler
aux vieilles statues des cathédrales.* Ils sont tous
mes amis, et je ne passe guère devant leurs boîtes
sans en tirer quelque bouquin[2] qui me manquait
5 jusque là, sans que j'eusse le moindre soupçon qu'il
me manquât.

Un vent léger balaie avec la poussière de la rue les
graines ailées[3] des platanes et les brins[4] de foin échap-
pés à la bouche des chevaux. Ce n'est rien que cette
10 poussière de la rue, mais en la voyant s'envoler, je
me rappelle que dans mon enfance je regardais tourbillonner[5] une poussière pareille; et mon âme de
vieux Parisien en est émue.[6]

Tout ce que je découvre de ma fenêtre, cet horizon
15 qui s'étend à ma gauche jusqu'aux collines de Chaillot[7] et qui me laisse apercevoir l'Arc de Triomphe
comme un dé[8] de pierre, la Seine, fleuve[9] de gloire,
et ses ponts, les tilleuls[10] des Tuileries,[11] le Louvre de

---

[1] **brouillard,** fog.   [2] **(bouquin),** old book; *cf.* **bouquiniste.**
[3] **(ailé),** winged; *cf.* **aile.**   [4] BRIN, bit, blade (of grass).
[5] TOURBILLONNER, to eddy, whirl round.   [6] **(ému),** moved,
touched; *cf.* **émouvant, émotion.**   [7] **Chaillot:** the street and
heights lie between the Champs-Élysées and the Place d'Iéna,
south of the Place de l'Étoile.   [8] DÉ, dice. The **Arc de
Triomphe,** 50 meters high, 45 meters wide, and 22 meters
thick, does resemble a huge dice cast into the great circular
Place de l'Étoile, with its twelve radiating avenues.   It
commemorates men and battles of the wars of the Republic
and the Empire.   [9] **fleuve,** river.   [10] TILLEUL, linden tree.
[11] **Tuileries:** of the former royal palace and gardens, along
the Seine west of the Louvre, only the latter remain, the palace having been burned in the Commune of 1871.

la Renaissance[1] . . . à ma droite, du côté du Pont-
Neuf,[2] le vieux et vénérable* Paris avec ses tours et
ses flèches,[3] tout cela, c'est ma vie, c'est moi-même,
et je ne serais rien sans ces choses qui se reflètent* en
moi avec les mille nuances de ma pensée et m'in- 5
spirent* et m'animent.   C'est pourquoi j'aime Paris
d'un immense amour.

— *Le Crime de Sylvestre Bonnard*, Calmann-Lévy,
éditeur.

XXV

RONDEAU *

CHARLES D'ORLÉANS

Le temps a laissé son manteau
De vent, de froidure[4] et de pluie,
Et s'est vêtu de broderie,*
De soleil rayant,[5] clair et beau.

Il n'y a bête, ni oiseau,
Qu'en[6] son jargon[7] ne chante ou crie:

[1] The ancient palace of the **Louvre**, now a museum, was
begun in 1204 and finished in 1848.   The author refers to the
sections built by François I and Catherine de Médicis.   [2] The
Pont-Neuf, oldest bridge in Paris (1578), spans the Seine and
the western tip of the Ile de la Cité.   [3] (**flèche**), spire; *cf.*
flèche, arrow.   [4] (**froidure**), coldness; *cf.* **froid, refroidir.**
[5] (**rayant**), radiant; *cf.* **rayon.** (**Rayant** is obsolete in this sense
= **rayonnant.**)   [6] **qu'en = qui en.**   [7] JARGON, language (unintelligible).

Le temps a laissé son manteau
De vent, de froidure et de pluie.

Rivière, fontaine et ruisseau[1]
Portent, en livrée[2] jolie,
Gouttes d'argent, d'orfèvrerie,[3]
Chacun s'habille de nouveau.
Le temps a laissé son manteau.

— *Poésies.*

[1] RUISSEAU, stream, brook.   [2] LIVRÉE, livery.   [3] (**orfèvre-rie**), jewel work; *cf.* **or.**

Le Printemps

XXVI

SAISON DES SEMAILLES.[1] LE SOIR

HUGO

C'est le moment crépusculaire.[2]
J'admire, assis sous un portail,[3]
Ce reste de jour dont s'éclaire
La dernière heure du travail.

Dans les terres, de nuit baignées,[4]
Je contemple, ému, les haillons[5]
D'un vieillard qui jette à poignées[6]
La moisson[7] future* aux sillons.

Sa haute silhouette noire
Domine* les profonds labours.
On sent à quel point il doit croire
A la fuite utile des jours.

Il marche dans la plaine immense,
Va, vient, lance la graine au loin,
Rouvre sa main, et recommence,
Et je médite,[8] obscur* témoin,

---

[1] (semailles), sowing; *cf.* semer. [2] (crépusculaire) *adj.*, twilight; *cf.* crépuscule. [3] (portail), portal, gateway; *cf.* porte. [4] (baigner), to bathe; *cf.* bain. [5] HAILLON, rag, tatter. [6] POIGNÉE, handful; *cf.* poignard. [7] MOISSON, harvest (of grain), crop. [8] MÉDITER, to meditate.

271

LE PRINTEMPS

Pendant que, déployant[1] ses voiles,
L'ombre, où se mêle une rumeur,
Semble élargir[2] jusqu'aux étoiles
Le geste auguste* du semeur.[3]

— *Les Chansons des rues et des bois*, Hetzel,
éditeur.

XXVII

SAVEZ–VOUS CE QUE C'EST QU'UN
PRINTEMPS ?

MME DE SÉVIGNÉ

Aux Rochers,[4] 19 avril* 1690.

Je reviens encore à vous, ma bonne, pour vous dire
que, si vous avez envie de savoir, en détail, ce que
c'est qu'un printemps, il faut venir à moi.

Je n'en connaissais moi-même que la superficie[5];
j'en examine cette année jusqu'aux premiers petits 5
commencements.

Que pensez-vous donc que ce soit que[6] la couleur
des arbres depuis huit jours ? Répondez. Vous allez
dire: « Du vert ».

[1] DÉPLOYER, to unfurl, spread. [2] (élargir), to widen,
stretch; *cf.* large, largeur. [3] (semeur), sower; *cf.* semer,
semailles. [4] Mme de Sévigné is writing to her daughter, Mme
de Grignan, from Les Rochers, her château near Vitré, midway between Laval and Rennes, in Brittany. [5] SUPERFICIE,
surface. [6] que: *omit.*

Point du tout, c'est du rouge. Ce sont de petits boutons,[1] tout prêts à partir qui font un vrai rouge; et puis ils poussent tous une petite feuille, et comme c'est inégalement,[2] cela fait un mélange[3] trop joli de 5 vert et de rouge.

Nous ne quittons pas tout cela des yeux. Nous parions[4] de grosses sommes — mais c'est à ne jamais payer — que ce bout de l'allée sera tout vert dans deux heures; on dit que non; on parie. Les charmes[5] 10 ont leur manière, les hêtres[6] une autre. Enfin je sais sur cela tout ce que l'on peut savoir . . .

— *Lettres.*

XXVIII

PROMENADE DU SOIR

POUVILLON

Huit heures du soir, au cours Foucault.[7]
La grande promenade déserte avec ses vieux ormes

---

[1] **bouton,** button; bud.   [2] (**inégalement**), unevenly, irregularly; *cf.* **égal.**   [3] **mélange,** mixture, mingling; *cf.* **mêler, mêlée, mélanger.**   [4] PARIER, to wager, bet.   [5] CHARME, yoke elm (so called because yokes are made from the wood).   [6] HÊTRE, beech tree.   [7] The **cours** Foucault is a park and promenade along the Tarn in Montauban (Quercy), north of Toulouse, in the Midi.

274

espacés,[1] enveloppés de la rougeur[2] du crépuscule. Les feuillages[3] pendent en festons sur le ciel, donnant à chaque arbre avec sa silhouette, nettement découpée, comme une figure, une vie personnelle.*

Encore un reflet[4] sur la rivière, et de l'autre côté, des champs, des sillons, des bordures[5] vertes, des maisons où des vitres s'allument, et encore des champs, encore des ilôts[6] d'arbres de moins en moins distincts, jusqu'à la simplification* extrême* de l'horizon où les choses se fondent dans seulement un peu de couleur. La promenade toujours vide, le bassin[7] au milieu sans jet* d'eau, immobile.

Des enfants courent autour du bassin, se poursuivent avec ces cris de gorge qui strident[8] longuement[9] en l'air, comme les cris des hirondelles.[10] C'est la première soirée de beau temps après une longue saison de pluies. Il y a des odeurs d'acacias* en l'air, et des bruits qui traînent[11]; du grand séminaire,[12] dont les fenêtres brillent au bord du quai, des voix montent, chantant un cantique[13] à la Vierge,[14] des voix fortes, un peu rudes de jeunes paysans, et les

---

[1] (espacer), to set at intervals; *cf.* **espace.** [2] (rougeur), redness, glow; *cf.* **rouge, rougir.** [3] (feuillage), foliage, leaves; *cf.* **feuille, effeuiller.** [4] (reflet), reflection; *cf.* **refléter.** [5] (bordure), border; *cf.* **bord.** [6] (ilôt), islet; *cf.* **île.** [7] BASSIN, basin, pool (of the fountain). [8] STRIDER, to shrill. [9] (longuement), long, at length; *cf.* **long.** [10] HIRONDELLE, swallow. [11] qui **traînent,** that linger, long drawn out. [12] SÉMINAIRE, seminary (at the eastern end of the **cours**). [13] (cantique), canticle, hymn; *cf.* **chant, chanson.** [14] VIERGE, Virgin (Mary).

paroles du cantique très douces, vaguement sentimentales.*

Près de nous, deux promeneurs, arrivés au bout du
cours, montrent des cors de chasse reluisants. C'est
5 la première fois de l'année sans doute; les soirées
jusqu'ici ont été si froides ! Il leur tarde.[1] Un premier coup pour dérouiller[2] l'outil,[3] et puis vivement,
on attaque la fanfare. C'est sur le chemin qui descend au moulin; les deux cornistes[4] se sont postés*
10 chacun à un bout de la haie, et les fanfares alternent,[5]
se répondent, envoyant aux passants,[6] aux flâneurs,
assis sur le quai, jambes pendantes, comme un écho,
une illusion* de vie forestière.[7]

Les séminaristes[8] chantent encore un moment;
15 puis, la cérémonie accomplie, le bâtiment éteint ses
feux; la chapelle,* puis le dortoir[9] rentrent dans
l'ombre. Et les fenêtres des maisons, çà et là, s'étei-
gnent aussi, comme des paupières qui se ferment; les
cornistes font silence.[10] Les promeneurs rentrent.
20 Plus rien que les grenouilles[11] qui coassent[12] au
bord de l'eau rembrunie.[13]

Montauban, le 7 mai.

— *Pays et paysages*, Plon, éditeur.

[1] **Il leur tarde,** They are anxious (impatient). [2] **(dérouiller)**, to take the rust off. [3] outil, tool, instrument. [4] **(corniste)**, horn player; *cf.* **cor.** [5] ALTERNER, to alternate.
[6] **(passant)** *n.*, passer-by; *cf.* **passer.** [7] **(forestière)** *adj.*, forest; *cf.* **forêt.** [8] **(séminariste)**, seminary student. [9] **(dortoir)**,
dormitory; *cf.* **dormir.** [10] **faire silence,** to stop talking.
[11] GRENOUILLE, frog. [12] COASSER, to croak. [13] **(rembruni)**,
darkened; *cf.* **brun.**

276

XXIX

L'HIRONDELLE

Michelet

L'hirondelle a pris possession de nos demeures[1];
elle loge[2] sous nos fenêtres, sous nos toits, dans nos
cheminées. Elle n'a point du tout peur de nous. On
dirait qu'elle se confie à son aile incomparable*;
mais non, elle met aussi son nid, ses enfants à notre 5
portée.[3] Voilà pourquoi elle est devenue la maîtresse
de la maison. Elle n'a pas seulement pris la maison,
mais notre cœur.

La maison est aux hirondelles. Où la mère a niché,[4]
nichent la fille et la petite-fille. Elles y reviennent 10
chaque année; leurs générations* s'y succèdent*
plus régulièrement que les nôtres. La famille s'é-
teint, se disperse; la maison passe à d'autres mains:
l'hirondelle y revient toujours. Elle y maintient son
droit d'occupation* . . . 15

C'est l'oiseau du retour. Si je l'appelle ainsi, ce
n'est pas seulement pour la régularité* du retour
annuel,* mais pour son allure[5] même et la direction
de son vol, si varié, mais pourtant circulaire, et qui

---

[1] (demeure), dwelling; *cf.* demeurer. [2] (loger), to lodge,
live, stay; *cf.* logis. [3] (portée), reach; *cf.* porter. [4] (nicher),
to nest; *cf.* nid, niche. [5] (allure), manner, way of flying; *cf.*
aller.

revient toujours sur lui.[1] Elle tourne sans cesse, elle
plane infatigablement autour du même espace et sur
le même lieu, décrivant une infinité* de courbes[2]
gracieuses, qui varient, mais sans s'éloigner.

5 Est-ce pour suivre sa proie,[3] le moucheron, qui
danse et flotte en l'air ? Est-ce pour exercer[4] sa
puissance, son aile infatigable sans s'éloigner du nid ?
N'importe, ce vol circulaire, ce mouvement éternel
de retour, nous a toujours pris les yeux et le cœur,
10 nous jetant dans le rêve, dans un monde de pensées.

Nous voyons bien son vol, mais presque jamais sa
petite face noire. Qui donc es-tu, toi qui te dérobes[5]
toujours, qui ne laisses voir que tes tranchantes[6] ailes,
faux rapides comme celles du Temps ?[7] Lui s'en va
15 sans cesse, toi, tu reviens toujours. Tu m'approches,
tu voudrais me toucher. Tu me caresses de si prés
que j'ai au visage le vent et presque le souffle de ton
aile. Est-ce un oiseau ? est-ce un esprit ? . . .

— *L'Oiseau*, Hachette, éditeur.

[1] **et qui revient . . . lui,** and always turning back upon itself.
[2] **(courbe)**, curve; *cf.* courber. [3] PROIE, prey. [4] **(exercer)**,
exercise. [5] SE DÉROBER, to conceal oneself, steal away.
[6] **(tranchant)**, thin-edged, keen-edged; *cf.* trancher, tranche.
[7] **Temps:** Time (referring to Father Time, with his scythe).

278

XXX

LE JARDIN DES PLANTES [1]

Coppée

Le printemps est charmant dans le Jardin des
  Plantes;
Les cris des animaux, les odeurs violentes
Des arbres et des fleurs exotiques* dans l'air,
Cette création,* sous un ciel pur et clair,
Tout cela fait penser au paradis terrestre*;
Et tout en écoutant, sous un sapin alpestre,[2]
Le grondement[3] profond des lions en courroux,[4]
On regarde, devant les naïfs[5] tourlourous,[6]
Tendant la trompe,[7] avec ses airs de gros espiègle,[8]
L'éléphant* engloutir[9] de nombreux pains de
  seigle.[10]

— *Poésies*, Lemerre, éditeur.

[1] **Le Jardin des Plantes**, the Zoo. To the famous botanical garden, established in 1626, were later added a museum of natural history and a menagerie; the **Jardin** extends along the Seine, east of the **Halles aux Vins**, on the Left Bank. [2] (**alpestre**), Alpine. [3] (**grondement**), growling, growl; *cf.* **gronder**. [4] COURROUX, anger. [5] (**naïf, naïve**), naïve, credulous; *cf.* **naïveté**. [6] TOURLOUROU, infantry private, "doughboy." [7] (**trompe**), trunk (of elephant). [8] ESPIÈGLE, mischievous; *n.*, rogue. [9] ENGLOUTIR, swallow, devour. [10] SEI-GLE, rye; **pain de seigle**, rye bread loaf.

279

XXXI

MON AMI, L'ÂNE

SAND

Il y avait à la maison un âne, le meilleur âne que
j'aie jamais connu; je ne sais s'il avait été malicieux*
dans sa jeunesse comme tous ses pareils; mais il était
vieux, très vieux: il n'avait plus ni ressentiments,*
5 ni caprices.* Il marchait d'un pas grave et mesuré;
respecté pour son grand âge et ses services, il ne re-
cevait jamais ni corrections,* ni reproches, et s'il
était le plus irréprochable* des ânes, on peut dire
aussi qu'il était le plus heureux et le plus estimé.

10 On nous mettait, Ursule et moi, chacune dans un
de ses paniers, et nous voyagions ainsi sur ses flancs
sans qu'il eût jamais la pensée de se débarrasser de
nous. Au retour de la promenade, l'âne rentrait dans
sa liberté habituelle . . .

15 Toujours errant[1] dans les cours, dans le village ou
dans la prairie[2] du jardin, il était absolument livré[3]
à lui-même, ne commettant jamais de méfaits[4] et
usant discrètement* de[5] toutes choses.

Il lui prenait souvent fantaisie[6] d'entrer dans la

[1] **errer**, to wander. [2] PRAIRIE, uncultivated *or* grass land
(*not* prairie). [3] **livré à lui-même**, left to himself. [4] (**méfait**),
misdeed; *cf.* mal + faire. [5] **user de**, to treat, avail oneself of.
[6] FANTAISIE, fancy; **il lui prenait fantaisie**, he took a fancy.

maison, dans la salle à manger et même dans l'appartement* de ma grand'mère qui le trouva un jour installé* dans son cabinet de toilette,[1] le nez sur une boîte de poudre d'iris[2] qu'il respirait d'un air sérieux et recueilli.   5

Il avait même appris à ouvrir les portes qui ne fermaient qu'au loquet,[3] d'après l'ancien système* du pays, et comme il connaissait parfaitement tout le rez-de-chaussée,[4] il cherchait toujours ma grand'-mère dont il savait bien qu'il recevrait quelque bon- 10 bon* ou morceau de sucre.

Une nuit, ayant trouvé la porte du lavoir[5] ouverte, il monta un escalier de sept ou huit marches, traversa la cuisine, le vestibule, souleva le loquet de deux ou trois pièces,[6] et arriva à la porte de la chambre à 15 coucher de ma grand'mère; mais trouvant là un verrou,[7] il se mit à gratter du pied pour avertir[8] de sa présence. Ne comprenant rien à ce bruit, et croyant qu'un voleur essayait d'ouvrir la porte, ma grand'mère sonna sa femme de chambre,[9] qui ac- 20 courut[10] sans lumière, vint à la porte et tomba sur l'âne en jetant de hauts cris.

— *Histoire de ma vie*, Calmann-Lévy, éditeur.

[1] **cabinet de toilette,** dressing room.   [2] **poudre d'iris,** orris (iris) root powder.   [3] LOQUET, latch (of door).   [4] REZ-DE-CHAUSSÉE, ground (first) floor (*lit.* level-of-street).   The **premier étage** corresponds to our second floor.   [5] **(lavoir),** washhouse, washroom; *cf.* **laver.**   [6] **pièce = chambre.**   [7] VER-ROU, bolt.   [8] AVERTIR, to warn.   [9] **femme de chambre,** chambermaid.   [10] **(accourir),** to hasten (rush) up; *cf.* **à +** **courir.**

XXXII

LES CIGOGNES [1]

HANSI

La grande joie des enfants de mon village, c'est
l'arrivée des cigognes. Tout d'abord, à la fin de
l'hiver, c'est une vieille grand'mère cigogne qui arrive la première. Tout comme les avions [2] qui
5 viennent de France, elle plane longtemps au-dessus
du village; elle se pose quelques instants sur le nid
de la maison d'école, puis elle disparaît. Elle est
partie rendre compte au peuple des cigognes que son
joli village est toujours à la même place, que le nid
10 est bien entretenu [3] et que les petits enfants d'Alsace,
tout tristes de ce long hiver, attendent avec impatience les messagères [4] du printemps . . . En Alsace,
cigognes et enfants sont unis d'une vieille tendresse.

Le moment du retour est venu: la maman cigogne,
15 pour se faire voir à tout le monde, exécute* quelques
vols planés. [5] Alors, de toutes les rues, de toutes les
maisons, s'élèvent de longs cris de joie. Les enfants
accourent de partout, les grands, les moyens, jusqu'aux tout petits dans les bras de leurs sœurs aînées. [6]
20 Tous se rassemblent sur la place en sautant de plaisir,

---

[1] CIGOGNE, stork. [2] avion, airplane. [3] (entretenu), kept
up. [4] MESSAGÈRE, messenger. [5] vol plané, volplane, soaring
flight. [6] AÎNÉ, eldest, elder.

car le printemps, à présent, ne tardera plus. Puis un grand silence se fait; les enfants se prennent par la main, forment un cercle, et, guidés* par leur vieux maître d'école qui bat la mesure, chantent en chœur la ronde de bienvenue[1] aux cigognes qu'on leur 5 chante depuis tant de siècles. La mère cigogne sur son nid semble tout heureuse; elle s'agite, cligne[2] de l'œil, et prend un air méditatif* . . .

— *Mon village*, Floury, éditeur.

XXXIII

LE FLÂNEUR [3]

(*Anonymous*)

Moi, je flâne;
Qu'on m'approuve ou me condamne !
Moi, je flâne,
Je vois tout,
Je suis partout. 5

Dès sept heures du matin
Je demande à la laitière[4]
Des nouvelles de Nanterre,[5]

---

[1] (bienvenue) *n.*, welcome; *cf.* bien + venir. [2] CLIGNER, to wink; cligner de l'œil, to wink an eye. [3] (flâneur), idler, stroller; *cf.* flâner. [4] (lait-ier, –ière), milkman (woman); *cf.* lait. [5] Nanterre: a country town some eight miles from Paris, toward St. Germain.

Ou bien du marché voisin;
Ensuite au café je flûte[1]
Un verre d'eau pectoral[2];
Puis, tout en mangeant ma flûte,[3]
5   Je dévore* le journal.
           Moi, je flâne,
                etc.

J'ai des soins très assidus[4]
Pour les *Petites Affiches*[5];
10   J'y cherche les chiens caniches[6]
Que l'on peut avoir perdus.
Des gazettes[7] qu'on renomme[8]
Je suis le premier lecteur[9];
Après je fais un bon somme
15   Sur l'éternel *Moniteur.*[10]
           Moi, je flâne,
                etc.

Pressant ma digestion,*
Je cours à la promenade,
20   Sans moi jamais de parade,*
Jamais de procession.

[1] FLÛTER, to tipple, guzzle, swig (*slang*).   [2] PECTORAL,
pectoral, good for the chest (throat); *here* to clear the throat.
[3] (flûte), a long thin roll of bread.   Normally, flûte = flute,
and flûter = to play the flute; the values here are colloquial.
[4] ASSIDU, constant, assiduous.   [5] The petites affiches are the
advertising columns (personal, want, lost-and-found, etc.).
[6] chien caniche, French poodle.   [7] GAZETTE, news sheet (more
or less personal).   [8] (renommer), to praise, extol.   [9] (lecteur),
reader; *cf.* lecture.   [10] The Moniteur universel was the official
journal of the French government (1789–1869).

Joignant aux mœurs[1] les plus sages
La gaîté, les sentiments,
Je m'invite aux mariages,
Je suis[2] les enterrements.
       Moi, je flâne,   **5**
        etc.

J'inspecte* le quai nouveau
Qu'on a bâti sur la Seine,
J'aime à voir d'une fontaine
Tranquillement couler l'eau;   **10**
Quelquefois, une heure entière,
Appuyé sur l'un des ponts,[3]
Je crache[4] dans la rivière
Pour faire de petits ronds.[5]
       Moi, je flâne,   **15**
        etc.

Sur les quais, comme un savant,
Et prudent bibliomane,[6]
Je fais devant une manne[7]
Une lecture en plein vent[8];   **20**
Si je trouve un bon ouvrage,
Je sais, en flâneur malin,[9]
Faire une corne à la page[10]

---

[1] MŒURS, habits, morals.   [2] **suis** = *pres. ind.* **suivre.**
[3] There are 31 bridges over the Seine within a distance of seven
miles in the city proper.   [4] CRACHER, to spit.   [5] (**rond**), ring,
circle; *cf.* **rond** *adj.*   [6] BIBLIOMANE, book collector (biblio-
maniac).   [7] MANNE, a large wicker basket or hamper.   [8] **en
plein vent,** in the open air.   [9] (**malin, maligne**), shrewd, sly;
cf. **mal.**   [10] **faire une corne à la page,** to turn down the corner
of the page.

Pour lire le lendemain.
Moi, je flâne,
etc.

Quand le soleil est ardent,[1]
5   Pour ne point payer de chaise,[2]
Et me reposer à l'aise
Je m'étale[3] sur un banc;
A Coblentz,[4] aux Tuileries,
Observateur* fortuné,*
10   Combien de femmes jolies
Me passent . . . devant le nez![5]
Moi, je flâne,
Je vois tout,
Je suis partout.

— *La Lyre française* (Masson), Macmillan,
éditeur.

[1] (**ardent**), scorching, blazing. [2] On promenades and in
parks, chairs are rented for a nominal fee from attendants.
[3] S'ÉTALER, to stretch (spread, sprawl) out. [4] **Coblentz:**
name given to a favorite part of the Tuileries garden, remi-
niscent of the German city, rallying place for French exiles in
1792. [5] **devant le nez,** at close range.

286

XXXIV

PÊCHEURS À LA LIGNE

Maupassant

Chaque dimanche, avant la guerre,[1] Morissot partait dès l'aurore, une canne en bambou[2] d'une main, une boîte en fer-blanc[3] sur le dos. Il prenait le chemin de fer d'Argenteuil,[4] descendait à Colombes,[4] puis gagnait à pied l'île Marante.[4] A peine arrivé 5 en ce lieu de ses rêves, il se mettait à pêcher; il pêchait jusqu'à la nuit.

Chaque dimanche, il rencontrait là un petit homme assez gros et jovial,* M. Sauvage, mercier,[5] rue Notre-Dame-de-Lorette,[6] autre pêcheur fanatique.* 10 Ils passaient souvent une demi-journée côte à côte, la ligne à la main et les pieds ballants[7] au-dessus du courant; et ils s'étaient pris d'amitié[8] l'un pour l'autre.

En certains jours, ils ne parlaient pas. Quelquefois 15

---

[1] The time is April, 1871, during the siege of Paris in the Franco-Prussian War. [2] **canne en bambou,** bamboo fishing pole. [3] (**fer-blanc**), tin. [4] **Argenteuil** is a small city on the right bank of the Seine, not far from Versailles; **Colombes** is near Argenteuil, and **Marante** island lies between the two towns. [5] mercier, haberdasher, notion dealer. [6] **Notre-Dame-de-Lorette** is north of the Seine, between the Gare du Nord and the Gare St. Lazare. [7] (**ballant**), swinging, dangling. [8] **se prendre d'amitié pour,** to take a liking to.

ils causaient; mais ils s'entendaient admirablement sans rien dire, ayant des goûts pareils et des sensations identiques.*

Au printemps, le matin, vers dix heures, quand le 5 soleil rajeuni[1] faisait flotter sur le fleuve tranquille cette petite buée[2] qui coule avec l'eau, et versait dans le dos des deux pêcheurs une bonne chaleur de saison nouvelle, Morissot parfois disait à son voisin: « Hein ! quelle douceur ! » et M. Sauvage répondait: 10 « Je ne connais rien de meilleur ! » Et cela suffisait pour se comprendre et s'estimer.

— *Deux amis. Œuvres*, Conard, éditeur.

XXXV

LES AGENTS DE POLICE

Mme Delarue-Mardrus

Les agents de police
Avec leur bâton blanc
Veulent qu'on obéisse:
Ils arrêtent l'élan[3]
Des autos* en furie,[4]
Mais dès qu'on les en prie,
Ils vous font traverser

---

[1] (rajeuni), rejuvenated; *cf.* jeune.   [2] buée, steam, vapor
[3] (élan), dash, rush; *cf.* élancer.   [4] en furie, mad.

Sans qu'on soit renversé[1];
Et si, par aventure,[2]
Un bébé* doit passer
En petite voiture,
Les agents bien appris
Arrêtent tout Paris
Pour que le bébé passe.
Il faut leur rendre grâce,[3]
Car, vraiment, les agents
Sont de bien braves gens !

— *L'École et la Vie*, Fayard, éditeur.

XXXVI

L'ATELIER [4] DES COUTURIÈRES [5]

AUDOUX

Mme Delignac revint plus tôt qu'on ne s'y attendait. Elle rapportait un énorme carton* dont le couvercle[6] se soulevait malgré les ficelles qui le retenaient.

Le patron se hâta de l'ouvrir. Il toucha les tissus* 5 avec une petite grimace de contentement.*

— De la soie, rien que de la soie, disait-il. Sa femme le repoussa:

[1] (renverser), to upset, bowl over. [2] par aventure, perchance, by chance. [3] rendre grâce, to give thanks. [4] ATELIER, workshop, workroom, studio. [5] (couturière), dressmaker; *cf.* coudre. [6] (couvercle), cover, lid; *cf.* couvrir, couverture.

— Laisse . . . tu vas tout mettre en désordre.

Puis en s'adressant à nous:

— C'est pour un mariage.

Elle sortit[1] un à un les tissus, en désignant[2] leur emploi[3]:

— Une robe noire pour la mère de la mariée . . .
Deux robes bleues pour les grandes sœurs . . . Des
robes roses pour les petites sœurs . . . Et des dentelles noires, et des dentelles blanches, et des pièces
de ruban, et des taffetas* pour doublures,[4] et des
satins* pour jupons[5] . . .

Elle sortit avec précaution le dernier tissu soigneusement[6] plié dans du papier:

— Et voilà du crêpe* de Chine* pour la robe de la
mariée.

Et sans prendre le temps d'ôter son manteau, elle
attira un mannequin[7] et prit les étoffes[8] pour les
draper* autour du buste.* Elle dépliait les dentelles
et les arrangeait, elle enroulait les rubans sur ses
doigts et les piquait d'une épingle.[9] Puis elle rejeta
le tout sur la table et ce ne fut bientôt plus qu'un
fouillis[10] de toutes couleurs.

Mes quatre compagnes[11] avaient cessé de coudre
et regardaient avec intérêt. Leurs yeux allaient

---

[1] (sortir), to take out, remove (from).   [2] DÉSIGNER, to indicate, show.   [3] (emploi), use, employment; *cf.* employer.
[4] (doublure), lining; *cf.* doubler.   [5] (jupon), petticoat; *cf.*
jupe.   [6] (soigneusement), carefully; *cf.* soin, soigner.   [7] (mannequin), dressmaker's dummy.   [8] ÉTOFFE, stuff, fabric.
[9] ÉPINGLE, pin.   [10] FOUILLIS, jumble, tangle.   [11] (compagne),
woman companion; *cf.* compagnon.

d'une couleur à l'autre et leurs mains s'avançaient
pour toucher les dentelles et les tissus soyeux.[1]
Tout à coup la pendule se mit à sonner.
Le patron se leva en disant d'un ton brusque:
— Il est midi.   5

— *L'Atelier de Marie-Claire*, Fasquelle,
                                                  éditeur.

XXXVII

UN JEUNE MÉNAGE

Curie

Premiers jours de l'existence* commune...
Pierre et Marie[2] traversent, sur leurs fameuses bicy-
clettes,* les routes de l'Ile-de-France.[3] Ils déjeunent
assis sur la mousse des clairières,[4] d'un peu de pain
et de fromage, de pêches,[5] de cerises.[6] Chaque soir, 10
ils s'arrêtent au hasard dans une auberge inconn-
ue... Au prix de quelques francs, qui paient les
chambres dans les villages, et de milliers[7] de coups

---

[1] (soyeux), silk, silken; *cf.* soie.   [2] Mlle Eve Curie is writing of the first days of the married life of her famous parents,
Pierre Curie, discoverer of radium (1899), and his wife and
associate, Marie Slodovska Curie.   [3] Ile-de-France, the ancient province of which Paris was the capital.   [4] (clairière),
clearing; *cf.* clair.   [5] PÊCHE, peach.   [6] CERISE, cherry.
[7] (millier) *n.*, a thousand; *cf.* mille.

de pédales,* ils s'accordent,[1] pendant des nuits et des jours enchantés, le luxe[2] de la solitude* à deux.[3]

Aujourd'hui, laissant leurs machines dans une maison de paysans, Pierre et Marie ont quitté la 5 grand'route et ils sont partis au hasard d'un sentier,[4] n'emportant qu'une petite boussole,[5] des fruits. Pierre va devant, à longues enjambées,[6] et Marie le suit sans fatigue. Elle est tête nue.[7] Elle porte un corsage blanc assez joli, de gros[8] souliers et, autour 10 de la taille, une ceinture de cuir, pratique et peu gracieuse, qui contient dans ses poches un canif, de l'argent, une montre . . .

Sans même se retourner pour chercher le regard de sa femme, Pierre poursuit à haute voix une médita-15 tion* intérieure et parle d'un difficile travail de cristallographie.[9] Il sait que Marie l'entend, et que ce qu'elle va répondre sera intelligent, utile, original.* Elle aussi a de grands projets. Elle veut préparer le concours d'agrégation[10] et il est presque certain que 20 le directeur* de l'École de Physique[11] lui accordera l'autorisation* de faire des recherches dans le même

---

[1] (accorder), to allow, grant. [2] LUXE, luxury. [3] à deux, for two. [4] SENTIER, path, trail. [5] BOUSSOLE, compass. [6] (enjambée), stride; cf. jambe. [7] tête nue, bareheaded. [8] (gros), coarse. [9] cristallographie, the science that deals with the form of crystals. [10] (concours), competition; cf. concurrent, con- + courir. The concours d'agrégation is a competitive examination for a fellowship (agrégé, fellow in a university). [11] École de Physique: a municipal school (not part of the University of Paris), preparing chemists and physicists for work in industry.

laboratoire* que Pierre. Vivre ensemble constamment ! Ne jamais se quitter ! . . .

— *Madame Curie*, Nouvelle Revue française, éditeur.
[American edition, Doubleday, Doran & Company]

XXXVIII

CE QUE DIT LA PLUIE

Richepin

M'a dit la pluie[1]: « Écoute
Ce que chante ma goutte,
Ma goutte au chant perlé. »[2]
Et la goutte qui chante
M'a dit ce chant perlé;   **5**
« Je ne suis pas méchante,[3]
Je fais mûrir[4] le blé.

Ne fais pas triste mine,[5]
J'en veux à[6] la famine.*
Si tu tiens à[7] ta chair,[8]   **10**
Bénis[9] l'eau qui t'ennuie

[1] The rain is speaking to a tramp on the highway. [2] **(perlé)**, pearled, set with pearls. [3] **méchant**, bad, wicked, evil. [4] **(mûrir)**, to ripen; *cf.* **mûr.** [5] **mine**, countenance, look; **faire triste mine**, to look sad. [6] **en vouloir à**, to bear a grudge against. [7] **tenir à**, to prize, value highly, care for. [8] **chair**, flesh. [9] **(bénir)**, to bless; *cf.* **bénédiction.**

293

Et qui glace ta chair;
Car c'est grâce à la pluie
Que le pain n'est pas cher. »

5   Le ciel toujours superbe
    Serait la soif à l'herbe
    Et la mort aux épis.[1]
    Quand la moisson est rare
    Et le blé sans épis
10 Le paysan avare
    Te dit: « Crève, eh ! tant pis ! »

    Mais quand avril se brouille,[2]
    Que[3] son ciel est de rouille,[4]
    Et qu'il[3] pleut comme il faut,
    Le paysan bonasse[5]
15 Dit à sa femme: « Il faut
    Lui remplir sa besace,[6]
    Lui remplir jusqu'en haut. »

    M'a dit la pluie: « Écoute
    Ce que chante ma goutte,
20 Ma goutte au chant perlé. »
    Et la goutte qui chante
    M'a dit ce chant perlé:
    « Je ne suis pas méchante,
    Je fais mûrir le blé. »

— *Les Chansons des Gueux,*[7] Fasquelle, éditeur.

[1] ÉPI, head (of grain). [2] (se brouiller), to become confused, break up (of weather); *cf.* brouillis, brouillard. [3] que = quand. [4] (rouille), rust; *cf.* rouiller, dérouiller. [5] (bonasse), good-humored; *cf.* bon, bonhomme. [6] BESACE, a double sack closed at both ends, with opening in the center, carried over the shoulder by beggars. [7] GUEUX, beggar, vagabond, tramp.

L'Été

XXXIX

L'ÉTÉ

Hugo

Quand l'été vient, le pauvre adore.
L'été, c'est la saison de feu.
C'est l'air tiède[1] et la fraîche aurore;
L'été, c'est le regard de Dieu.

* * *

L'été, la nature éveillée   5
Partout se répand en tous sens:
Sur l'arbre, en épaisse feuillée,[2]
Sur l'homme, en bienfaits[3] caressants.

* * *

Elle donne vie et pensée
Aux pauvres de l'hiver sauvés,   10
Du soleil à pleine croisée,[4]
Et le ciel pur qui dit: Vivez !

* * *

[1] TIÈDE, tepid, mild. [2] (feuillée), foliage; *cf.* feuille, feuillage. [3] (bienfait), kindness, service, blessing; *cf.* bienfaisant.
[4] (croisée), casement window; *cf.* croix, croiser. **Du soleil à
pleine croisée,** Sunlight in windowfuls.

L'ÉTÉ

Alors la masure[1] — où la mousse
Sur l'humble chaume[2] a débordé —
Montre avec une fierté[3] douce
Son vieux mur de roses brodé.

* * *

Alors l'âme du pauvre est pleine.   5
Humble,* il bénit ce Dieu lointain,
Dont il sent la céleste[4] haleine
Dans tous les souffles du matin !

L'air le réchauffe[5] et le pénètre.
Il fête[6] le printemps vainqueur.   10
Un oiseau chante à sa fenêtre,
La gaieté chante dans son cœur !

* * *

— *Dieu est toujours là. Les Voix intérieures,*
Hetzel, éditeur.

XL

UN SOIR DE FENAISON[7]

Moselly

Dans une grande prairie qui descendait en pente
vers la rivière, un homme fauchait.[8] Posé solide-

---

[1] masure, hovel, hut.   [2] (chaume), straw thatch; *cf.* chaumière.   [3] (fierté), pride; *cf.* fier.   [4] (céleste), celestial; *cf.*
ciel.   [5] (réchauffer), to warm (up) again; *cf.* chaud, chauffer,
réchaud.   [6] (fêter), to celebrate, welcome; *cf.* fête.   [7] fenaison, haymaking, hay harvest; *cf.* moisson.   [8] (faucher), to
mow, reap; *cf.* faux, faucheur.

ment sur ses jambes et les genoux pliés, son buste*
allait et venait de droite à gauche, d'un mouvement
mesuré, tandis que la faux coupante passait dans
l'herbe épaisse. Chaque fois, il avançait d'un pas;
5 derrière lui, les herbes abattues couvraient la
terre.

S'étant arrêté pour respirer un peu, il s'appuya
sur le manche de sa faux. La sueur ruisselait[1] de
son front bruni[2] par l'air vif et chaud. Alors, s'étant
10 baissé, il prit un baril[3] de chêne caché dans une
touffe[4] d'herbes, et il but longuement, la tête renversée en arrière, laissant tomber dans sa bouche
grande ouverte le filet de vin rouge. Le col de sa
chemise de toile rude entr'ouvert laissait voir sa poi-
15 trine velue[5]; il souffla bruyamment.[6]

De temps en temps, une voiture passait, chargée
de foin, se balançant lentement dans les cahots.[7] Un
homme marchait à côté, appuyant sa fourche[8] sur
le flanc de la voiture, prêt à donner un coup d'épaule[9]
20 au moindre danger.

Tout en haut, des filles, couchées sur le foin sec et
craquant, montraient seulement leurs têtes coiffées[10]
d'un bonnet fin. Elles riaient de joie, doucement
balancées par l'allure lente de la voiture, et pous-

---

[1] (ruisseler), to stream, trickle, drip; *cf.* ruisseau. [2] (brunir), to brown, tan; *cf.* brun, rembruni. [3] BARIL, keg, cask
(small). [4] TOUFFE, tuft. [5] VELU, hairy. [6] (bruyamment),
noisily, heavily (of breathing); *cf.* bruit, bruyant. [7] (cahot),
rut, bump (of road); *cf.* cahot, jolt, cahoter. [8] (fourche),
fork, hayfork, pitchfork; *cf.* fourchette. [9] coup d'épaule,
shove with the shoulder. [10] COIFFER, to cover (the head).

sai ent de petits cris d'effroi[1] quand un cahot arrivait
plus fort que les autres.

Sur le passage de la voiture, la rue restait jonchée[2]
d'herbes sèches exhalant* cette odeur douce qui fait
rêver longuement.   5

— *Jean-des-Brebis*, Plon, éditeur.

XLI

UNE NUIT À LA BELLE ÉTOILE

DAUDET

La nuit était venue tout à fait. Il ne restait plus
sur le sommet des montagnes qu'une poussière de
soleil, une vapeur de lumière du côté du couchant.[3]
Je voulus que notre demoiselle[4] entrât se reposer
dans le parc.[5] Ayant étendu sur la paille fraîche une 10
belle peau toute neuve, je lui souhaitai la bonne nuit,
et j'allai m'asseoir dehors devant la porte . . . Jamais
le ciel ne m'avait paru si profond, les étoiles si bril-
lantes . . . Tout à coup, la porte s'ouvrit et la belle
Stephanette parut. Elle ne pouvait pas dormir. 15
Les bêtes faisaient craquer la paille en remuant, ou

[1] (effroi), fright; *cf.* **effrayer, effroyable.** [2] JONCHER, to
strew. [3] (couchant) *n.*, sunset; *cf.* **coucher.** [4] The shepherd
refers to his master's daughter, Stephanette, forced to spend
the night upon the mountain because of storm and delays.
[5] (parc), sheepfold (usually made of wattles).

299

bêlaient[1] dans leurs rêves. Elle aimait mieux venir
près du feu. Voyant cela, je lui jetai ma peau de
chèvre sur les épaules, je ranimai la flamme, et nous
restâmes assis l'un près de l'autre sans parler.

5 Si vous avez jamais passé la nuit à la belle étoile,
vous savez qu'à l'heure où nous dormons, un monde
mystérieux s'éveille dans la solitude et le silence.
Alors les sources[2] chantent bien plus clair, les
étangs[3] allument de petites flammes. Tous les es-
10 prits de la montagne vont et viennent librement;
et il y a dans l'air des frôlements,[4] des bruits imper-
ceptibles,* comme si l'on entendait les branches
grandir, l'herbe pousser. Le jour, c'est la vie des
êtres[5]; mais la nuit, c'est la vie des choses. Quand
15 on n'en a pas l'habitude, ça fait peur . . . Aussi notre
demoiselle était toute frissonnante et se serrait contre
moi au moindre bruit. Une fois, un cri long, mélancolique, parti de l'étang qui reluisait plus bas, monta
vers nous en ondulant.[6] Au même instant une belle
20 étoile filante[7] glissa par-dessus nos têtes dans la
même direction, comme si cette plainte que nous
venions d'entendre portait une lumière avec elle.

— Qu'est-ce que c'est? me demanda Stephanette
à voix basse.

25 — Une âme qui entre en paradis, maîtresse; et je
fis le signe de la croix.

---

[1] BÊLER, to bleat. [2] SOURCE, spring, pool. [3] ÉTANG, pool,
pond. [4] (frôlement), rustling. [5] (être) *n.*, being; *cf.* être *v.*
[6] (onduler), undulate, ripple. [7] étoile filante, falling star,
shooting star.

Elle se signa[1] aussi, et resta un moment la tête en l'air, très recueillie. Puis elle me dit:

— C'est donc vrai, berger, que vous êtes sorciers,[2] vous autres ?

— Pas du tout, notre demoiselle. Mais ici nous 5 vivons plus près des étoiles, et nous savons ce qui s'y passe mieux que les gens de la plaine.

— *Les Étoiles. Lettres de mon moulin,* Flammarion, éditeur.

XLII

AU PASSAGE DE L'AUTOMOBILE

MIRBEAU

Rien de plus divers[3] que la façon des animaux de se conduire au passage des autos. Elle instruit[4] sur leur caractère et le degré* de leur intelligence* . . . 10

Le cheval est stupide ! Il a peur de la lumière, de l'ombre, de son ombre, de l'ombre de celui qui le mène; il a peur d'un bout de papier, d'un sac d'avoine tombé, d'un morceau de verre qui brille, d'un rayon de lune dans une flaque[5] d'eau, d'un reflet de feuille 15 qui bouge . . . Ce n'est que quand l'automobile,

---

[1] (**se signer**), to make the sign of the cross; *cf.* **signe.** [2] SOR-CIER, sorcerer, wizard. [3] (**divers**), diverse, different. [4] (**in-struire**), to instruct, teach; *cf.* **instruit** *adj.,* **instruction.**
[5] FLAQUE, puddle.

qu'il n'a ni devinée, ni prévue,[1] le frôle,[2] qu'il se jette brusquement de côté, se dresse sur les pieds de derrière, rompt son attelage,[3] et renverse choses, gens, voiture et lui-même, dans le fossé . . .

5   Les jeunes porcs,[4] si roses, si gais, si jolis, accompagnent l'auto, en galopant* joyeusement le long des berges. Ils ne traversent jamais . . . C'est une joie de voir ces petits êtres charmants se suivre et nous suivre, le groin[5] en avant, les oreilles battantes,
10 la queue[6] qui frétille[7] . . .

Les ânes passent tranquillement de leur petit trot* raisonnable,[8] regardant la machine sans peur. Mieux que les chevaux, ils savent bien tenir tête à[9] l'affolement[10] de leurs conducteurs.[11] Bêtes d'une admirable
15 sagesse,[12] dont la tête est solide, le pied sûr, le caractère digne et bon . . .

Les poules[13] sont absurdes* . . . Elles se laissent écraser pour la joie de picorer,[14] un instant de plus, sur le sol nu de la route, on ne sait quoi, le plus sou-
20 vent les seuls cailloux.[15] On dirait qu'elles ne traversent que pour le plaisir de se faire heurter[16] au radiateur.* Si, par hasard, elles l'ont évité, ce n'est

---

[1] (prévoir), to foresee; cf. pre- + voir.   [2] (frôler), to graze (brush) against; cf. frôlement.   [3] (attelage), harness; cf. attelage, team, atteler.   [4] porc, pig; cf. Eng. pork.   [5] GROIN, snout.   [6] queue, tail.   [7] FRÉTILLER, to wriggle.   [8] (raisonnable), rational; cf. raison.   [9] tenir tête à, to oppose, resist.   [10] (affolement), panic; cf. fou (fol), folie.   [11] (conducteur), driver; cf. conduire.   [12] (sagesse), wisdom; cf. sage.   [13] poule, hen.   [14] PICORER, to peck; cf. piquer.   [15] CAILLOU, pebble.   [16] HEURTER, to knock (run, fly) against (into).

que pour mieux se casser la tête contre un poteau[1]
télégraphique,[2] un tronc d'arbre, un mur, s'envoler
dans la haie où j'en ai vu laisser toutes leurs
plumes . . .

Mais ce sont les oies surtout que je voudrais ré- 5
tablir dans leurs droits . . . Sur la route, quand passe
une auto, les oies ne manquent jamais de se ranger
de côté sans désordre, sans le moindre signe d'effroi.
Elles s'alignent, l'une près de l'autre, sur le bord de
la berge, et, fâchées un peu, très dignes, elles disent 10
leur fait[3] à ces importuns[4] qui les dérangent . . .

— *La 628 E. 8.*, Fasquelle, éditeur.

XLIII

A LA GARE[1]

LABICHE

L'Employé, Perrichon,[5] Mme Perrichon, Henriette.
Ils entrent de la droite

Perrichon. Par ici ! . . . Ne nous quittons pas !
nous ne pourrions plus nous retrouver . . . Où sont

---

[1] poteau, post. [2] (télégraphique), telegraph, *adj.; cf.*
télégraphe, télégramme. [3] dire son fait, to give a piece of
one's mind. [4] importun, meddler, nuisance. [5] Perrichon, a
retired carriage maker, is taking his family on a long-discussed
trip to Switzerland. They are unused to travel.

nos bagages ? . . . (*Regardant à droite; à la coulisse.*)
Ah ! très bien ! Qui est-ce qui a les parapluies ?[1] . . .

HENRIETTE. Moi, papa.

PERRICHON. Et le sac de nuit ![2] . . . les man-
5 teaux ? . . .

MME PERRICHON. Les voici !

PERRICHON. Et mon panama ?* . . . Il est resté
dans le fiacre ! (*Faisant un mouvement pour sortir et
s'arrêtant.*) Ah ! non ! je l'ai à la main ! . . . Dieu,
10 que j'ai chaud ! . . .

MME PERRICHON. C'est ta faute ! . . . tu nous
presses, tu nous bouscules ![3] . . . je n'aime pas voyager comme ça !

PERRICHON. C'est le départ qui est laborieux*
15 . . . une fois que nous serons casés ![4] . . . Restez là,
je vais prendre les billets[5] . . . (*Donnant son panama
à Henriette.*) Tiens, garde-moi mon panama . . .
(*Au guichet.*[6]) Trois premières[7] pour Lyon ! . . .

L'EMPLOYÉ, *brusquement.* Ce n'est pas ouvert !
20 Dans un quart d'heure !

PERRICHON, *à l'employé.* Ah ! pardon ! c'est la
première fois que je voyage . . . (*Revenant à sa
femme.*) Nous sommes en avance.[8]

MME PERRICHON. Là ! quand je te disais que nous
25 avions le temps ! . . . Tu ne nous as pas laissées déjeuner !

---

[1] (parapluie), umbrella; *cf.* para (pour) + pluie. [2] sac de
nuit, traveling bag. [3] BOUSCULER, to jostle, hustle. [4] CASER,
to stow away. [5] (billet), ticket; *cf.* billet, note. [6] GUICHET,
wicket, ticket window. [7] Trois premières, Three first-class
tickets. [8] être en avance, to be ahead of time.

PERRICHON. Il vaut mieux être en avance ! . . . on examine la gare ! (*A Henriette.*) Eh bien ! petite fille, es-tu contente ? Nous voilà partis ! . . . encore quelques minutes, et rapides comme la flèche de Guillaume Tell,[1] nous nous élancerons vers les 5 Alpes ! (*A sa femme.*) Tu as pris ta lorgnette ?[2]

MME PERRICHON. Mais, oui !

HENRIETTE, *à son père.* Sans reproches, voilà deux ans que tu nous promets ce voyage.

PERRICHON. Ma fille, il fallait que j'eusse vendu 10 mon fonds[3] . . . Un commerçant[4] ne se retire pas aussi facilement des affaires qu'une petite fille de son pensionnat[5] . . . D'ailleurs, j'attendais que ton éducation fût terminée pour la compléter* en faisant rayonner[6] devant toi le grand spectacle de la nature ! 15

MME PERRICHON. Ah çà ! est-ce que vous allez continuer comme ça ? . . .

PERRICHON. Quoi ? . . .

MME PERRICHON. Vous faites des phrases[7] dans une gare !   20

PERRICHON. Je ne fais pas de phrases . . . j'élève les idées de l'enfant. (*Tirant de sa poche un petit carnet.*[8]) Tiens, ma fille, voici un carnet que j'ai acheté pour toi.

[1] Switzerland reminds Perrichon of the legend of William Tell (fourteenth century), condemned by Gessler to shoot an apple from his son's head with his bow and arrow. [2] LORGNETTE, opera glasses. [3] (**fonds**), business. [4] (**commerçant**), merchant, tradesman; *cf.* **commerce.** [5] PENSIONNAT, boarding school. [6] (**rayonner**), to radiate, shine; *cf.* **rayon, rayant.** [7] **faire des phrases,** to speak in flowery language. [8] CARNET, notebook.

HENRIETTE. Pour quoi faire ? . . .

PERRICHON. Pour écrire d'un côté la dépense, et de l'autre les impressions.*

HENRIETTE. Quelles impressions ? . . .

5 PERRICHON. Nos impressions de voyage ! Tu écriras, et moi, je dicterai.

MME PERRICHON. Comment ! vous allez vous faire auteur[1] à présent ?

PERRICHON. Il ne s'agit pas de me faire auteur . . . 10 mais il me semble qu'un homme du monde peut avoir des pensées et les recueillir dans un carnet !

MME PERRICHON. Ce sera bien joli !

PERRICHON, *à part.* Elle est comme ça, chaque fois qu'elle n'a pas pris son café !

15 UN FACTEUR,[2] *poussant un petit chariot chargé de bagages.* Monsieur, voici vos bagages. Voulez-vous les faire enrégistrer ?* . . .

PERRICHON. Certainement ! Mais avant, je vais les compter . . . parce que, quand on sait son 20 compte . . . Un, deux, trois, quatre, cinq, six, ma femme, sept, ma fille, huit, et moi, neuf. Nous sommes neuf.

LE FACTEUR. Enlevez ![3]

PERRICHON, *courant vers le fond.* Dépêchons-25 nous !

LE FACTEUR. Pas par là ! c'est par ici ! (*Il indique la gauche.*)

PERRICHON. Ah ! très bien ! (*Aux femmes.*) At-

---

[1] auteur, author. [2] (facteur), porter; *cf.* facteur, postman.
[3] (enlever), to remove, take away.

tendez-moi là ! . . . ne nous perdons pas ! (*Il sort en courant, suivant le facteur.*)

— *Le Voyage de M. Perrichon*, Acte I, scène 2.

XLIV

LE PETIT TRAIN

Renard

Le petit train d'utilité* locale*[1] nous emmène, sorte de jouet[2] mécanique* assez solide pour porter une douzaine de voyageurs et quelques paniers de 5 poisson.

Il s'arrête quand il veut, quand les voyageurs lui font signe. L'administration* a jugé inutile de tendre des fils de fer de chaque côté de la voie. Au passage à niveau,[3] point de barrière[4]; le train donne aux 10 rares voitures le temps nécessaire, regarde prudemment[5] à droite et à gauche, siffle longuement, s'assure* qu'il n'y a plus personne, et repart.[6]

« Il n'est pas méchant ! » dit l'employé, « il n'a jamais écrasé une mouche ! » 15

---

[1] **train d'utilité locale,** a local train, carrying both passengers and freight. [2] **jouet,** toy; *cf.* jouer, joueur. [3] **passage à niveau,** grade crossing. [4] (**barrière**), barrier, crossing gate; *cf.* **barre, barrer.** [5] (**prudemment**), prudently; *cf.* **prudent, prudence.** [6] (**repartir**), to leave again; *cf.* **partir.**

A chaque gare, il s'amuse, lâche un wagon,[1] en accroche[2] un autre, fait semblant de manœuvrer,* et, vite essouflé,[3] satisfait sa soif à la prise[4] d'eau.

Le médecin du canton, dont la clientèle* est dis-5 persée sur la ligne, fait ses visites aux stations* entre l'arrivée et le départ. Il saute de wagon, arrache une dent, tâte[5] un pouls,[6] et accourt en agitant son chapeau. Le chef de gare[7] siffle, le chef de train[8] siffle aussi; la locomotive* siffle à son tour, et le petit 10 train familier* se met en route.

Il parcourt ainsi une dizaine[9] de lieues dans son après-midi sans se déranger. Dans les prairies, les courtes vaches regardent passer ce long animal noir qui s'en va et revient tous les jours aux mêmes 15 heures, et qu'on ne laisse jamais au pâturage.[10]

Aussitôt arrivée au bout de son trajet,[11] la ma-chine[12] laisse là le petit train et s'en va . . .

— *L'Écornifleur,*[13] Albin Michel, éditeur.

---

[1] WAGON, railway car.   [2] (accrocher), to hook on; *cf.* **croc, crochet.**   [3] (essouflé), breathless, out of breath; *cf.* **souffle, souffler.**   [4] (prise), taking; *cf.* **prendre; prise d'eau,** water intake.   [5] TÂTER, to feel (with fingers).   [6] POULS, pulse.   [7] **chef de gare,** station master.   [8] **chef de train,** train guard.   [9] (dizaine), about ten; *cf.* **douzaine, vingtaine.**   [10] PÂTURAGE, pasturage, pasture.   [11] TRAJET, journey (by railway).   [12] (**machine**), engine.   [13] ÉCORNIFLEUR, *fam.* sponger, sucker.

XLV

UNE VOIX SUR LA TERRASSE

GÉRALDY

... Non, là, sous les sapins. Oui, venez. Il fait
  frais,[1]
presque froid. J'aime ça. C'est bon. On est si
  bien ![2]
Il y a des Iouleurs[3] dans le grand hall,* des vrais ! 5
Tout l'hôtel est là-bas. Maman ne saura rien.
Nous avons tout ce soir à nous deux seuls.[4] D'ailleurs,
il ne viendra personne ici de la soirée:
tous les Américains* raffolent[5] des Iouleurs ...   10

Vous me trouvez un peu libre, un peu ... délurée ?[6]
Oui, c'est ça, délurée ... Hein ? non ? ... Oh ! le
  menteur !
Vrai, vous ne trouvez pas ?[7] Vous pouvez bien le
  dire,   15
allez ![8] Je le sais bien ... C'est que l'air est si doux !
On n'est pas ici comme ailleurs ... Ça vous fait
  rire ? ...
Puis, j'ai vraiment beaucoup d'affection* pour vous.
Nous nous ressemblons tant ! ... Et puis, c'est les 20
  vacances ! ...

---

[1] faire frais, to be cool.   [2] être bien, to be comfortable.
[3] Iouleurs, yodelers.   [4] à nous deux seuls, alone by ourselves.
[5] (raffoler), to be mad about (de); cf. affolement.   [6] DÉLURÉ,
wide-awake, knowing.   [7] Vrai, vous ne trouvez pas ? Really,
you don't think so ?   [8] allez ! go on (ahead) !

Quand nous serons partis, dites ! vous m'écrirez ?
Je vais tant m'ennuyer ! J'ai plus froid quand j'y
    pense.
Oui, c'est la fin. Dans quelques jours on va rentrer,
5 et ce sera Paris, maman, les thés,[1] la noce
d'Alice, mon piano,* mes leçons de maintien[2] . . .
Si vous saviez ! . . . Oui, vous, vous me comprenez
    bien . . .
Oh ! comme vous avez les mains chaudes !
10   . . . On vient !
Chut ! . . . Non, c'est la Fraulein[3] qui va coucher[4]
    ses gosses.[5]

Comme il fait doux ![6] Vous entendez les Tyroliens ?*
On se croirait dans un cinquième acte.[7] C'est noir
15 en bas. Mais voyez donc, sur le col,[8] le beau ciel !
J'étouffe un peu. C'est cette musique, à l'hôtel,
    là . . . Et puis l'Alpen glühn[9] était si beau, ce
    soir ! . . .
La nuit monte de la vallée, et l'ombre gagne
20 les alpages.[10] C'est une ivresse de douceur.
Mais regardez comme il fait bleu[11] sur la montagne !
Oh ! ce bleu, tout ce bleu ! je ne sais pas, j'ai peur . . .
Il me semble que j'ai tout ce bleu dans mon cœur.
Oh ! oui, vos lèvres, oui . . . Là. Je suis bien . . .
25   Encore ! . . .

---

[1] **thé,** tea. [2] (**maintien**), deportment; *cf.* **maintenir.**
[3] *Fraulein* (Ger.), "Miss," is commonly used of German nurse-
maids, in France. [4] (**coucher**), to put to bed; *cf.* **se coucher.**
[5] gosse, *pop.* brat, kid. [6] **faire doux,** to be mild. [7] Referring, perhaps, to the usual operatic *finale* of the last act.
[8] (**col**), a high mountain pass; *cf.* **col,** collar. [9] *Alpen glühn*
(Ger.), Alpine glow. [10] (**alpage**), Alpine pasture. [11] **comme
il fait bleu,** how blue it is getting.

Mon ami, sentez-vous comme je suis petite,
et comme tous ces bruits deviennent plus so-
  nores ?* . . .
les pas, les voix . . . Mais regardez, regardez vite !
Voici l'Anglaise[1] avec son flirt,[2] sur la terrasse,   5
Ils s'en vont jusqu'au bout, là-bas, où c'est si noir,
tout seuls ! . . . Vous les voyez ? Croyez-vous qu'ils
  s'embrassent ?
Je donnerais tous mes edelweiss[3] pour savoir.

— *Les petites âmes*, Vanier, éditeur.

XLVI

SI J'ÉTAIS RICHE

ROUSSEAU

Si j'étais riche . . . sur la pente de quelque agréable
colline bien ombragée,[4] j'aurais une petite maison
rustique, une maison blanche avec des volets verts;
et quoiqu'une couverture[5] de chaume soit en toute
saison la meilleure, je préférerais la tuile,[6] parce   5
qu'elle a l'air plus propre et plus gai que le chaume,
qu'on[7] ne couvre pas autrement les maisons dans

---

[1] (**Anglaise**), Englishwoman. [2] *flirt* (Eng.), beau, flame.
[3] *edelweiss* (Ger.), a mountain flower, sort of immortelle, grow-
ing at high altitudes in the Alps. [4] (**ombragé**), shaded; *cf.*
ombrage, ombre. [5] (**couverture**), covering; *cf.* **couvrir, couvert, couvercle.** [6] TUILE, tile. [7] **que = parce que.**

mon pays, et que[1] cela me rappellerait un peu l'heureux temps de ma jeunesse.

J'aurais une basse-cour,[2] et une étable[3] avec des vaches pour avoir du lait et du fromage que j'aime
5 beaucoup. J'aurais un jardin potager,[4] et un joli verger[5]... Les fruits, à la libre disposition* des promeneurs, ne seraient ni comptés, ni cueillis par mon jardinier...

Là, je rassemblerais une société, plus choisie que
10 nombreuse, d'amis aimant le plaisir et s'y connaissant,[6] des femmes qui puissent sortir de leurs fauteuils[7] et se prêter aux jeux champêtres,[8] prendre quelquefois, au lieu des cartes, la ligne, le râteau[9] des faneuses, et le panier des vendangeuses. Là, tous
15 les airs de la ville seraient oubliés, et, devenus villageois[10] au village, nous nous trouverions livrés[11] à des foules[12] d'amusements divers qui ne nous donneraient chaque soir que l'embarras du choix pour le lendemain. L'exercice* et la vie active nous fe-
20 raient un nouvel estomac et de nouveaux goûts. Tous nos repas seraient des banquets,* où l'abondance* plairait plus que la délicatesse.[13] La gaieté, les travaux rustiques, les jeux joyeux sont les premiers cuisiniers du monde.

---

[1] *See* p. 311, n. 7.   [2] (basse-cour), poultry yard.   [3] ÉTABLE, stable.   [4] **jardin potager,** vegetable (kitchen) garden.   [5] VERGER, orchard.   [6] **se connaître à (en),** to be a good judge of, know all about.   [7] FAUTEUIL, armchair.   [8] (**champêtre**), country; *cf.* **champs, campagne.**   [9] RÂTEAU, rake.   [10] (**villageois**), villager; *cf.* **village.**   [11] (**livrer**), to give up, deliver.   [12] **foule,** crowd, host.   [13] (**délicatesse**), delicacy; *cf.* **délicat.**

La salle à manger serait partout, dans le jardin, dans le bateau, sous un arbre, quelquefois au loin, près d'une source, sur l'herbe verte et fraîche, sous des arbres. On aurait le gazon[1] pour table et pour chaise. Les bords de la fontaine serviraient de buf- 5 fet, et le dessert* pendrait aux arbres . . .

S'il passait près de nous quelque paysan retournant au travail, ses outils[2] sur l'épaule, je lui réjouirais[3] le cœur par quelques bons propos,[4] par quelques coups de bon vin qui lui feraient porter plus gaiement 10 sa misère; et moi, j'aurais aussi du plaisir, et je me dirais en secret: « Je suis encore un homme. »

— *Émile*, Livre **IV.**

XLVII

LE CHALAND

Verhaeren

Sur l'arrière de son bateau,
Le batelier[5] promène
Sa maison naine[6]
Par les canaux.[7]

---

[1] GAZON, lawn. [2] OUTIL, tool. [3] (réjouir), to cheer, delight, gladden; *cf.* **joie, joyeux.** [4] (propos), remark; *cf.* **proposer, proposition.** [5] (batelier), boatman; *cf.* **bateau.** [6] NAIN, dwarf, pygmy. [7] CANAL (*pl.* **canaux**), canal. Flanders, Belgium, and Holland are linked with a network of barge canals, forming an important means of local transport.

Elle est joyeuse, et nette, et lisse,[1]
Et glisse
Tranquillement sur le chemin des eaux.
Cloisons[2] rouges et porte verte,
5   Et frais et blancs rideaux
Aux fenêtres ouvertes.

Et, sur le pont,[3] une cage d'oiseau
Et deux baquets[4] et un tonneau;
Et le roquet,[5] qui vers les gens aboie,
10   Et dont l'écho renvoie
La colère vaine vers le bateau.

Le batelier promène
Sa maison naine
Sur les canaux,
15   Qui font le tour de la Hollande,
Et de la Flandre et du Brabant.[6]

Il transporte ses cargaisons,
Par tas plus hauts que sa maison:
Sacs de pommes vertes et blondes,
20   Fèves[7] et pois,[8] choux et raiforts,[9]
Et quelquefois des seigles d'or
Qui arrivent du bout du monde.

— *Toute la Flandre, II.* Mercure de France,
éditeur.

---

[1] LISSE, smooth, glossy, sleek. [2] CLOISON, bulkhead; *cf.*
clos. [3] (pont), deck. [4] BAQUET, wooden bucket (for fire
protection). [5] ROQUET, dog (mongrel), cur. [6] **Brabant: a**
Belgian province, of which Brussels is the capital. [7] FÈVE,
bean. [8] POIS, pea. [9] RAIFORT, horse-radish.

XLVIII

VILLAGE EN TOURAINE[1]

Balzac

Ne me demandez plus pourquoi j'aime la Touraine; je ne l'aime ni comme on aime son berceau,[2] ni comme on aime une oasis* dans un désert*; je l'aime comme un artiste* aime l'art . . .

Imaginez-vous trois moulins posés parmi des îles 5 gracieusement découpées, couronnées[3] de quelques bouquets[4] d'arbres au milieu d'une prairie d'eau; quel autre nom donner à ces végétations* aquatiques,* si vivaces,[5] si bien colorées,* qui tapissent[6] la rivière, surgissent[7] au-dessus, ondulent avec elle, 10 se laissent aller à ses caprices et se plient aux tempêtes de la rivière battue par la roue des moulins? Çà et là, s'élèvent des masses de sable et de cailloux sur lesquelles l'eau se brise[8] en y formant des franges[9] où reluit le soleil. Les amaryllis,* le lys[10] d'eau, les 15 joncs,[11] les flox* décorent* les bords de leurs magni-

---

[1] **Touraine:** an ancient province of central France, having as its capital Tours, on the banks of the Loire; it is in the heart of the Châteaux region (Amboise, Azay-le-Rideau, Chinon, Loches). [2] BERCEAU, cradle. [3] (**couronner**), to crown; cf. couronne. [4] (bouquet), clump. [5] (vivace), hardy; cf. **vivre.** [6] (tapisser), to carpet, hang with tapestry; cf. **tapis.** [7] SURGIR, to surge, appear. [8] **briser,** to break. [9] FRANGE, fringe. [10] LYS, lily. [11] JONC, rush.

fiques tapisseries.[1] Un pont tremblant composé* de poutres pourries,[2] dont les piles* sont couvertes de fleurs, dont les garde-fous[3] plantés d'arbres vivaces et de mousses se penchent sur la rivière et ne tombent
5 point; des barques usées,[4] des filets de pêcheur, le chant monotone d'un berger, les canards qui errent entre les îles; des garçons meuniers,[5] le bonnet sur l'oreille, occupés à charger leurs mulets[6]; chacun de ces détails rend cette scène d'une naïveté surpre-
10 nante.[7]

Imaginez au delà du[8] pont deux ou trois fermes, un colombier,[9] des pigeons,* une trentaine[10] de masures séparées par des jardins, par des haies de chèvre-feuille, de jasmins* et de clématites[11]; puis du fu-
15 mier[12] fleuri[13] devant toutes les portes, des poules et des coqs par les chemins; voilà le village du Pont-de-Ruan,[14] joli village surmonté d'une vieille église pleine de caractère, une église du temps des croi-sades,[15] et comme les peintres en cherchent pour
20 leurs tableaux.[16] Encadrez le tout de noyers[17] an-tiques,* de jeunes peupliers aux feuilles d'or pâle,

---

[1] (tapisserie), tapestry; cf. tapis, tapisser. [2] POURRI, de-cayed, rotted. [3] (garde-fou), parapet. [4] (usé), worn; cf. user. [5] garçon meunier, mill hand. [6] MULET, mule. [7] (sur-prenant), surprising; cf. surprendre, surprise. [8] au delà de, beyond. [9] COLOMBIER, dovecot. [10] (trentaine), some thirty. [11] clématite, clematis. [12] (fumier), manure, dunghill. [13] (fleuri), covered with flowers; cf. fleur. [14] Pont-de-Ruan is on the Indre river, midway between Azay-le-Rideau and Montbazon. [15] (croisade), crusade; cf. croix. [16] (tableau), picture. [17] NOYER, walnut tree.

mettez de gracieuses fabriques au milieu des longues
prairies où l'œil se perd sous un ciel chaud et vapo-
reux,* vous aurez une idée d'un des mille points de
vue de ce beau pays . . .

— *Le Lys dans la vallée*, Calmann-Lévy, éditeur.

XLIX

HEUREUX QUI, COMME ULYSSE[1] . . .

Du Bellay

Heureux qui, comme Ulysse, a fait un beau voyage,
Ou comme celui-là qui conquit[2] la toison,[3]
Et puis est retourné, plein d'usage[4] et raison,
Vivre entre ses parents le reste de son âge !

Quand reverrai-je, hélas ! de mon petit village
Fumer la cheminée ? et en quelle saison
Reverrai-je le clos[5] de ma pauvre maison,
Qui m'est une province, et beaucoup davantage ![6]

Plus me plaît le séjour[7] qu'ont bâti mes aïeux,[8]
Que des palais romains le front* audacieux* ;
Plus que le marbre* dur me plaît l'ardoise[9] fine ;

---

[1] The reference is to the wanderings of Ulysses, subject of
Homer's *Odyssey*. [2] (**conquérir**), to conquer, win. [3] toison,
fleece. The reference is to Jason, who led the Argonauts to the
conquest of the Golden Fleece. [4] (**usage**), experience. [5] (**clos**)
n., enclosure; *cf.* **clos** *adj.*, **enclos**. [6] (**davantage**), more, in addition. [7] séjour, abode. [8] (**aïeux**), ancestors. [9] ardoise,
slate (commonly used for roofing in Anjou).

Plus mon Loire[1] gaulois[2] que le Tibre[3] latin,
Plus mon petit Lyré[4] que le mont* Palatin,[5]
Et plus que l'air marin la douceur angevine.[6]

— *Regrets,* XXXI.

FIN

[1] **Loire:** the longest river in France, rising in the Cévennes, flowing for 980 kilometers past Nevers, Orléans, Blois, Amboise, Tours, Saumur, Nantes, to empty into the Atlantic at St. Nazaire. [2] GAULOIS, Gallic (= French). [3] The Roman *Tiber.* [4] Du Bellay was born in Liré, near Ancenis, midway between Angers and Nantes, on the Loire. [5] The Palatine Mount is one of the seven hills of Rome. [6] **(angevin),** of Anjou (province west of Touraine).

GEOGRAPHICAL INDEX

A diversity of the regions of France is represented by the authors cited in this anthology. It may be of interest to the reader to consider these cultural implications of birthplace in relation to the reading material selected. The province has been indicated in preference to the town or city of birth, as being of more significance to the literary geography of the collection.

Author	*Dates*	*Province*
About, Edmond	1828–1885	Lorraine
Aicard, Jean	1848–1921	Provence
Audoux, Marguerite	1863–1937	Berry
Balzac, Honoré de	1799–1850	Touraine
Bazin, René	1853–1932	Anjou
Bordeaux, Henry	1870–	Savoie
Charles d'Orléans	1391–1465	Touraine
Chatrian, Alexandre	1826–1890	Lorraine
Coppée, François	1843–1908	Ile-de-France
Curie, Eve	1904–1945	Ile-de-France
Daudet, Alphonse	1840–1897	Provence
Delarue-Mardrus, Lucie	1880–1945	Normandie
Du Bellay, Joachim	1525–1560	Anjou
Erckmann, Émile	1822–1899	Alsace
Fénelon (François de La Mothe)	1651–1715	Dordogne
France, Anatole (Anatole Thibault)	1844–1924	Ile-de-France
Gautier, Théophile	1811–1872	Gascogne
Géraldy, Paul	1885–	Ile-de-France
Hansi (Jean J. Waltz)	1873–1951	Alsace
Hugo, Victor	1802–1885	Comté
Labiche, Eugène	1815–1888	Ile-de-France
La Fontaine, Jean de	1621–1695	Champagne

Loti, Pierre (Julien Viaud)	1850–1923	Angoumois
Maupassant, Guy de	1850–1893	Normandie
Michelet, Jules	1798–1874	Ile-de-France
Mirbeau, Octave	1848–1917	Normandie
Molière (Jean-Baptiste Po- quelin)	1622–1673	Ile-de-France
Moselly, Émile	1870–1918	Bretagne
Pérochon, Ernest	1885–1942	Poitou
Philippe, Charles-Louis	1874–1909	Bourbonnais
Pouvillon, Émile	1840–1906	Quercy
Renard, Jules	1864–1910	Champagne
Régnier, Henri de	1864–1936	Normandie
Richepin, Jean	1849–1926	Algérie
Rousseau, Jean-Jacques	1712–1778	Suisse
Sand, George (Lucile Dupin)	1804–1876	Berry
Sévigné, Mme de	1626–1696	Ile-de-France
Vallotton, Benjamin	1877–	Suisse
Verhaeren, Émile	1855–1916	Belgique

LIST OF IDIOMS

Numbers refer to the page and line in the text where the expression first occurs, e.g., **2**, 14 = page 2, line 14.

ailleurs: d'ailleurs **232**, 1
aise: à l'aise **232**, 14
amitié: se prendre d'amitié pour **287**, 13
après: d'après **281**, 7
avance: être en avance **304**, 23
aventure: par aventure **289**, 2
battre: battre le beurre **264**, 3
bien: être bien **309**, 4
bon: pour de bon **227**, 21
cabinet: cabinet de toilette **281**, 3
canne: canne en bambou **287**, 2
cesse: sans cesse **230**, 3
chaud: avoir chaud **304**, 10
chef: chef de gare **308**, 8
chef de train **308**, 8
chère: faire bonne chère **258**, 12
cheval: monter à cheval **228**, 1
classe: aller en classe **227**, 15
cœur: avoir le cœur serré **227**, 15
connaître: se connaître à (en) **312**, 11
corne: faire une corne à la page **285**, 23
côte: à mi-côte **224**, 3
côté: à côté **251**, 11
de côté **219**, 6
coudre: être cousu d'or **262**, 3
coup: coup d'épaule **298**, 19
crochet: faire un crochet **221**, 12

cuisine: faire la cuisine **229**, 4
delà: au delà de **316**, 11
dès: dès que **238**, 11
deux: à deux **292**, 2
à nous deux seuls **309**, 7
diète: faire la diète **233**, 15
éloigner: s'éloigner **278**, 4
entendre: cela s'entend **259**, 17
envie: faire envie **238**, 3
étoile: à la belle étoile **254**, 13
étoile filante **300**, 20
faire: faire doux **310**, 13
faire bleu **310**, 21
fait: dire son fait **303**, 11
falloir: comme il faut **261**, 8
femme: femme de chambre **281**, 20
feuille: feuille de route **221**, 8
fier: se fier à **232**, 13
foin: rentrer les foins **226**, 1
force: à force de **260**, 5
fort: être fort sur **265**, 8
frais: faire frais **309**, 2
furie: en furie **288**, 16
garçon: garçon meunier **316**, 7
grâce: rendre grâce **289**, 8
coup de grâce **253**, 2
jeu: même jeu **260**, 2
jardin: jardin potager **312**, 5
lampe: à la lampe **227**, 1
loin: de plus loin que **232**, 3
maison: maison commune **225**, 15
malheur: par malheur **220**, 8

Vocabulary Drill Book

GRADED FRENCH READERS

SECOND SERIES — BOOKS VI-X

ENTRE NOUS

In Books VI–X of the *Graded French Readers*, some 2105 *new* words have been added to the 1221 words of the first five books, making a total of 3326 words for the Series.

Of the 2105 words added by Books VI–X, inclusive, 751 are recognizable cognates in the given text, constituting approximately thirty-six per cent of the Series vocabulary. Of the remaining sixty-four per cent (1354 words), there are more than half (815 words) that are derivatives or compounds of known items, reducing thereby the *wholly new, non-cognate* vocabulary burden to 539 items.

It is the purpose of this *Vocabulary Drill Book* to offer you a rather thorough, final check upon the more difficult and the less frequent items in the non-cognate group of 1354 words in Books VI–X. In this review, both basic and special words receive attention, with particular emphasis upon derivatives, compounds, word groups, word association and extension of values, and categories.

A fair sampling of the 280 new idioms provides a final review of that colorful but difficult aspect of vocabulary learning.

The self-scoring vocabulary test (pages 356–360) spreads over the total vocabulary of Books VI–X. You will find it useful as an objective measurement of your command within these vocabulary limits.

VOCABULARY DRILL BOOK

BOOK VI

L'ÉVASION DU DUC DE BEAUFORT

I. EXCLAMATIONS. *The following exclamations have occurred in Books I–VI, inclusive; give their normal English equivalents, state under what emotions or circumstances you would use them, and pronounce aloud:*

Chut !	Voyons !	Allons !
Hélas !	Merci !	Tenez !
Ah ça !	Tiens !	Mais oui !
Hé !	Pardieu !	Mon Dieu !
Eh bien !	Bah !	Mais non !

II. IRREGULAR VERB FORMS. *Give the infinitive form and the English equivalent for the following irregular verb forms, used for the first time in Book VI:*

joignant, appris, craint, il a écrit, il a prédit, qu'il devienne, elle contiendra, il enverra, il prédisait, il craignait, il aperçut, il convint, il lut, il plaignit, il relut, il dût, il fît.

III. ADJECTIVES. *For each noun in A, select a suitable adjective in B, change the form of the adjective so that it will agree in gender and number with the noun, pronounce the completed phrase aloud, and give the English equivalent:*

A. une évasion, un billet, une grimace, un serviteur, la

327

politesse, les joues, un peigne, un pâté, un cas, une haine.

B. court, creux, délicieux, expressif, fameux, muet, tel, parfait, piquant, précieux.

IV. SPECIAL WORDS. *The following words were needed to tell the story of Book VI: can you give their meaning?*

un astrologue, la parole, une pendule, la lecture, un poignard, la pratique, surtout, un pâtissier, la paume, la haine, un faquin, la patte, la fuite un nœud, une écrevisse, un peigne, le sourcil, un gourmand, un pâté, une boutique, une potence, la fuite.

V. ANTONYMS. *Match each verb in A with a verb in B that is opposite or unlike it in meaning; check the pairs and pronounce them aloud:*

A. craindre, rejeter, lier, cesser, défendre, obéir, estimer, ramasser, doubler.

B. permettre, refuser, poser, diviser, détester, désirer, garder, commencer, lâcher.

VI. DEFINITIONS. *Each statement in Column A defines one of the three numbered words in column B: which one of these words is being defined?*

A	B
1. On y garde son argent.	1–une croûte, 2–une bourse, 3–un cas.
2. Rond comme une roue.	1–un jeu, 2–un salut, 3–un cercle.
3. Le pied d'un animal.	1–un saut, 2–une joue, 3–une patte.
4. Le (temps) futur.	1–l'avenir, 2–la confiance, 3–le souvenir.

5. Pour contenir un liquide.   1–une boutique, 2–un crochet, 3–une bouteille.

6. On se sert d'eau pour le faire.   1–se laver, 2–s'habiller, 3–goûter.

7. Ce qui est utile pour dessiner un portrait.   1–une fourchette, 2–un peigne, 3–un crayon.

8. Du bois à moitié brûlé.   1–le billet, 2–le tort, 3–le charbon.

9. On s'amuse à le jouer à ses amis.   1–un tour, 2–un rêveur, 3–un plat.

10. Au-dessus de nos yeux, en ligne noire.   1–les paroles, 2–les sourcils, 3–les effets.

11. Le sentiment que ce qu'on désire, arrivera.   1–l'épaisseur, 2–l'étonnement, 3–l'espérance.

12. Instrument pour marquer l'heure.   1–une portefeuille, 2–une pendule, 3–un royaume.

VII. CATEGORIES. *From the following list of words, select (1) ten that have to do with eating, (2) ten that are useful in portraying character, (3) five that express emotion or feeling, and (4) five that represent trades or professions:*

honnête	croûte	pâté
craindre	étonnement	confiance
médecin	domestique	détester
rêveur	délicieux	serviteur
fourchette	talent	plat
goûter	savant	écrevisse
haine	gourmand	précaution
politesse	fureur	bouteille
valet	éducation	esprit
coupable	déboucher	ruse

VIII. *The following five words have had their spelling scrambled; restore their correct spelling, using the definitions as a guide:*

TENER = l'argent qui revient des affaires, du travail, etc.
IRMEC = ce qu'on dit quand on remercie quelqu'un.
RAPUVANATA = d'abord, avant une autre chose.
TROUSTU = plus que toute autre chose.
MEREDURE = qui veut dire: habiter, rester, continuer
  d'être.

IX. IDIOM REVIEW. *Give a correct English equivalent for the following sentences; check, and pronounce the French sentences aloud:*

1. Soyez tranquille, mon ami, vous ne serez pas en retard.
2. D'abord, M. de Beaufort lui posa deux questions. 3. A deux heures, nous ferons une partie de paume avec La Ramée.
4. En effet, le duc réussit à se sauver du château. 5. A ces paroles, La Ramée avait éclaté de rire. 6. La Ramée croit que le duc y restera, à moins qu'il ne se change en oiseau.
7. En attendant, on fait de son mieux pour garder le prisonnier. 8. Le prisonnier ne se doutait point de la peur qu'il faisait au cardinal. 9. On lui ôta son feu, de sorte qu'il ne put plus rien trouver pour se faire un crayon. 10. La Ramée dit qu'il avait tort de donner ce peigne au duc. 11. « Qu'y a-t-il ? » lui demanda le jardinier. 12. On va jouer en plein air, car le temps est beau.

BOOK VII

L'ANGLAIS TEL QU'ON LE PARLE

I. ADJECTIVES. *For each noun in A, select a suitable adjective in B and use it to qualify the noun, making the necessary changes in agreement; check, and pronounce the phrase aloud:*

A. une sonnerie, l'orgueil, une explication, une habitude, une affiche, le beau-père, une casquette, un malfaiteur.

B. illustré, adroit, gris, inquiet, paternel, dégoûtant, rusé, brusque.

II. ADVERBS. *Qualify each verb in A by a suitable adverb in B, using both words in a simple sentence; check, and pronounce aloud:*

A. resonner, téléphoner, se déranger, se promener, sourire, vieillir.

B. sèchement, ensuite, immédiatement, pourtant, ne... guère, à peine.

III. SYNONYMS. *For each word in A, select a synonym or near synonym in B; check, and pronounce the word pairs aloud.*

A. se promener, gentil, langue, métier, patron, saveur, secours, tapage, course.

B. bruit, voyage, charmant, marcher, goût, profession, aide, patois, chef.

IV. DEFINITIONS. *Define the meaning of each word in the following pairs, so as to differentiate between them:*

1. adroit : droit
2. la peine : à peine
3. ne... guère : la guerre
4. parfois : parfait

5. appuyer : essuyer
6. habituer : habiller
7. traduire : conduire
8. gras : gris

9. personne : personnage
10. mémoire : souvenir
11. habit : habitude
12. geste : anecdote

V. *The following words have had their spelling scrambled; restore their correct spelling, using their definitions as a guide:*

NIMOTÉ = qui a vu ou entendu quelque chose.

GOLERUI = sentiment élevé de sa propre valeur.

DRIAM = qui vient après lundi.

EROHARI = qui marque les heures de départ des trains.

REGGO = partie du cou.

LOECÉ = on y apprend à lire et à écrire.

VI. RELATED WORDS. *In each series of numbered words in B, select the word or word group that is closest in meaning to the italicized word in the sentence in A:*

A	B
1. Il dit des *bêtises*.	1–mots brusques, 2–paroles violentes, 3–choses sans valeur
2. C'est un long *couloir*.	1–voyage, 2–passage, 3–promenade
3. Elle est très *chic*.	1–jeune, 2–jolie, 3–à la mode
4. Il montre du *sang-froid*.	1–courage, 2–humour, 3–saveur
5. Il crie *au secours*.	1–aide, 2–argent, 3–deuxième

VII. ANTONYMS. *For each word in A select an antonym (opposite or near opposite) in B; check the pairs and pronounce them aloud:*

A. nord, sortie, interrompre, rusé, inquiet, gras, gentil, ensuite.

B. écouter, maigre, sud, tranquille, auparavant, mauvais, stupide, entrée.

VIII. WORD GROUPS. *Find among the new words in Book VII one word that belongs to each of the following word groups, and define the new word:*

1. Rang, arranger. 2. Habituer, habitude. 3. Allumer, lumière. 4. Père, patrie. 5. Suivre, suite. 6. Tant, autant. 7. Fois, quelquefois. 8. Son, sonner. 9. Société, social. 10. Vieux, vieille. 11. Sortir. 12. Voyager, voyageur. 13. Compter, compte. 14. Courir, cours. 15. Lever, élever. 16. Expliquer. 17. Goût, goûter. 18. Marcher. 19. Promener, promenade. 20. Recevoir, reçu.

IX. SENTENCE COMPLETION. *Only one of the numbered words in parentheses completes correctly the sentence; select the word and translate the completed sentence:*

1. Je l'ai vu (1–sèchement, 2–tout à l'heure, 3–demain). 2. Il y vient (1–pas mal, 2–un coup, 3–ainsi que) d'Anglais. 3. A peine ses cheveux sont-ils (1–gros, 2–gras, 3–gris). 4. Le (1–compte, 2–patron, 3–patois) veut m'associer. 5. Il faut employer les grands (1–goûts, 2–témoins, 3–moyens). 6. Qui a fait les (1–frais, 2–cas, 3–pensées) du voyage ? 7. C'est la (1–raison, 2–saison, 3–fois) d'été. 8. Ils savent (1–guerre, 2–adroit, 3–à peine) l'anglais. 9. On apprend le latin à (1–l'orgueil, 2–l'école, 3–la gare). 10. On (1–se dérange, 2–s'appuie, 3–s'adresse) pour ses amis. 11. Cet enfant est bien (1–levé, 2–relevé, 3–élevé). 12. Voulez-vous vous (1–essayer, 2–effrayer, 3–essuyer) les mains ?

X. CATEGORIES. *From the words listed below select eight in each of the following categories: (1) communications, (2) business, (3) construction, (4) language, and (5) personal qualities:*

langue	orgueil	couloir	traduire	comptoir
horaire	gare	patois	frais	rusé
difficile	sortie	effrayé	gloussement	récepteur

téléphoner	conjuguer	course	associer	plan
coûter	russe	compte	espagnol	caissière
métier	portefeuille	affiche	heure	mémoire
sang-froid	scène	adroit	paternel	sonnerie
gorge	élevé	japonais	fond	casier
télégramme	régistre	interprète	appareil	chemin de fer

XI. IDIOM REVIEW. *Give a correct English equivalent for each of the following sentences; check, and pronounce aloud:*

1. Le voyageur s'adresse au propriétaire. 2. Il ne se moquait pas du capitaine. 3. On lui donne la communication avec une maison de fous. 4. Aussitôt dit, aussitôt fait ! 5. Est-ce que ça te dit quelque chose ? 6. Je vais assister à une conversation entre ces dames. 7. Elle s'en va; c'est entendu. 8. Quel mal à la gorge ! mais ça va mieux. 9. Il a pris son parti; il ne répondra pas. 10. Eugène dit à part, « Ça y est ! » 11. Il a l'air furieux. 12. C'est toute une histoire. 13. M. Hogson est très difficile. 14. Ne vous dérangez pas, monsieur. 15. Il a mis sa casquette à l'envers. 16. A-t-il crié au secours en espagnol ? 17. Tout de même, je ne sais pas ce qu'il veut dire. 18. Eh bien, tant pis ! 19. On parle italien; je n'y comprends rien. 20. Je ne sais pas ce qu'il est devenu. 21. Laissez-moi tranquille, ou vous aurez de mes nouvelles. 22. On ne peut pas vous prendre au sérieux. 23. La maison va faire les frais de notre enlèvement. 24. Ne me laissez pas le bec dans l'eau. 25. Alors, serrons-nous la main !

BOOK VIII

CONTES

I. Special Words. *The following words occurred but once in Book VIII; do you know their meaning?*

un aveu	un ouvrier	ridé	plier
un rayon	un fichu	retroussé	s'évanouir
la dentelle	la noblesse	orné	s'agiter
le bas	le vol	mordre	oser
une image	fêlé	établir	coller
la glace	ivre	confier	rougir

II. Derivatives. *For each of the following words give one or more derived words or compounds:*

avouer	punir	tiroir	bond	époux
chauffer	sautiller	plainte	campagnard	frisson
découvrir	tarder	mendiant	chantonnement	cruauté
déborder	vaincre	jeunesse	élève	fuite
entourer	vêtir	gain	folie	guerrier
pleuvoir	voyager	aiguille	crainte	vitesse

III. Related Words. *One of the three words in each numbered group has little or no association in thought with the other two; which is the unrelated word? What does it mean?*

1. angoisse, hâte, crainte. 2. flèche, ventre, gueule.
3. guerrier, front, solde. 4. soulier, étain, cuir. 5. selle, cauchemar, sueur. 6. aiguille, cadeau, cadran. 7. fauteuil, chêne, tablier. 8. plafond, couronne, prix. 9. sanglot, inquiétude, soupçon. 10. manche, côte, redingote. 11. ressort, vacances, horloge. 12. sommeil, noël, neige.

IV. *Each of the scrambled words is followed by a key to its meaning; rearrange the letters so as to form the correct word:*

NOBREG = qui n'a qu'un œil.   AVECHU = il manque de cheveux.

ERVI = qui a trop bu.   SUBSO = qui a le dos courbé.

RATOMALID = pas adroit.   RODUS = il ne peut pas entendre.

V. SENTENCE COMPLETION. *Select the word in list A that adequately completes the sentence in B, pronounce the completed sentence, and translate:*

A. autrefois, tout à coup, jusque-là, malgré, plutôt que, selon, lorsque, rien que.

B. 1. Il s'arrêta — au milieu de la route. 2. Il pensait à ce qu'il faudrait faire —. 3. Elle se tuerait — d'épouser le prince. 4. — il eut fini son inspection, il se mit à rire. 5. M. Capdenac est un homme terrible — M. Bouvard. 6. On n'entend pas un mot, — un chantonnement monotone. 7. Il court chez M. Capdenac — le conseil de M. Bouvard. 8. Le seigneur avait été — un pauvre qui courait les routes, pieds nus.

VI. TRUE–FALSE DEFINITION. *Which of the following statements or definitions are* NOT *true? Can you supply the right word?*

1. Une femme mariée est un *époux*. 2. On prend le *soupir* le soir. 3. On *frissonne* quand il fait froid. 4. Un pardessus est une sorte de *soulier*. 5. On donne le prix à celui qui est *vainqueur*. 6. Un homme *chauve* manque de cheveux. 7. Pendant l'orage il *pleuvait* fort. 8. On est triste quand on a de la *chance*. 9. *Vêtir* signifie habiller, porter des habits. 10. Quand on a *sommeil*, on désire boire de l'eau. 11. La haine est un sentiment *amical*. 12. On *souffle* pour appeler son chien. 13. *Plier* signifie courber. 14. Quand on sort, on fait son *ressort*. 15. On *penche* son habit sur un croc.

VII. Categories. *From the following list select (1) fifteen words that deal with military affairs, (2) ten with money, (3) ten with school life, and (4) fifteen with clothing and dress:*

calculer	drapeau	recrutement	louis	banquier
bureau	vacances	voler	pistolet	fusil
pantalon	tablier	redingote	boucle	bas (*noun*)
vaincre	collège	thème	prix	fanfare
sabre	prêter	trésor	banque	gain
mendier	régiment	pardessus	militaire	élève
punition	carte	entourer	broder	vêtir
dentelle	fichu	ravager	manche	flèche
triompher	guerrier	soulier	copie	gilet
souligner	vêtement	vainqueur	gage	ruban

VIII. Idiom Review. *Give an English equivalent for the following sentences; check, and pronounce the French sentences:*

1. Ils étaient en train de jouer aux cartes. 2. Que de souvenirs ! et cette odeur de réséda ! 3. Si vous dites un mot, je vous mettrai à la porte. 4. Lucien jouait au hasard et gagnait toujours. 5. Voulez-vous vous mettre au jeu, monsieur ? 6. Elle s'élève sur la pointe des pieds afin de voir ce qui se passe sur le pavé de la cour. 7. Il vous faut vous entendre, messieurs. 8. Je voudrais bien le faire, mais je ne sais comment m'y prendre. 9. Il ne peut se décider à se battre. 10. Si vous avez de la chance, le numéro dix-sept sortira. 11. « Bah ! » fit-il, « tout au plus, je ne risque que quelques francs. » 12. Laissez-moi faire; je l'obtiendrai avant six heures. 13. Vous auriez dû voir le clair de lune cette nuit. 14. Elle déteste M. Capdenac d'autant plus qu'elle aime son cousin. 15. Jusque-là, il ne lui avait rien dit de son amour. 16. Tout à coup, il sentit son cœur bondir violemment. 17. J'apprécie plus que personne la noblesse et la bonté de mon tuteur. 18. Gardez-vous bien de douter du pouvoir de l'amour. 19. Il entend une rumeur d'en bas.

BOOK IX

LA GRAMMAIRE

I. SPECIAL WORDS. *The italicized words were needed to tell the story in Book IX, and were not repeated; can you give their meaning?*

1. Il dit que l'*ennui se répand* partout. 2. Le jardinier est en train d'*arroser* les *fraises*. 3. On a trouvé ce *ver* en *labourant* dans le jardin. 4. Il nous a fait *cuire* une *oie*. 5. Ce *mensonge* lui *déplaît*. 6. Il a *déterré* la *caisse*. 7. Jean *se tait* et sort du *cabinet*. 8. Sa *démission* serait un *événement* très important. 9. Est-ce que le participe s'accorde toujours avec le *régime?* 10. M. Poitrinas est *infatigable*.

II. DERIVATIVES. *For each of the following words give one or more derived words or compounds occurring for the first time in Book IX:*

esprit	tailleur	élire	fer	marchand
plaisir	rouler	basse	mentir	accord
prier	abricot	retard	battre	plier
peindre	ennuyer	cacher	envoyer	lever
soupir	nom	brosse	danser	rang
richesse	courir	sang	tordre	allumer

III. PREFIXES. *How does the prefix* dé– (dis–) *alter the meaning of the simple verb in the following compounds?*

*dé*plaire	*dé*rouler	*dé*mentir	*dé*barrasser
*dé*ranger	*dé*plier	*dé*terrer	*dis*paraître

IV. EXCLAMATIONS. *Which one of the exclamations in A would you use under each of the conditions described in B?*

338

A. Paf! Hein! Si! Ça marche! Ma foi! Par exemple!
A la bonne heure! Tant mieux! Aïe! A bientôt!
Bien entendu! Eh bien!

B. 1. On laisse tomber une tasse; elle se casse. 2. On est
très étonné. 3. On exprime une douleur aiguë. 4. On veut
montrer qu'on comprend parfaitement. 5. On répond af-
firmativement à une question négative. 6. On sent de la
surprise. 7. On compte revoir quelqu'un avant peu. 8. On
doute un peu de ce qu'on entend. 9. On s'accorde avec celui
qui parle. 10. On veut dire qu'on fait du progrès dans une
affaire.

V. Extended Meanings. *The meanings of some words
may be extended or stretched to include new values; complete
the sentences in B by using the proper word in A in either its
normal or its extended meaning, and translate the completed
sentence:*

A. une plume, un prix, un pâté, le café, revoir, la campagne,
une carte.

B. 1. Caboussat s'est coupé le doigt en taillant une —
d'oie. 2. Blanche désirait — M. Edmond. 3. Poitrinas
avait examiné une — du pays. 4. Tiennet a gagné un — en
thème latin. 5. Quand il ne sait pas l'orthographe, Caboussat
fait un —. 6. Les trois messieurs jouaient aux —. 7. Il
faut obtenir la lettre à tout —. 8. Edmond ne prend jamais
de liqueurs excepté dans son —. 9. On se sert d'une — pour
écrire. 10. Blanche était en train de — le discours de son
père. 11. M. Caboussat demeurait à la — près de Paris.
12. Le prince prit son couteau pour couper le —. 13. Les
deux messieurs ne voulaient pas sortir du —. 14. Son concurrent dans la — était un intrigant.

VI. Word Groups. *Complete the following sentences by*

supplying a suitable word from the group in parentheses; check, and translate the completed sentence:

A. (la terre, le terrain, enterrer, déterrer, l'enterrement, un territoire) 1. Le pauvre n'a pas un sou pour payer — de sa femme. 2. Poitrinas — tout ce que Jean casse. 3. La tasse tombe à — et se casse. 4. Derrière la maison, il y avait une — sèche, pauvre, sans herbe. 5. Quoiqu'il possède beaucoup de belles —, Aucassin n'est pas heureux. 6. A ce temps-là, la Lorraine était un -- français. 7. Jean avait — le saladier cassé sous un abricotier. 8. Poitrinas n'a qu'à regarder le — pour dire s'il y a des fragments romains là-dessous. 9. Le vagabond voudrait être le plus puissant prince de la —.

B. (lever, soulever, se lever, élever, un élève, élevé, relever, le lever) 1. Poitrinas espère — quelques inscriptions. 2. Le banquier essaya de se —. 3. Il se mit en route avant le — du soleil. 4. Il ne pouvait pas — la caisse. 5. Edmond sera un — de plus. 6. Quand on tombe dans la rue, il faut se — vite. 7. Edmond est un bon jeune homme, très bien —.

VII. CATEGORIES. *From the following list select (1) fifteen words pertaining to politics and government, (2) ten that refer to character, (3) fifteen that relate to agriculture, and (4) ten that have to do with housekeeping:*

vaisselle	canton	électeur	agricole	déterrer
concurrent	comice	bassesse	calomnie	fraise
spirituel	habile	prunier	campagne	conseil
labourer	cuire	charrue	nettoyer	tasse
betterave	élire	instruit	élu	arrondissement
infatigable	franc	député	buffet	fosse
conseiller	chou	allumette	renommer	terrain
cuisinière	rangé	ranger	graine	commune
abricotier	tribune	vache	maire	majorité
regardant	ménage	imbécile	abattre	propre

340

VIII. IDIOM REVIEW. *Give the correct English equivalents for the following sentences:*

1. Comme on est bien ici au soleil ! 2. Grâce à sa fille, il a une réputation. 3. Elle se charge de la grammaire de la famille. 4. Caboussat a un moyen de s'arranger sans elle. 5. On devrait passer par-dessus son défaut, n'est-ce pas ? 6. Voilà un jeune homme qui a hâte de partir ! 7. Il dit qu'il va fendre du bois, mais pourquoi faire ? 8. Quant à ça, je n'en sais rien. 9. Il entre dans le salon, un livre à la main. 10. La mort de la vache lui a fait de la peine. 11. On va boire tout un panier de vin pour son compte. 12. Ce savant ne fait que causer de ses découvertes. 13. Ça marche bien, je vous en réponds ! 14. Vous dites que ma fille habiterait Étampes ? Mais non ! ça ne me va pas ! 15. Quand il s'agit de fragments romains, j'ai bien du flair, vous savez. 16. Ne vous mettez pas dans la tête de me quitter. 17. Mais partez donc ! ça n'y fait rien ! 18. Quand vous serez de retour, dites-lui que cela ne vaut pas la peine. 19. Je suis en nage . . . c'est la pioche. 20. On ne sait par quel bout prendre les participes, selon M. Caboussat.

BOOK X

LA RONDE DE LA VIE

Part I *

I. WORD ASSOCIATIONS. *In each line there are two words more or less closely associated in thought; select the pairs of associated words, and give their meaning:*

1. lapin	racine	terrier	hurler
2. noueux	onde	se noyer	olivier
3. légume	canard	mêler	oignon
4. salé	sain	net	balayer
5. poil	filer	rouillé	rouet
6. vendange	tricoter	boulanger	raisin
7. suffire	foin	sanglant	faucheur
8. tordre	labour	attelage	tonneau
9. coudre	puits	ongle	fil
10. arroser	sucre	vitre	épicier

II. ANTONYMS. *Match each word in A with a word in B that is opposite or nearly opposite in meaning, check, and give the English equivalents:*

A. la paresse, bienveillant, cultivé, pesant, attrister, le vieillard, couché, se réunir, carré, abréger, cuit, nuisible, la rentrée.

B. rond, hostile, le garçon, léger, le travail, cru, assis, utile, allonger, inculte, la sortie, disperser, égayer.

III. SYNONYMS. *Match each word in A with a word in B*

* Since each Part of Book X has a certain unity of vocabulary, the vocabulary drills for the latter will be presented by Parts.

*that is similar or nearly similar in meaning, check, and give the
English equivalents:*

A. deviner, la besogne, diriger, lancer, le souffle, planer,
l'ouvrier, déposer, le chariot, frémir, se hâter, désirer.

B. souhaiter, l'ouvrage, la voiture, prédire, se dépêcher,
trembler, mettre, le travailleur, l'haleine, voler, jeter,
conduire.

IV. DERIVATIVES. *The following words are derivatives of
words previously used in the Series: for each noun in A give
the corresponding verb; for each verb in B, the adjective; for
each verb in C, a noun; for each adjective in D, either a noun or
a verb:*

A. aboiement, amitié, chasseur, laboureur, secousse,
pente, pressoir, rentrée, taille, vieillard, allée, réveillon,
recueil, devinette, menteur, volonté.

B. s'allonger, jaunir, égayer, attrister, grandir, blanchir,
nettoyer.

C. neiger, nouer, balayer, s'enfoncer, encadrer, filer, s'a-
ligner, afficher, envelopper, fabriquer.

D. matinal, inculte, tentant, sanglant, odorant, travailleur,
noueux, salé, pesant, reluisant, émouvant, bienveillant.

V. SENTENCE COMPLETION. *Select the numbered word in
parentheses that correctly completes the sentence, and translate the
completed sentence:*

1. Le petit était vêtu d'une peau d'(1–ange, 2–anse,
3–agneau). 2. Hier, un moineau a fait son (1–nid, 2–sillon,
3–niveau) sous le toit. 3. Toujours la (1–tombe, 2–chute,
3–lessive) des feuilles m'attriste. 4. Ce bruit ? c'est un volet
qui (1–gonfle, 2–flâne, 3–grince) au vent. 5. Il (1–épuisait,
2–écrasait, 3–versait) du vin dans un verre. 6. Marie, le

(1–clocher, 2–gibier, 3–facteur) sonne à la porte. 7. Elle portait un corsage noir et une (1–ruche, 2–voile, 3–jupe) rouge. 8. Il a posé ses (1–vitres, 2–lunettes, 3–glaces) au bout du nez.

VI. DANGEROUS COGNATES. *Which of the definitions in column B applies correctly to the word in column A ?*

A	B
une mare	1–un animal, 2–de l'eau dormante, 3–un océan
un roman	1–Fabius Cunctator, 2–une histoire, 3–une chanson
hurler	1–un cri d'animal, 2–jeter, 3–lancer
une nappe	1–un sommeil, 2–un drap, 3–un vêtement
une marche	1–partie d'un escalier, 2–un pas, 3–un lieu public
une grappe	1–un fruit, 2–un croc, 3–un assemblage de fruits
une ride	1–un voyage à cheval, 2–un pli, 3–une devinette

VII. CATEGORIES. *Which of the following words is the name of (1) a tree, (2) a flower, (3) a vegetable, (4) a fruit, (5) an animal, (6) a bird ?*

un merle	le romarin	un marronnier	un canard
un lièvre	une chèvre	une caille	le myrte
un moineau	un olivier	un raisin	un lapin
un érable	un agneau	un furet	la lavande

The following words indicate persons in certain trades or professions; state what each person does:

un laboureur	un facteur	une institutrice	un marin
un médecin	un faucheur	un boulanger	un ouvrier
un épicier	une faneuse	un éditeur	un chasseur

VIII. IDIOM REVIEW. *Pronounce, and give the English equivalent, with special attention to the value of the italicized words:*

1. *D'ailleurs*, il ne sait que faire. 2. Cette fois, il **va** partir *pour de bon*. 3. Je me rappelle ces dîners *à la lampe*. 4. Ils se réunissent *en pleine campagne*. 5. J'avais *le cœur serré*, je ne pouvais plus parler. 6. Elle aime *monter à cheval*. 7. Il faut consulter votre *feuille de route*, monsieur. 8. Elle sait très bien *faire la cuisine*. 9. Pour réparer un tonneau, *il ne se fie qu'à* lui-même. 10. *Par malheur*, je ne connais pas la route. 11. Le moineau est-il un *oiseau de passage* ? 12. On *rentre les foins* en été. 13. Voyez ce canard *en tête de* la ligne. 14. On tirait les merles *au vol*.

Part II

I. ADJECTIVES. *Describe each noun in A with a suitable adjective from B, making the necessary changes in agreement:*

A. une poutre, une envie, un logis, un visage, une lumière, un filet, une décision, une graine, un travail, une tempête, un savetier, un ouvrage, un flocon, un chuchotement.

B. continu, vilain, travaillé, bleuâtre, pénible, enfumé, sot, rude, glacé, journalier, ailé, gaillard, effrayant, mince.

II. DEFINITIONS. *State whether the following definitions or statements are true or false; if false, can you correct the statement ?*

1. Une *hache* est bonne à manger. 2. On se sert d'un *grillon* pour cuire du lard. 3. L'*agneau* nous fournit de la laine. 4. Une *assiette* est une sorte de chaise. 5. On trouve la *bise* dans une *ruche*. 6. Un *curé* est un prêtre. 7. Une *poêle* est faite de bois. 8. Les *chênes* aboient la nuit. 9. Un *ruisseau* est un cours d'eau. 10. Un *brouillard* est le cri d'un âne. 11. Un *bouquiniste* est un homme qui garde des *chèvres*.

345

12. On trouve des *étrennes* dans une boutique.   13. On mange des *soucis* pour le déjeuner.   14. On garde son vin dans la *cave*.   15. Celui qui chante est un *chantier*.   16. Un *tisserand* est un ouvrier qui fait de la *toile*.   17. Le mari de ma fille est mon *genre*.   18. On coupe le *timbre* pour en faire des *navires*.

III. WORD DISTINCTIONS. *Define the words in column A so as to differentiate them clearly from the words in column B.*

A	B	A	B
charger	décharger	enserrer	serrer
dormir	sommeiller	découper	couper
dresser	se dresser	s'envoler	voler
interdire	prédire	soutenir	retenir
s'abattre	abattre	s'élancer	lancer
émouvant	mouvant	difforme	forme, *n.*

IV. CATEGORIES. *Which of the following words are the names of (a) trades or professions, (b) household utensils, and (c) foods?*

beignet	savetier	chaudière	tisserand	bouilloire
cocher	pincettes	intendant	marron	cuivres
beurre	rameur	casserole	ragoût	tournebroche
miel	cuisinier	réchaud	potage	valet
miche	curé	pelle	ménagère	poêle

V. COMPLETIONS. *Complete each sentence in B with the proper word in A, making the necessary agreements, and translate the completed sentence:*

A. berge, franchir, chômer, corbeau, ruisseau, périr, bûche, chaumière, nager, nourrir, flèche, paquet, arracher, se disputer, os.

B. 1. L'eau du — n'est pas profonde.   2. En été, on aime à — dans le lac.   3. Les joueurs commencèrent à —.   4. On

346

voit la — de l'église au-dessus des ormes. 5. Les ouvriers
—; ils n'ont pas de travail. 6. Le curé entra dans la — du
paysan. 7. Les marins ont — dans un naufrage. 8. Sur
l'autre — de la Seine, des porte-faix déchargent des cargaisons.
9. Harpagon veut — ses invités pour peu d'argent. 10. Il
y avait une énorme — devant le foyer. 11. Toussaint
avait résolu d'— sa vigne morte. 12. Le navire a — les sept
mers. 13. Ma tante a ficelé le — d'un ruban bleu. 14. Le
— s'abattit sur la neige. 15. La froidure les a pénétrés
jusqu'aux —.

VI. WORD GROUPS. *Among the new words in Part II,*
find one or more that belong to each of the following word groups,
and give the English equivalents of the whole group:

1. rire, sourire
2. mouvoir, mouvant
3. mensonge, mentir
4. unir, réunion
5. loin, lointain
6. froid, refroidir
7. conte, raconter
8. fuite, s'enfuir
9. cueillir, recueillir
10. ouvrier, ouvrage

VII. EXTENSION OF MEANING. *Complete the sentences in B*
by using the proper word in A, in either its basic or extended
meaning, and translate the completed sentence:

A. un fil, une marche, repasser, le midi, l'éclat, voler,
sec, le rayon, le malheur, une flèche, uni, le sens, un
valet, un filet.

B. 1. Elle s'arrêta à la dernière — de l'escalier. 2. Il
réparait le panier avec du — de cuivre. 3. Sur le —, il y
avait une lampe et trois livres. 4. C'était un grand vieux,
— et vigoureux. 5. La plaine était — et reluisante sous
la neige. 6. La mère le cousait avec un — blanc. 7. Les
feuilles tourbillonnaient, en faisant un bruit —. 8. Un — de
soleil pénétra dans la cellule. 9. Ils étaient fatigués des
longues — de la campagne. 10. De quoi une — d'église est-

elle un symbole ? 11. Elle pleure son — et sa misère. 12. Il
ne semblait pas comprendre le — de ce qu'elle lui lisait.
13. On devinait la chaumière par un — de fumée qui montait
en l'air. 14. Un grand — de rire l'interrompit. 15. On a
joué la — Militaire. 16. Il nous a montré des — empoisonnées. 17. L'oiseau avait — par la fenêtre ouverte. 18. Il
n'a pas de chance; le — le poursuit toujours. 19. La fumée
montait droit dans l'air — et glacial. 20. En retirant le —,
on le trouva plein de poissons. 21. Mes parents demeurent
aux États-—. 22. Ils passaient et — cent fois. 23. Le
facteur apporta le télégramme vers —. 24. Les chiens cou-
raient en tous —. 25. C'est grand'maman qui — mes
chemises. 26. Tarascon est une petite ville dans le —.
27. On a donné au duc un nouveau —, qui s'appelait Grimaud. 28. Il a — l'argent de son oncle. 29. Le verre s'est
brisé en mille —. 30. Il travaille comme — pour un riche
fermier du pays.

VIII. Idiom Review. *Translate the following sentences
with special attention to the italicized expressions:*

1. Cet homme-là et celui *d'à côté* sont artistes. 2. Ce
malheur lui a donné le *coup de grâce*. 3. Quel *métier* votre
fils *fait-il ?* 4. On a passé la nuit *à la belle étoile*. 5. L'oncle
Jules *a mangé le bien* de son frère. 6. On réussit *à force de*
travailler. 7. *Jamais de ma vie* ai-je vu une telle chose !
8. J'espère qu'il la règlera *comme il faut*. 9. Croyez-vous
que je puisse *me reposer sur* lui ? 10. Ça vient *tout seul;*
c'est un vrai don ! 11. Il a parlé *à propos*, sans colère.
12. Vous lui *faites tort*, madame; il vous aime toujours.
13. Mais rien n'est arrivé, cela *s'entend !* 14. Tout ce bruit
ne sert à rien. 15. Elle partira *dès qu'*ils seront de retour.
16. *Tour à tour* ils ont essayé de l'arracher.

Part III

I. WORD DISTINCTIONS. *Define the words in A so as to differentiate them clearly from the words in B, and vice versa:*

A	B	A	B
compagne	campagne	renverser	verser
décrire	inscrire	accorder	s'accorder
accourir	courir	égal	inégal
brun	rembruni	rajeuni	jeune
allure	allée	couvercle	couverture
épi	épée	lecteur	lecture

II. CATEGORIES. *From the following words select those that relate (a) to dressmaking, (b) to creatures, (c) to woods and trees, and (d) to flowers and fruits:*

bouton	hirondelle	taffeta	sentier	désigner
caniche	atelier	sapin	acacia	bordure
épingle	mercier	cigogne	semailles	clairière
cérise	étoffe	seigle	jupon	grenouille
forestier	draper	bambou	iris	soyeux
crêpe	feuillage	doublure	charme	pêche
satin	semeur	mannequin	tissu	prairie
moisson	hêtre	fouillis	racine	épi

III. IMITATIVE WORDS. *Certain words are used to imitate certain sounds; select from the list of imitative words in A the one that applies to the person or thing in B:*

A. gronder, bourdonner, mugir, grincer, souffler, murmurer, hurler, aboyer, crier, tutoyer, craquer, coasser, hennir, miauler, chuchoter, siffler.

B. 1. Un volet dans le vent. 2. Un chien de garde, à l'approche d'un inconnu. 3. Une mère, quand son enfant

349

est méchant. 4. Le vent dans une tempête. 5. Le cri aigu d'un homme en douleur. 6. Les petits enfants dans une classe. 7. Les sapins dans une forêt. 8. Une grenouille dans une mare. 9. La mer dans une tempête. 10. Un matou en dehors, le soir. 11. Un cheval qui appelle son camarade. 12. Un ruisseau qui coule sur des pierres. 13. Les mouches dans une chambre tranquille. 14. Un homme qui appelle son chien de chasse. 15. Les parents en s'adressant à leurs enfants. 16. Une bûche qui brûle dans le foyer.

IV. Sentence Completion. *Select the numbered word in parentheses that best completes the sentence, pronounce the completed sentence, and give the English equivalent:*

1. Je rencontrai dans le sentier un gueux, tout en (1–semailles, 2–haillons, 3–rouille). 2. La bêche est un (1–outil, 2–élan, 3–mélange) utile. 3. Le blé a déjà (1–béni, 2–élargi, 3–mûri). 4. La (1–flèche, 2–chair, 3–mousse) du lapin est bonne à manger. 5. Elle plane au-dessus du village comme un (1–avis, 2–baril, 3–avion). 6. Il me demanda quel (1–mœurs, 2–emploi, 3–brin) du temps faites-vous? 7. Le semeur m'a donné une (1–poignée, 2–aîné, 3–buée) de graine. 8. Je vous (1–baigne, 2–parie, 3–cligne) un sou qu'il ne le sait. 9. Le petit âne (1–romprait, 2–avertissait, 3–errait) partout dans le village.

V. Word Groups. *Among the new words in Part III, find one or more that belong to the following word groups, and give the English equivalents for the whole group:*

1. an, année	8. personne, personnage	15. fin, infini
2. sentir, sentiment	9. diriger, direction	16. bon, bonté
3. terre, enterrer	10. retenir, soutenir	17. faim
4. rouge, rougir	11. correct, incorrect	18. nid
5. créer, créature	12. régulier, irrégulier	19. laver
6. porter, apporter	13. courir, concurrent	20. ficeler
7. logis	14. dormir, dormeur	21. pied

VI. Idiom Review. *Translate the following sentences with particular attention to the italicized expressions:*

1. Les deux pêcheurs *se prennent d'amitié* l'un *pour* l'autre.
2. *Il nous tarde* d'arriver au bout de la promenade. 3. Puis, tout à coup, les grenouilles *font silence*. 4. Il *cligna de l'œil* deux fois, successivement. 5. On vend des bouquins sur les quais, *en plein air*. 6. Il commença la lecture à la page où j'avais *fait une corne*. 7. Si, *par aventure*, vous le trouvez, apportez-le-moi. 8. Il *rendit grâce à* Dieu de s'être échappé à la mort. 9. Elle *en veut à* son amie qui ne voulait pas l'accompagner. 10. Je *tiens à* ce bouquin pour des raisons sentimentales. 11. Ne *fais* pas *triste mine*, la pluie cesse, et voilà le soleil. 12. *Livré à moi-même*, j'errais le long du ruisseau.

Part IV *

I. Adjective Derivatives. *Among the new words in Part IV, find adjectives derived from the following nouns, and give their meaning:*

Amérique	fierté	surprise	vivacité
ciel	couleur	champ	famille
souffle	mécanisme	fleur	son *n.*
télégramme	ombre	raison	vapeur

II. Verb Derivatives. *Give a verb derivative or compound for each of the following words:*

conquête	instruction	régistre	onde
sûr	promenade	complet	chaud
croc	ruisseau	coiffe	rayon
couronne	fou (fol)	fête	tapis
faux	décoration	joyeux	signe

* Parts I, II, and III are included to some extent.

351

III. Association. *In each line there are two words more or less closely associated in thought; select the pairs of associated words, check, and give their meanings:*

	A	B	C	D
1.	attelage	fauteuil	cheval	wagon
2.	caillou	pouls	jonc	pierre
3.	billet	guichet	étable	cahot
4.	chaume	pensionnat	rateau	masure
5.	gazon	briser	parapluie	pleuvoir
6.	jouet	foule	queue	porc
7.	machine	mulet	siffler	bêler
8.	berceau	frôler	étang	s'endormir
9.	thé	picorer	bousculer	poule
10.	couchant	verger	ardoise	crépuscule

IV. Nouns of Number. *The following nouns indicate approximate number; give their English equivalents:*

une centaine une douzaine une trentaine
une dizaine une vingtaine une quarantaine
une quinzaine un millier

V. Verbs of Color. *The following verbs refer to color; give the corresponding adjective, and translate the verb:*

blanchir jaunir rougir bleuir
noircir verdir brunir

VI. Habitations. *Match each noun in A with a noun in B, expressing the customary habitation or location of the being or thing represented by the noun in A:*

A. chèvre poule bétail grenouille villageois
lessive chien pommier aubergiste hirondelle
agneau noyer poisson wagon pigeon
blé foin paysan bébé lapin

352

B.

terrier	alpage	verger	colombier	lavoir
berceau	grange	auberge	gare	étang
forêt	parc	champ	basse-cour	pâturage
étable	village	niche	campagne	nid

VII. TRADES AND PROFESSIONS. *The nouns in column A represent persons performing the various types of work described in column B; match the worker and his work:*

A	B
une institutrice	1. — fait des tableaux, des portraits.
un facteur	2. — promène un bateau sur l'eau.
un auteur	3. — coupe le blé avec une faux.
un éditeur	4. — fait cuire le pain.
un batelier	5. — fait l'œuvre de l'Église.
un commerçant	6. — est employé au service des navires.
un boulanger	7. — se charge de l'instruction des jeunes.
un chasseur	8. — fait des tapisseries, de la toile.
un épicier	9. — distribue les lettres.
un faucheur	10. — écrit des contes, des romans.
un laboureur	11. — prépare la viande pour le dîner.
un marin	12. — publie l'œuvre d'un auteur.
un vendangeur	13. — chasse le gibier.
un peintre	14. — porte de lourdes charges.
un cocher	15. — fait le raccommodage de vieux souliers.
un tisserand	16. — achète et vend des choses.
un bouquiniste	17. — vend le sucre, le café, le thé, etc.
un porte-faix	18. — est au service personnel de son maître.
un curé	19. — conduit une voiture.
un savetier	20. — vend de vieux livres.
un cuisinier	21. — cueille des raisins pour en faire du vin.
un valet	22. — prépare le sol pour la graine.

353

VIII. TOOLS, INSTRUMENTS, MATERIALS. *Which of the tools, instruments, and materials named in column A would you use to perform the work described in column B?*

A	B
un balai	1. Pour porter des provisions.
un chariot	2. Pour se soigner les dents, les cheveux.
un chaland	3. Pour écrire une lettre, un billet.
un joug	4. Pour endormir un enfant.
un pressoir	5. Pour armer un soldat.
un rouet	6. Pour nettoyer le plancher.
une plume	7. Pour couper le bois.
une poêle	8. Pour rentrer les foins.
une pincette	9. Pour creuser un trou, une fosse.
une chaudière	10. Pour faire rôtir de la viande.
une hache	11. Pour transporter une cargaison sur un canal.
une horloge	12. Pour labourer un champ.
un avion	13. Pour atteler des bœufs.
une boussole	14. Pour déterrer quelque chose.
une épingle	15. Pour faire du vin.
une ficelle	16. Pour faire du fil de laine, de coton.
un verrou	17. Pour faire marcher une montre.
un panier	18. Pour faire frire du lard.
un baril	19. Pour écrire des impressions de voyage.
un berceau	20. Pour se promener à cheval.
un carnet	21. Pour savoir l'heure.
une fourchette	22. Pour saisir une bûche brûlante.
un râteau	23. Pour s'arranger les cheveux.
un couteau	24. Pour faire bouillir un chou.
une brosse	25. Pour ramasser du foin.
une peigne	26. Pour contenir du vin.
une bêche	27. Pour faire un trajet en l'air.
une aiguille	28. Pour manger son dîner.
une selle	29. Pour couper le pain, la viande.

un ressort	30. Pour diriger un navire sur les mers.
un fusil	31. Pour fermer une porte ou une fenêtre.
une charrue	32. Pour coudre un vêtement.
une pioche	33. Pour faire une robe.
une broche	34. Pour lier un paquet.

IX. IDIOM REVIEW. *Translate the following sentences with particular reference to the italicized words:*

1. Voulez-vous donner *un coup d'épaule* à cette automobile ? 2. Une *étoile filante* passa au-dessus de la flèche. 3. Ce vieillard *tenait tête à* tous nos arguments. 4. Dépêchez-vous ou je vous *dirai votre fait.* 5. Nous sommes *en avance* ou bien le train est *en retard.* 6. Il *faisait des phrases* tout comme un sous-préfet. 7. La machine siffle en approchant d'un *passage à niveau.* 8. Il *fait frais*, le soir, dans les Alpes. 9. Il est passé minuit; nous sommes *à nous deux seuls.* 10. Il *se connaît aux* jeux champêtres. 11. La ferme est *au-delà du* pont, dans la vallée. 12. On *sera très bien* en bas, sur la terrasse.

GENERAL VOCABULARY TEST

BOOKS VI–X

All words used in this test are taken from the vocabulary of Books VI–X. With few exceptions, the items offered as choices for the completion of the sentences are *basic* in nature and are indispensable to reading French. Contextual meanings are called for in each case. Select the numbered word in parentheses that most suitably completes the sentence and enter its number in the blank space in the right-hand margin or upon a numbered slip of paper. There are 65 possible credits.

1. Il y avait une discussion (1–pourtant, 2–auparavant, 3–parmi) les gardes.
2. Ces murailles ont cinq pieds (1–d'espérance, 2–d'épaisseur, 3–d'avenir).
3. A neuf heures, le duc se leva et (1–s'habitua, 2–s'habilla, 3–se ramassa).
4. Il (1–dessinait, 2–débouchait, 3–lâchait) un portrait de Mazarin sur le mur.
5. Pistache tenait un bâton entre ses (1–lieux, 2–fourchettes, 3–pattes).

6. Le chien se mit à (1–poser, 2–lier, 3–gratter) à la porte de la chambre.
7. On avait appris à Pistache de nouveaux (1–crochets, 2–tours, 3–esprits).
8. Il fallait (1–goûter, 2–peindre, 3–contenir) le vin avant de le lui donner.

356

9. Voici un énorme pâté avec une (1–joue, 2–pointe, 3–bouteille) de vin blanc. ----

10. Grimaud dit qu'il avait une (1–fuite, 2–bourse, 3–haine) pleine d'or. ----

11. Julien ne dit jamais de (1–courses, 2–jeudis, 3–bêtises), bien entendu. ----

12. Le nouveau interprète a mis sa (1–casquette, 2–gare, 3–gorge) à l'envers. ----

13. Ne vous (1–distinguez, 2–traduisez, 3–dérangez) pas pour venir au bureau ce soir. ----

14. Le lendemain, j'ai vu un paysan qui (1–appuyait, 2–coûtait, 3–cueillait) des pommes. ----

15. Ne croyez-vous pas que Betty semble toujours (1–sonnée, 2–effrayée, 3–essuyée) ? ----

16. On monte de l'eau froide pour (1–son sang-froid, 2–sa pension, 3–son bain). ----

17. L'inconnu portait des (1–vêtements, 2–habitudes, 3–clos) misérables. ----

18. Elle avait le dos (1–doré, 2–débordé, 3–courbé) sous un tas de branches mortes. ----

19. La charge qu'elle portait, était trop (1–sourde, 2–trouée, 3–lourde). ----

20. On a rompu le (1–parti, 2–ressort, 3–dépens) de cet horloge. ----

21. Elle ne se laisse pas toucher par les (1–fronts, 2–tapis, 3–plaintes) du bossu. ----

22. Les flocons de neige se (1–tardent, 2–collent, 3–chauffent) contre les vitres. ----

23. Elle (1–n'osait, 2–ne louait, 3–ne prêtait) plus se regarder dans la glace. ----

24. Les verres brillaient sur leur (1–chandelle, 2–rayon, 3–cadeau) comme autrefois. ----

25. A minuit, la rue était toute blanche de (1–manche, 2–cuir, 3–neige). ----

26. La grande salle était éclairée par trois lampes suspendues au (1–plancher, 2–ciel, 3–plafond). ----

27. Il a dû (1–plier, 2–pleuvoir, 3–pleurer) pendant la nuit, car le pavé est tout mouillé. ----

28. On avait mis (1–un drapeau, 2–état, 3–sommeil) à la fenêtre de l'infirmerie. ----

29. Mlle Vernet (1–répand, 2–taille, 3–enseigne) la grammaire française à notre école. ----

30. Il (1–déchira, 2–loua, 3–versa) un appartement à Étampes pour le jeune ménage. ----

31. Henri portait un (1–rapport, 2–cas, 3–panier) de vin pour les gens de la maison. ----

32. C'est (1–rangé, 2–faux, 3–propre); Machut n'avait pas tué la vache. ----

33. Le (1–fait, 2–clou, 3–facteur) est que Machut a une femme et cinq enfants. ----

34. Il voulait fumer mais il n'avait pas (1–de manches, 2–de marques, 3–d'allumettes). ----

35. Son doigt (1–saignait, 2–nettoyait, 3–dépeignait); il l'avait coupé en taillant une plume. ----

36. Que ne voudrait-il pas donner pour savoir la (1–tasse, 2–règle, 3–caisse) des participes ? ----

37. Il est difficile de labourer un terrain plein de (1–secousses, 2–sucre, 3–racines). ----

38. Comme elle est triste avec ses yeux (1–allongés, 2–gonflés, 3–noués) de larmes !   ----

39. L'ouvrière tranchait les grappes d'un coup (1–salé, 2–cru, 3–net).   ----

40. Il est revenu du marché aux (1–légumes, 2–lunettes, 3–verrous) avec un gros chou et des pois.   ----

41. Grand'maman (1–épuisait, 2–cousait, 3–nourrissait) une chemise avec la dextérité d'une fée.   ----

42. C'est un village comme on en trouve dans les (1–desseins, 2–peintres, 3–tableaux) de Manet.   ----

43. Çà et là, l'eau se (1–mûrit, 2–brise, 3–plaisante) sur des masses de sable et de cailloux.   ----

44. J'ai (1–nagé, 2–souhaité, 3–cousu) de toutes mes forces vers un mât flottant.   ----

45. Sur la hauteur, le (1–timbre, 2–sol, 3–seuil) est si pauvre que même l'herbe n'y pousse pas.   ----

46. (1–L'avion, 2–La boîte, 3–Le beurre) planait longtemps au-dessus du village.   ----

47. La ménagère portait une belle robe de (1–boule, 2–laine, 3–potage) bleue.   ----

48. La neige s'était (1–mêlée, 2–découpée, 3–fondue) et le sol était couvert d'eau glaciale.   ----

49. C'est un (1–coin, 2–outil, 3–conte) de Noël qui nous revient des siècles oubliés.   ----

50. Le (1–sillon, 2–nid, 3–étage) de l'hirondelle n'est pas à notre portée.   ----

51. Le patron souleva le (1–rayon, 2–couvercle, 3–logis) du carton et nous dit de venir voir.   ----

52. Elle ne cessait jamais de regretter la (1–poignée, 2–perte, 3–foule) de sa chèvre. ----

53. On trouva la voiture (1–renversée, 2–grondée, 3–baignée) au coin du boulevard. ----

54. Je vois la silhouette du (1–sommeil, 2–portail, 3–semeur) qui va et vient dans la plaine. ----

55. Le bonhomme s'occupait déjà de son travail (1–mince, 2–journalier, 3–carré). ----

56. La flamme faisait reluire les (1–assiettes, 2–chutes, 3–curés) de cuivre sur le buffet. ----

57. Il (1–résolut, 2–s'éloigna, 3–rompit) du dortoir, poursuivi par une dizaine d'enfants. ----

58. Un coup furieux de sa pioche l'avait brisé en mille (1–foins, 2–éclats, 3–vers). ----

59. Il pleuvait depuis notre départ et nous étions mouillés jusqu'aux (1–ongles, 2–mœurs, 3–os). ----

60. Selon les villageois, le petit âne était très (1–égal, 2–inculte, 3–bruyant). ----

61. Dans son courroux, il jura de (1–tordre, 2–verser, 3–plier) le cou à la poule, s'il pouvait l'attraper. ----

62. La mariée nous souriait par les (1–ponts, 2–élans, 3–vitres) de la porte. ----

63. Le petit train ressemble à un (1–sapin, 2–jouet, 3–toit) mécanique. ----

64. Les oreilles du jeune porc battaient en mesure avec sa (1–taille, 2–queue, 3–pente). ----

65. A chaque gare, le petit train (1–accrochait, 2–prévoyait, 3–accourait) un wagon et repartait. ----

VOCABULARY

Note: This vocabulary lists all words and idioms used in Books VI–X, inclusive, of the *Graded French Readers*, except (*a*) dependable cognates in the given context, (*b*) adverbs in *–ment* formed from given adjectives, and (*c*) the majority of the items in the initial word stock (Part I of the Vander Beke *French Word Book*). The total number of words used in the ten books of the *Series* is 3423, of which the following vocabulary lists as *new* items some 2105 words, simple and compound.

Abbreviations: *adj.* adjective, *adv.* adverb, *conj.* conjunction, *f.* feminine, *m.* masculine, *n.* noun, *p. p.* past participle, *p. abs.* past absolute (past definite), *p. desc.* past descriptive (imperfect), *p. fut.* past future (conditional), *p. subj.* past subjunctive, *pl.* plural, *prep.* preposition, *pres. ind.* present indicative, *pres. part.* present participle, *pres. subj.* present subjunctive, *pron.* pronoun, *rel.* relative, *v.* verb.

A

abattre cut down; **s'abattre** swoop down, alight

aboiement *m.* bark, barking

abord: d'abord at first

aboyer bark

abréger shorten, cut short

abri *m.* shelter, protection

abricotier *m.* apricot tree

absolu *adj.* absolute

accorder allow, grant; **s'accorder** agree, be in agreement

accourir hasten (rush) up

accrocher hook on

acheter buy (à from)

adieu *m.* good-bye

adresser address; **s'adresser à** address oneself (speak) to

adroit clever, smart, skillful

affaire *f.* affair; *pl.* business, dealings

affiche *f.* poster, placard

afficher post

affolement *m.* panic

afin de in order to

agir act; **s'agir de** be a matter of, concern, be in question

agité *adj.* troubled, restless, excited, uneasy, disturbed

agiter wave, wag, shake; **s'agiter** stir, be restless

agneau *m.* lamb

agricole agricultural

aïe! ouch!

aïeux *m. pl.* ancestors

aigu, –ë sharp, keen, piercing, shrill

aiguille *f.* hand (*of a clock*), needle

aile *f.* wing; sail (*of a wind-mill*)

ailé winged

ailleurs elsewhere; **d'ailleurs** however, moreover

aimable pleasant, likeable, courteous

aimer love, like; **aimer mieux** prefer

aîné *m.* elder, eldest

ainsi thus, so, consequently; **ainsi que** as

air *m.* air; look, appearance; **en plein air** in the open (air); **le grand air** the open (fresh) air; **avoir l'air** look, appear, have the appearance (**de** of)

aise *f.* ease; **à l'aise** well off

ajouter add

ajuster adjust, fit

albâtre *m.* alabaster

aligner (**s'**) be in a line (row)

allée *f.* garden path, walk

allemand German

aller go; **allons!** come now! well! **va donc!** go on (ahead)! **aller chercher** fetch, go for (get); **ça va mieux** it's getting better; **ça ne me va pas** that doesn't suit me, I don't like that; **s'en aller** go away, leave

allonger (**s'**) stretch out

allumer light

allure *f.* manner, way of flying (walking, *etc.*)

alors then, at that time

alpage *m.* mountain pasture

alpestre Alpine

âme *f.* soul

amener bring

ami *m.*, **amie** *f.* friend

amical friendly

amitié *f.* friendship; **se prendre d'amitié** take a liking (**pour** to, for)

amour *m.* love

amoureux *m.* lover

an *m.* year

anchois *m.* anchovy

ancien, –ne former; old, ancient

âne *m.* donkey

ange *m.* angel

angevin of Anjou, Angevin

anglais English; *n.* Englishman

Angleterre *f.* England

angoisse *f.* anguish

année *f.* year

anse *f.* handle (*curved*)

apercevoir notice, see; **s'apercevoir de** notice

apparaître appear

appareil *m.* apparatus, instrument; **appareil téléphonique** telephone

appartenir belong

appel *m.* call

appeler to call; **s'appeler** be named

appétissant appetizing

apporter bring

apprendre learn; teach

apprentissage *m.* apprenticeship

appris *adj.* taught, instructed, learned

approcher approach, bring near; **s'approcher** (**de**) approach

appuyer (**s'**) lean

après after, afterward; **d'après** according to

après-demain *m.* day after tomorrow

362

après-midi *m.* afternoon

arbre *m.* tree

arc *m.* arch

ardent scorching, blazing

ardoise *f.* slate (*roofing*)

argent *m.* silver; money

arme *f.* arm, weapon; *pl.* coat-of-arms; **armes à feu** firearms

arracher pull (tear) up (out), uproot

arranger arrange; **s'arranger** make arrangements (shift), get along

arrêter arrest, stop; **s'arrêter** stop, stand still

arrière *m.* back, rear; **en arrière** backwards, at the back

arrivée *f.* coming, arrival, entry

arriver come, arrive; happen

arrondissement *m.* division of a department

arroser water, irrigate; bathe

asseoir (s') sit (down)

assez enough; rather, quite

assidu constant, assiduous

assiette *f.* plate; course (*of a meal*)

assis *adj.* seated, sitting

assister attend, be present (**à** at)

associer take into partnership

astrologue *m.* astrologer

atelier *m.* workshop (*of artisans*)

âtre *m.* hearth

attablé seated at table

attacher attach, tie, bind

atteindre hit; reach, attain

atteint *adj.* stricken, seized (*by illness*)

attelage *m.* team, yoke; harness

atteler hitch, yoke

attendre wait (for); expect; **s'attendre à** expect, await; **en attendant** meanwhile

attirer draw, attract

attraper overtake, catch up with

attrister sadden

auberge *f.* inn

aucun no, none, not one (any)

aujourd'hui today

aune *f.* ell (*linear measure of 54 inches*)

auparavant *adv.* before, beforehand

aurore *f.* dawn

aussi also, too; as; and so

aussitôt at once, immediately; **aussitôt que** as soon as; **aussitôt . . . aussitôt . . .** no sooner . . . than . . .

autant as much (many); **autant que** as much (many) as; **d'autant plus que** all the more since (as), more especially as

auteur *m.* author

autour round, around; **autour de** round

autre other, another; **rien d'autre** nothing else

autrefois formerly

autrement otherwise

avaler swallow, gulp down

avance *f.* advance; **d'avance** in advance, beforehand; **être en avance** be ahead of time

avant *prep.* before; **avant de** before; **en avant** forward; **avant que** *conj.* before

363

avare *m.* miser; *adj.* miserly, stingy

aventure *f.* adventure; **par aventure** perchance, by chance

avertir warn

aveu *m.* confession, avowal

avion *m.* airplane

avis *m.* opinion; **changer d'avis** change one's mind

avoine *f.* oats

avoir have; **il y a** ago; **il y a (avait,** *etc.***)** there is *or* are (was *or* were, *etc.*); **qu'est-ce qu'il y a?** what's the matter? **qu'as-tu?** what's the matter with you? **il y a que...** the matter is that...; **avoir beau** + *inf.* to be useless to... *or* to... in vain; **avoir l'air (de)** look, appear, have the appearance of; **avoir ... ans** be ... years old; **avoir besoin (de)** need; **avoir de la chance** be lucky; **avoir chaud** be warm (hot); **avoir faim** be hungry; **avoir froid** be cold; **avoir hâte** be in a hurry; **avoir peur** be afraid; **avoir ... pieds de haut** be ... feet high; **avoir mal à** + *part of the body* have a ... ache; **j'ai mal à la gorge** I have a sore throat; **avoir raison** be right; **avoir tort** be wrong

avouer confess, avow

avril *m.* April

B

babiller babble

bachelier *m.* bachelor (*degree*)

bah! pooh! indeed!

baie *f.* bay

baigner bathe

bain *m.* bath

baiser *v.* kiss; *n. m.* kiss

balai *m.* broom

balancer balance, sway, flutter, poise

balayer sweep

ballant *adj.* swinging, dangling

banc *m.* bench, seat

banquier *m.* banker

baquet *m.* bucket

barbe *f.* beard

baril *m.* keg, small cask

barque *f.* boat, bark

barrière *f.* gate, barrier

bas, –se *adj.* low; *adv.* low; **(d')en bas** below, downstairs; **en bas** at the bottom; **là-bas** yonder, over (down) there

bas *n. m.* bottom; stocking

basse-cour *f.* poultry yard

bassesse *f.* mean (base) action, servility

bassin *m.* basin, pool

bataille *f.* battle

bateau *m.* boat, ship

batelier *m.* boatman

bâtiment *m.* building, structure

bâtir build

bâton *m.* stick, club

battant *adj.* swinging

battre beat, strike; **se battre** fight, struggle

beau, bel, belle fine, handsome, beautiful

beaucoup much, many; a good deal, greatly

beau-père *m.* father-in-law

bébé *m.* baby

bec *m.* beak, snout; **bec de gaz**

gas jet, street lamp; **le bec dans l'eau** *slang* in the lurch

bêcher dig (spade) up

beignet *m.* fritter

bêler bleat

bénédiction *f.* blessing

bénir bless

berceau *m.* cradle

berge *f.* bank (*of a river*)

besace *f.* beggar's wallet (sack)

besogne *f.* task, job

besoin *m.* need

bétail *m.* cattle, livestock

bête *f.* animal, beast; *adj.* silly, stupid

bêtise *f.* nonsense, foolishness

betterave *f.* sugar beet

beurre *m.* butter; **battre le beurre** churn (butter)

bibliomane *m.* book collector

bicyclette *f.* bicycle

bien *adv.* quite, indeed, well, very, thoroughly; gladly, willingly; **eh bien!** well! very well! **bien de = beaucoup de; bien d'autres** many another; **ou bien** or else; **être bien** be comfortable; **bien que** *conj.* although

bien *n. m.* good; property, goods

bienfait *m.* kindness, service, blessing

bientôt soon; **à bientôt!** see you later!

bienveillant kind, benevolent

bienvenue *f.* welcome

bille *f.* marble

billet *m.* ticket; note

bise *f.* cold wind

blanc, blanche white

blanchir turn white, bleach, grow gray

blé *m.* wheat, grain

blessé *n. m.* wounded person

blesser wound, hurt

bleu blue

bleuâtre bluish

bleuir turn (become) blue

blond pale, blond

bœuf *m.* ox; beef

boire drink

bois *m.* wood; *pl.* woods

boiter be lame, limp, hobble

boiteu-x, -se limping, lame, crippled

bon, bonne good, kind; **pour de bon** really (and truly); **à quoi bon?** what is the good (of)? of what use?

bonasse good-humored

bond *m.* leap, bound

bondir to leap, bound

bonheur *m.* happiness, good luck

bonhomme *m.* chap, old fellow

bonjour *m.* good morning, how do you do

bonté *f.* kindness, goodness, good will

bord *m.* edge, bank, shore

bordeaux *m.* Bordeaux wine, claret

bordure *f.* border, headland

borgne blind (*in one eye*)

bosse *f.* hump

bossu *adj.* hunchbacked; *n. m:* hunchback

bouche *f.* mouth

boucle *f.* curl, lock (*of hair*)

bouclier *m.* shield

bouger stir, move

bouilloire *f.* kettle

boulanger *m.* baker

boule *f.* ball

bouquet *m.* clump, cluster

bouquin *m.* old book, used book

bouquiniste *m.* dealer in used books (old books)

bourdonner hum, buzz

bourgeois *m.* citizen, townsman (*middle class*)

bourse *f.* purse

bousculer jostle, hustle

boussole *f.* compass

bout *m.* end, tip; hem; bit; **au bout de** after

bouteille *f.* bottle

boutique *f.* shop, small store

bouton *m.* button; bud

braise *f.* coal (*of fire*)

brandir wave, brandish

bras *m.* arm; **en bras de chemise** in shirt sleeves

brave worthy, good; brave

briller shine, gleam, glisten, sparkle

brin *m.* bit; blade (*of grass*)

briser break

broche *f.* spit, skewer (*for roasting meat*)

broder embroider

broderie *f.* embroidery

brosse *f.* brush

brosser to brush

brouillard *m.* fog

brouiller (se) become confused, break up (*of weather*)

brouter browse, feed upon

bruit *m.* noise, sound; rumor

brûler burn

brume *f.* mist, fog

brun brown

bruni browned, tanned

bruyamment noisily, heavily (*of breathing*)

bruyant noisy

bu *p.p.* boire

bûche *f.* fire log

bûcheron *m.*, **–ne** *f.* wood-cutter, gatherer of dead wood

buée *f.* steam, vapor

buffet *m.* sideboard, buffet

bureau *m.* bureau, office, department; desk

buste *m.* head and shoulders, bust

C

ça = **cela**

çà *adv.* here; **çà et là** here and there; **ah çà!** I say! here! well! indeed!

cabinet *m.* study, office; **cabinet de toilette** dressing room

cacher hide

cachette *f.* hiding place

cadeau *m.* gift, present

cadran *m.* dial, face (*of a clock*)

café *m.* coffee; café

cahot *m.* rut; bump (*of a road*)

cahoter to jolt

caille *f.* quail

caillou *m.* pebble

caisse *f.* case, crate, box

caissière *f.* cashier, hotel clerk

cale *f.* hold (*of a ship*)

calomnie *f.* slander, calumny

campagnard *m.* country dweller; *pl.* country people

campagne *f.* country; campaign; **en pleine campagne** in the open country (fields)

canard *m.* duck

caniche *m.* poodle

canif *m.* pocketknife

canne *f.* cane; **canne en bambou** bamboo fishing pole

cantique *f.* hymn, canticle
canton *m.* district, canton
car for, because
carafe *f.* water bottle, carafe
cargaison *f.* cargo
carnet *m.* notebook
carré *adj.* square; *n. m.* square
carte *f.* card; map
cas *m.* case; en tout cas at any rate
caser stow away
casier *m.* set of pigeonholes
casquette *f.* cap (*with a visor*)
casser break, smash
casserole *f.* saucepan, casserole
castagnette *f.* castanet
cauchemar *m.* nightmare
cause *f.* cause; à cause de because of
causer talk, chat
causer cause
cave *f.* cellar
ceinture *f.* belt, sash
céleste celestial
cellule *f.* cell
celui, celle he, she, this (one), that (one), the one; celui-ci the latter; celui-là the former
cent hundred
centaine *f.* a hundred
centurion *m.* Roman military officer
cependant however, yet, still, nevertheless
cercle *m.* club (*social*)
cerise *f.* cherry
cesse *f.* ceasing; sans cesse incessantly, continually
cesser stop, cease
ceux *pl. of* celui
chacun *pron.* each, each one
chair *f.* flesh; body, person

chaise *f.* chair
chaland *m.* barge, canal boat
chaleur *f.* heat, warmth
chambre *f.* room, chamber; chambre à coucher bedroom
champ *m.* field
champêtre *adj.* country
chance *f.* luck; chance; avoir de la chance be lucky
chandelier *m.* candlestick
chandelle *f.* candle
changement *m.* change
chanson *f.* song
chant *m.* singing
chanter sing
chanteur *m.* singer
chantier *m.* workyard (lumberyard, shipyard, etc.)
chantonnement *m.* humming
chapeau *m.* hat
chaque each, every
charbon *m.* coal, charcoal
charge *m.* load, burden
charger to load, burden; charger de entrust with; se charger de take charge of
chariot *m.* cart
charmant *adj.* charming
charme *m.* yoke elm
charpente *f.* frame; bois de charpente lumber
charrue *f.* plow
chasse *f.* hunting, hunt
chasser to hunt; drive away (out, off)
chasseur *m.* hunter; cavalryman
chat *m.* cat
château *m.* castle, château
chaud warm
chaudière *f.* boiler
chauffer warm, heat
chaume *f.* straw thatch

367

chaumière *f.* cottage (*thatch covered*)

chauve bald

chef *m.* chief, leader; **chef de gare** station master; **chef de train** train guard, brakeman

chemin *m.* way, road, path; **chemin de fer** railroad; **passer son chemin** go on one's way

cheminée *f.* mantelpiece, mantel; chimney; fireplace

chemise *f.* shirt

chêne *m.* oak

cher, chère dear

chercher look for, seek, search, try to

chère *f.* cheer, fare; **faire bonne chère** set a good table, dine sumptuously

chéri *m.* dear, dearie, darling

cheval *m.* horse; **à cheval** on horse(back), mounted; **monter à cheval** ride horseback

chevalier *m.* knight

cheveux *m. pl.* hair

chèvre *f.* goat

chèvrefeuille *m.* honeysuckle

chez at (in, into, to) the house (home, store, *etc.*) of; **chez moi** at home, in my house

chic smart, jaunty, stylish; *slang* swell, nifty, a sport

chien *m.* dog

chiffon *m.* rag

Chine *f.* China

chœur *m.* chorus

choisir choose, select

choix *m.* choice

chômer be idle (out of work)

chope *f.* beer mug

chose *f.* thing; **autre chose** anything else, otherwise, something else, another story

chou *m.* cabbage

chuchotement *m.* whisper, whispering

chut! ssh! hush!

chute *f.* fall

ciel *m.* (*pl.* **cieux**) sky, Heaven

cigogne *f.* stork

cinquante fifty

clair clear; **clair de lune** moonlight

clairière *f.* clearing, open space (*in woods*)

classe *f.* class; **aller en classe** go to school

clavecin *m.* harpsichord

clef *f.* key; **fermer à clef** close and lock

clématite *f.* clematis

cligner wink; **cligner de l'œil** wink (an eye)

clocher *m.* spire, steeple

cloison *f.* bulkhead

clos *adj.* closed, shut

clos *m.* enclosure

clou *m.* nail

coasser croak

cocher *m.* coachman

cochon *m.* pig

cœur *m.* heart; **avoir le cœur serré** have a heavy heart, be downcast

coiffer cover the head

coin *m.* corner

col *m.* collar; mountain pass

colère *f.* anger; **se mettre en colère** become angry; **être en colère** be angry

collège *m.* a secondary school

colline *f.* hill

colombier *m.* dovecot

combien (**de**) how much, how many

combinaison *f.* combination

comice *m.* society, association

commandement *m.* command

commander order

comme as, like, how; **comme ci comme ça** so-so

commencement *m.* beginning

commencer begin, commence

comment how; **comment!** what!

commerçant *m.* merchant, tradesman

commettre commit

commissaire *m.* commissioner

commission *f.* errand

commun common, ordinary; vulgar

compagne *f.* woman companion

compagnie *f.* company

comprendre understand; **je n'y comprends rien** I can't make head or tail of it

compte *m.* account, expense; count, reckoning; **pour son compte** on his behalf (account)

compter count

comptoir *m.* counter

comte *m.* count (*rank*)

concevoir conceive, entertain

concours *m.* competition; **concours d'agrégation** competitive examination for a fellowship

concurrent *m.* competitor, rival candidate

condition *f.* condition; **à condition que** on condition that, provided (that)

conducteur *m.* driver

conduire lead, take, conduct, show the way, direct; drive

confection *f.* making clothes

confiance *f.* trust, confidence

confier entrust, confide

conjuguer conjugate

connaître know, recognize; **se connaître à (en)** be a good judge of, know all about

connu *adj.* known

conquérir conquer, win

conscience *f.* conscience; consciousness; knowledge

conseil *m.* advice, counsel; council

conseiller *n. m.* member of a council

conseiller *v.* advise

considérable important

constamment constantly

conte *m.* story, tale

contenir contain, hold

content satisfied, content, glad

conter tell (*a story*), relate

continu continuous

contourner (**se**) twist, circle around

contre against, close to; for

convenable suitable

convenir agree, settle; suit, fit, be proper (suitable)

coq *m.* cock

coquin *m.* rascal, rogue

cor *m.* horn (*instrument*); **cor de chasse** hunting horn

corbeau *m.* raven, crow

corde *f.* rope, cord

corne *f.* horn (*of animals*); **faire une corne** turn down a corner (of a page)

corniste *m.* horn player

corps *m.* body

corsage *m.* bust, bodice

369

côte *f.* slope, side; à **mi-côte** half way up (down)

côté *m.* side, direction; à côté at one side; beside, near; de côté sideways, to one side; de son côté in his (its, her) direction; de l'autre (chaque) côté in the other (each) direction, on the other (each) side

coton *m.* cotton; **bonnet de coton** nightcap

cou *m.* neck

couchant *m.* sunset, setting sun

couché *adj.* lying

coucher put to bed; se coucher lie down, go to bed, spend the night

coucou *m.* cuckoo clock, cuckoo

coudre sew; être cousu d'or be rolling in money

couler flow, drip, run (*of liquids*)

couleur *f.* color

coulisse *f.* wings (*of a stage*)

couloir *m.* passage, corridor, hallway

coup *m.* knock, stroke; draught, drink; blow, gust; shot; slap; kick; attempt; tout à coup suddenly; coup d'épaule shove; coup de grâce finishing stroke, death blow; coup d'œil glance, look; coup de sang stroke (*of apoplexy*), fit

coupable *n. m.* culprit, guilty person

couper cut (off)

cour *f.* yard, court, courtyard

courant *m.* current

courbe *f.* curve

courber bend, curve

courir run; blow (*of the wind*)

couronne *f.* crown; wreath

couronner to crown

courroux *m.* anger

course *f.* errand, trip

court short

couteau *m.* knife

coûter cost

couvercle *m.* cover, lid

couvert *p. p.* **couvrir** covered

couvert *m.* cover (*knife, fork, and spoon*); mettre un couvert de plus set another place at table

couverture *f.* covering

couvrir cover; drown (*of sound*)

cracher spit

craie *f.* chalk; blanc de craie whiting

craignait *p. desc.* craindre

craindre fear

craint *p. p.* craindre

crainte *f.* fear

craquer creak, snap, crackle

cravate *f.* necktie

crayon *m.* pencil

crêpe *m.* crape

crépusculaire *adj.* twilight

crépuscule *m.* twilight, dawn

creuser dig

creu-x, –se hollow, sunken

crever burst, split; die, (*slang*) pass out

crier cry, exclaim

croc *m.* hook; moustache en croc curled-up moustache

crochet *m.* hook; faire un crochet swerve, change direction abruptly; en crochet hooked

croire believe, think

370

croisade *f.* crusade
croisée *f.* casement window
croix *f.* cross
crosse *f.* gun butt
croûte *f.* crust
cru *adj.* raw, uncooked
cruauté *f.* cruelty
cueillir pick, gather (*fruits, flowers*)
cuir *m.* leather
cuisine *f.* kitchen; **faire la cuisine** do the cooking
cuisini-er, **–ère** *m., f.* cook; *f.* Dutch oven, roasting oven
cuivre *m.* copper, brass; *pl.* copper (brass) utensils
cuivre cook
curé *m.* priest

D

dame *f.* lady
danseur *m.* dancer, partner
davantage further, more
de of, from, by, with, into; than; some, any
dé *m.* dice
débarrasser rid, relieve (of)
déborder overflow
déboucher uncork
debout upright, standing
débris *m.* remnant, wreckage
décharger unload
déchirer tear, rip
décider persuade, convince; **se décider (à)** make up one's mind, come to a decision
découper cut out, shape
découvrir discover
décrire describe
dedans within, inside
défaut *m.* defect, weakness, failing

défendre forbid; defend
dégoûtant disgusting
dehors outside, outdoors; **en (au) dehors** outside
déjà already
déjeuner *v.* to breakfast; *n. m.* lunch, breakfast
delà beyond; **au delà de** beyond
délicatesse *f.* delicacy
déluré wide-awake, knowing
demain tomorrow
demande *f.* demand; proposal (*of marriage*)
demander ask (for)
démentir refute, give the lie to
demeure *f.* dwelling, home
demeurer dwell, stay, remain
demi, –e half, a half
démission *f.* resignation
demoiselle *f.* miss, maid, young lady
dent *f.* tooth
dentelle *f.* lace
départ *m.* leaving, departure
dépêcher (se) hurry, hasten
dépeindre depict, describe
dépens *m.:* **à ses dépens** at his expense
dépense *f.* expense
déplacer displace, shift
déplaire displease, be unpleasing
déplier unfold
déployer unfurl, spread
dépoli frosted, ground (*glass*)
déposer set down, deposit, place
dépouillé stripped; bare of leaves
depuis since, for, from; **depuis que** since

371

déranger disturb, put out of order; inconvenience

derni-er, -ère last

dérober (se) conceal oneself, steal away

dérouiller take off the rust

derrière *n. m.* back, rear; *adv. or prep.* behind; **par der-rière** from the rear

dès from, since, as early as; **dès que** as soon as

descendre go down, descend

désert *adj.* deserted; *n. m.* desert

désespoir *m.* despair, desperation

désigner indicate, show

désirer want, desire, wish

désistement *m.* withdrawal

désolé *adj.* sorry, grieved, desolate

dessiner draw, sketch

dessous under, underneath, beneath; **au-dessous (de)** underneath; **là-dessous** under there, beneath that

dessus *n. m.* top; *adv.* over, above, on top; **au-dessus (de)** over, above; **par-dessus** over

déterrer unearth, dig up

détruire destroy

deux two; **tous (les) deux** both; **à nous deux seuls** alone by ourselves

devant *prep. or adv.* before, in front (of); *n. m.* front; **sur le devant** toward the front; **par devant** in front

devenir become; grow; **qu'est-ce qu'il est devenu?** what has become of him?

deviner guess, divine

devinette *f.* riddle

devise *f.* motto, device

dévoiler unveil

devoir *n. m.* duty

devoir *v.* ought, must, have to; be expected to

dévouer devote

diable *m.* devil; **diable!** the deuce! you don't say! *etc.;* **que diable!** what the deuce!

dicter dictate

diète *f.* diet; **faire la diète** go on a diet

Dieu *m.* God; **mon Dieu!** my goodness! Heavens! *etc.*

difficile difficult, hard; hard to please (get along with)

difforme deformed, distorted

digne worthy; dignified

dimanche *m.* Sunday

dire say, tell; **c'est-à-dire** that is; **l'heure dite** the appointed hour; **ça te dit quelque chose** that means something to you; **vouloir dire** mean

diriger direct

discours *m.* speech, discourse

discuter discuss, argue

disparaître disappear

disposition *f.* disposal

disputer dispute; **se disputer** quarrel, argue

distinguer distinguish

divers different, diverse

diviser divide

dizaine *f.* about ten

doigt *m.* finger

domestique *m.* servant

dommage *m.* shame; pity

don *m.* gift

donc therefore, indeed, so, then; **dites donc!** I say! say!

donjon *m.* dungeon, tower
donner give; blow (*of wind*);
  donner sur look out upon
doré golden, gilded
dormir sleep
dortoir *m.* dormitory
dos *m.* back, shoulder
dot *f.* dowry
doublure *f.* lining (*of clothes*)
doucement gently, softly,
  quietly
douceur *f.* sweetness; gentle-
  ness; mildness
douleur *f.* pain, grief, anguish,
  suffering
douloureu-x, -se painful, ago-
  nizing
douter doubt; se douter (de)
  suspect
doux, douce sweet; gentle;
  soft; mild; pleasant; faire
  doux be mild (*weather*)
douze twelve
drap *m.* cloth; sheet
drapeau *m.* flag
dresser erect, raise; se dresser
  straighten (up)
droit *n. m.* right; *adj.* right;
  straight
droite *f.* right-hand (side); à
  droite at (on) the right
drôle comic, funny; quelle
  drôle d'idée! what a funny
  idea!
dû, due *adj.* due, owing
dur hard
durer last
dût *p. subj.* devoir
duvet *m.* down

E

eau *f.* water
échanger exchange

échapper (s') escape (de, à
  from)
écharpe *f.* scarf, sash
échelle *f.* ladder
éclairer light (up)
éclat *m.* splinter, fragment
éclater burst, break out; éclater de rire burst out laughing
école *f.* school
économies *f. pl.* savings
écouler (s') flow
écouter listen (to)
écraser crush, tread down
écrémer skim, remove the
  cream
écrevisse *f.* crab, crayfish
écrier (s') cry out, exclaim
écrire write
écriture *f.* writing, hand-
  writing
écrive *pres. subj.* écrire
écu *m.* crown (*coin worth 3
  francs*)
éditeur *m.* publisher
effet *m.* effect; en effet in fact
effeuilleur *m.* stripper (*of
  leaves*)
effrayant *adj.* frightful, terrify-
  ing
effrayer frighten, scare
effroi *m.* fright
effroyable frightful
égal even, steady, equal
égayer gladden, cheer
église *f.* church
élan *m.* dash, rush
élancer (s') leap, fling oneself
élargir widen, stretch
électeur *m.* voter, elector
élève *m., f.* pupil
élevé *adj.* bred, raised, brought
  up

élever raise; **s'élever** rise, arise

élire elect

éloigner remove, put away, dismiss; **s'éloigner** go away

élu *p. p.* élire

emballer pack up; (*slang*) pack (hustle) off

embarras *m.* embarrassment

embarrasser embarrass; encumber, burden

embrasser kiss, embrace

emmener take (lead) away

émouvant stirring, exciting

empêcher prevent, keep (de from)

emploi *m.* use, employment

emporter remove, take away, carry off

ému *adj.* moved, touched, stirred (*with emotion*)

en *prep.* in, into, at, to, on, of; *pron.* of him (her, it, them), with it, from there; some, any; *conj.* en + *pres. part.* in, while, by, on

encadrer frame

encore again, still, yet; besides, also, further

encourir (s') hasten

encre *f.* ink

endormir (s') go to sleep

endroit *m.* place, spot

enfance *f.* childhood

enfant *m., f.* child

enfermer shut up (in), lock up (*of persons*)

enfin finally, at last

enfoncer (s') sink into, bury itself

enfuir (s') flee, take flight

enfumé smoked, blackened with smoke

engager pledge, promise, give one's word

engloutir swallow, devour, engulf

enjambée *f.* stride

enlèvement *m.* removal; elopement

enlever remove, take away

ennui *m.* boredom, nuisance

ennuyer bore, vex, bother; **s'ennuyer** be (grow) bored (weary, tired)

ennuyeu-x, -se tiresome, boresome

enrouler wind

enseigner teach

ensemble together

enserrer lock up

ensevelir shroud, bury

ensuite then, afterward, next

entasser heap (pile) up

entendre hear; understand; **s'entendre** come to an understanding, understand each other; **cela s'entend** that's obvious; **c'est entendu** of course, it's a bargain (agreed, understood), **bien entendu!** of course!

enterrement *m.* burial, interment

enterrer bury

entêter (s') persist, be stubborn (à in)

entorse *f.* sprain

entourer surround

entraînement *m.* training

entre between, among

entrée *f.* entrance, entry; a first course of a meal; **porte d'entrée** entrance(way)

entremêler (s') intermingle

entremet *m.* side dish

entreprendre undertake
entrer enter, come in, go into
entretenir keep up
entr'ouvert half-open, ajar
envahir invade
envelopper envelop, wrap up
enverra *fut.* envoyer
envers *m.* reverse, wrong side;
à l'envers wrong side to, on
backwards
envie *f.* longing, desire, envy;
faire envie be tempting
environs *m. pl.* vicinity
envoi *m.* shipment
envoler (s') take flight, fly
away
envoyer send
épais, –se thick, dense
épaisseur *f.* thickness
épargner spare
épaule *f.* shoulder
épée *f.* sword
épi *m.* head (*of grain, wheat*)
épicier *m.* grocer
épingle *f.* pin
éponge *f.* sponge
épouser marry, wed
époux *m.* husband; *pl.* married couple
épuiser exhaust, wear out
érable *f.* maple
errer wander, stray
escalier *m.* stairs, staircase
espacer space, set at intervals
espagnol Spanish
espèce *f.* species, sort
espérance *f.* hope
espérer to hope (for)
espiègle mischievous; *m.*
rogue
espoir *m.* hope
esprit *m.* mind, spirit

esquisse *f.* sketch
essayer try, attempt (**de** to)
essoufflé out of breath
essuyer wipe
est *n. m.* east
estrade *f.* platform, stand
étable *f.* stable
établir establish
étage *m.* floor, story (*of a
house*)
étain *m.* pewter
étaler (s') stretch (sprawl,
spread) out
étang *m.* pool, pond
état *m.* state; condition
été *n. m.* summer
éteindre extinguish, put out;
s'éteindre go out (*of a light*)
étendre (s') extend, stretch
étiqueter tag, label
étoffe *f.* fabric, stuff
étoile *f.* star; étoile filante
shooting (falling) star; à la
belle étoile in the open,
under the stars
étonnant *adj.* amazing, aston-
ishing
étonnement *m.* surprise, astonishment
étonner astonish
étouffer stifle, suppress
étrang–er, –ère *m.. f.* foreigner,
stranger
être be; être à belong to; ça y
est ! there you are ! I knew
it ! that's done !
être *n. m.* being
étrennes *f. pl.* New Year's
(Christmas) gifts
évanouir faint
évasion *f.* escape
éveiller wake, waken, excite:
s'éveiller wake up

375

événement *m.* happening, incident

éviter avoid

exemple *m.* example; **par exemple !** indeed ! the idea !

exercer exercise, practice

explication *f.* explanation

expliquer explain

exprimer express

exquis exquisite

F

fabrique *f.* factory

fabriquer manufacture, make

face *f.* face; **en face (de)** in front (of), opposite

fâché *adj.* angry, angered; sorry

fâcher (se) get (become) angry (**contre** with, at)

facile easy

façon *f.* manner, way; **à sa façon** in one's own manner

facteur *m.* postman; porter

faible weak, feeble

faiblesse *f.* weakness, yielding

faïence *f.* earthenware, crockery

faim *f.* hunger

faire do, make; **faire** + *inf.* to cause (have, make) someone do something (something be done); **se faire** take place, become, develop; **faire chaud** be warm; **faire attention** pay attention; **faire chercher** send for; **faire entrer** show in; **faire les frais** pay the expenses; **faire froid** be cold (weather); **faire une fête** give a hearty welcome; **faire la grimace** make a wry face; **faire bonne garde** keep good watch; **faire mal** injure, do harm; **faire une partie** play a game; **faire peur à** frighten; **faire (de la) place** make room (à for); **faire le marché** do the marketing; **faire plaisir** please, give pleasure; **faire une promenade** take a walk; **faire savoir** make known, inform; **faire semblant (de)** pretend (to), make believe; **faire signe que oui (non)** make a sign (indicate) that something is (is not) so; **faire (un) mauvais (temps)** be bad weather; **faire voir** show; **faire venir** send for, summon; **pourquoi faire?** what for? **que faire?** what is to be done? what can (could) one do? **ça n'y fait rien** it doesn't make any difference

fait *n. m.* fact; **dire son fait** give a piece of one's mind

falloir be necessary, must; need; **comme il faut** as is proper *or* suitable

famili-er, -ère familiar, unceremonious

faneuse *f.* haymaker

fanfare *f.* flourish of trumpets, fanfare

fantaisie *f.* fancy

faquin *m.* scoundrel, knave, rascal

farine *f.* flour

fatigué *adj.* tired

faucher reap

faucheur *m.* reaper, mower

faute *f.* fault, mistake

fauteuil *m.* armchair
faux, fausse *adj.* false, untrue
faux *n. f.* scythe
fée *f.* fairy
fêlé cracked
femme *f.* woman; wife; **femme de chambre** chambermaid
fenaison *f.* haymaking, hay harvest
fendre split, crack
fenêtre *f.* window
fer *m.* iron
fer-blanc *m.* tin
ferme *f.* farm; farmhouse
fermer close, shut
fermier *m.* farmer
ferraille *f.* scrap iron
feston *m.* garland, festoon
fête *f.* feast, festivity, celebration; **jour de fête** holiday, feast day
fêter welcome, celebrate
feu *m.* fire
feuillage *m.* foliage, leaves
feuille *f.* leaf; **feuille de route** road map
feuillée *f.* foliage
fève *f.* bean
fiacre *m.* cab, taxi
fiancé, -e *m., f.* betrothed
ficeler tie (*with string*)
ficelle *f.* string, piece of string
fichu *n. m.* neckerchief, scarf
fichu: **fichu de venir nous relancer** quite capable of hunting us out
fidèle constant, faithful
fier, fière proud, haughty
fier (se): se fier à trust
fierté *f.* pride
figure *f.* face
fil *m.* thread; wire

filer spin
filet *m.* net; thread, **wisp, trickle**
fille *f.* daughter, girl
fils *m.* son
fin *adj.* fine; clever
fin *n. f.* end; **à la fin** ! after all !
finir finish, end; **finir de** + *inf.* finish + *pres. part.;* **en finir avec** have done with, put an end to; **finissons-en** let's put an end to it, let's have done with it
fît *p. subj.* faire
fixe fixed, staring
flair *m.* scent, sense of smell (*of a dog*); **avoir du flair** have a gift for nosing (finding) something out
flâner loaf, idle
flâneur *m.* loafer, idler, stroller
flaque *f.* puddle
flèche *f.* spire; arrow
fleur *f.* flower
fleuri blossoming, covered with flowers
flocon *m.* snowflake
flot *m.* flood
flûte *f.* (*popular*) long, thin roll of bread
flûter (*slang*) guzzle, swig
foi *f.* faith; (**par**) **ma foi !** my word ! really !
foin *m.* hay; **rentrer les foins** get in the hay
fois *f.* time; **une fois** once; **à la fois** at a time, at the same time; **encore une fois** once more, again
folie *f.* madness, insanity
fond *m.* bottom, depth; back; **au (vers le) fond** backstage; **au fond** at heart

ᵭndre melt
fonds *m. pl.* business
fontaine *f.* spring, fountain
force *f.* force, strength, might;
à force de by dint of; de
toutes ses forces with all his
might
foresti–er, –ère *adj.* forest
forêt *f.* forest
fort *adj.* strong; skillful, clever;
être fort sur be well up on
(in), be good at (in); *adv.*
very, much, strongly, hard,
fast; loud, loudly
fosse *f.* pit, trench
fossé *m.* ditch, moat
fossette *f.* dimple
fou, fol, folle *adj.* mad, insane,
crazy; *n.* mad (insane) person
foudre *f.* lightning
fouille *f.* excavation
fouiller excavate
fouillis *m.* tangle, jumble
foule *f.* crowd, host
fourche *f.* fork, hay fork, pitchfork
fourchette *f.* fork (*table*)
fourneau *m.* stove
fourrer cram, stuff
fourrure *f.* fur (*clothing*)
foyer *m.* hearth
fraîcheur *f.* coolness, freshness
frais, fraîche cool, fresh; faire
frais be cool (*weather*)
frais *m. pl.* expenses, costs
fraise *f.* strawberry
franc *m.* franc (*formerly worth
20 cents*)
français French, French person
franchir cross (over)
frange *f.* fringe
frapper strike, hit, knock

frémir tremble, quiver
frère *m.* brother
frétiller wriggle, wiggle
frisson *m.* shiver
frissonner shiver, shudder
froid *adj.* cold; *n. m.* cold,
coolness
froidure *f.* coldness
frôlement *m.* rustling, stirring
frôler graze, brush against
fromage *m.* cheese
front *m.* forehead, brow; front,
façade
frottement *m.* rubbing
frotter rub
fuir flee
fuite *f.* flight
fumée *f.* smoke, wisp (*of
smoke*)
fumer to smoke
fumier *m.* manure, dunghill
furet *m.* ferret
fureur *f.* fury, rage
furie *f.* fury; en furie mad,
crazed
fusil *m.* gun, rifle
fusse *p. subj.* être

G

gâcher waste, spoil, ruin
gage *m.* pledge, security; mettre en gage pawn
gagner earn, win, gain; reach
gaillard jovial, gay
gain *m.* winnings
garçon *m.* boy; fellow, chap;
man; waiter, porter (*hotel*)
garde *f.* attention, heed, watch,
guard; prendre garde be on
one's guard (de against),
heed, take care, beware
garde *m.* guard, watchman;

378

keeper; game warden; **garde-général** supervisor of foresters

garde-fou *m.* parapet

garde-manger *m.* food box, cupboard

garder keep; take care of, guard, protect; **se garder de** take care not to, be careful not to

gare *f.* station (*railway*)

garni garnished

garnir garnish; furnish, fit, equip

gâteau *m.* cake

gâter spoil, ruin

gauche *adj.* left; *n. f.* left; **à gauche** on (to, at) the left

gaulois Gallic (= French)

gazon *m.* lawn

géant *m.* giant

gelée *f.* frost

gémissement *m.* moan, moaning

genou *m.* knee; **à genoux** kneeling, on one's knees

genre *m.* kind, sort

gens *m. or f.* people

gentil, –**le** nice, kind, agreeable

gentilhomme *m.* gentleman

geste *m.* gesture

gibier *m.* wild game

gilet *m.* vest

givre *m.* hoarfrost

glace *f.* mirror, looking glass

glacé frozen, icy cold

glacial icy, ice-cold, glacial

glissement *m.* slipping, sliding

glisser slip, slide, glide

gloria *m.* after-dinner coffee with brandy in it

gloussement *m.* cluck, clucking

gonfler swell

gorge *f.* throat; **la gorge serrée** a lump in one's throat

gosse *m., f.* (*popular*) brat, kid

gourmand *m.* epicure

goût *m.* taste

goûter to taste, appreciate, relish

goutte *f.* drop

grâce *f.* thanks; grace; favor, mercy; **rendre grâce** give thanks; **grâce à moi** thanks to me; **de grâce !** mercy's sake ! for pity's sake !

gracieu-x, –**se** gracious; graceful, pleasing

graine *f.* seed

grand big, tall, great, large; main; **la grand'route** the highway; **grand ouvert** wide open; **le grand air** the open (fresh) air

grandeur *f.* size

grandir grow up (big, tall)

grange *f.* barn

grappe *f.* cluster, bunch

gras, –**se** fat

gratis free, without charge

gratter scratch

grave serious, grave

gravité *f.* gravity, seriousness; **avec gravité** solemnly

grêle *f.* hail

grelotter shiver, shake (*with cold*)

grenouille *f.* frog

grillon *m.* cricket

grimace *f.* grimace, face

grimper climb

grincer creak, grate

gris gray

groin *m.* snout

grondement *m.* growl, growling

grondir scold

gros, –se big, large, great; stout, plump; coarse

guère (*with* **ne**) hardly, scarcely, barely, seldom

guérir cure, become well

guerre *f.* war; **en guerre** at war

guerrier *m.* warrior, soldier

guet *m.* watch, lookout; **avoir l'œil au guet** keep a sharp lookout

guetter watch for

gueule *f.* jaws, mouth (*of an animal*)

gueux *m.* beggar, tramp

guichet *m.* wicket, ticket window

H

habile clever

habiller (s') dress, clothe oneself

habit *m.* coat; covering; *pl.* clothes

habiter inhabit, dwell (live) in, occupy

habitude *f.* custom, habit

habitué *m.* patron, regular customer

habituer accustom; **s'habituer** get the habit, get used to

hache *f.* axe

haie *f.* hedge

haillon *m.* rag, tatter

haine *f.* hate, hatred

haleine *f.* breath

hasard *m.* risk, chance; **au hasard** at random

hâte *f.* haste, hurry

hâter (se) hasten, hurry

haut *adj.* high; loud; *n. m.*

top; **en haut** at the top; **là-haut** up there

hauteur *f.* height

hein! what! hey!

henissement *m.* whinnying

herbe *f.* grass

hêtre *m.* beech tree

heure *f.* hour; time, o'clock; **tout à l'heure** (+ *past tense*) a little while ago, just now, (+ *future tense*) in a little while, presently; **à la bonne heure!** fine! capital!

heureu–x, –se happy; lucky

heurter knock (run, fly) against (into)

hier *m.* yesterday

hirondelle *f.* swallow

histoire *f.* story; **c'est toute une histoire** it's a long story

hiver *m.* winter

holà! ho!

honnête respectable, decent, honorable, honest; cultivated, cultured, polite

horaire *m.* timetable

horloge *m.* clock

hors de out of, without

hôte *m.* guest

hôtel *m.* hotel; mansion

humanité *f.* mankind

hurler howl

I

ici here; **par ici!** this way!

idée *f.* idea

illustré illustrated

îlot *m.* islet

image *f.* picture

immobile motionless

imperméable waterproof

importer matter, be of importance; **n'importe** no matter

importun *n. m.* meddler, nuisance

inconnu *adj.* unknown; *n. m.* stranger, unknown person

inculte barren, uncultivated

indication *f.* direction

indigne unworthy

indiquer indicate, point to

inégalement unevenly, irregularly

infatigable tireless

infirmerie *f.* sick ward, infirmary

infirmière *f.* nurse

influent influential

injure *f.* insult

innombrable countless, innumerable

inqui–et, –ète uneasy, worried

inquiéter worry, make uneasy

inquiétude *f.* uneasiness, worry

inscrire inscribe

inscrit *p.p.* **inscrire**

instant *m.* instant; **à l'instant** instantly

institutrice *f.* teacher, schoolmistress

instruire teach, instruct

instruit *adj.* learned, educated

intendant *m.* steward, manager

interdire prohibit, forbid

intéresser (s') be interested (à in)

interrompre interrupt

intrigant *m.* schemer, wirepuller

inutile useless

invité *n. m.* guest

iouleur *m.* yodeler

ivre drunk, intoxicated

ivresse *f.* intoxication

J

jamais never, ever; **ne ... jamais** never

jambe *f.* leg

japonais Japanese

jardin *m.* garden; **jardin potager** kitchen (vegetable) garden

jardinier *m.* gardener

jargon *m.* unintelligible language, jargon

jarre *f.* jar, crock

jaune yellow

jaunir turn yellow

jeter throw, hurl, cast, fling; **jeter un cri** utter a cry

jeu *m.* play, game; **même jeu** same action as before (*stage*); **jeu de paume** tennis court; **maison de jeu** gambling house, dive

jeudi *m.* Thursday

jeune young

jeunesse *f.* youth

joie *f.* joy, happiness

joignant *pres. part.* **joindre**

joindre join; clasp (*hands*)

joli pretty

jonc *m.* reed, rush

joncher strew, scatter

joue *f.* cheek

jouer play; **jouer à** play (*a game*); **jouer de** play (*an instrument*)

jouet *m.* plaything, toy

joueur *m.* player, gambler

joug *m.* yoke

jour *m.* day; **tous les jours** every day

journal *m.* newspaper

journali–er, –ère daily

journée *f.* day

381

jovial jolly, jovial
joyeu–x, –se merry, joyous
jupe *f.* skirt
jupon *m.* petticoat
jurer swear, take oath
jusque until; jusqu'à until, as far as, to; jusque-là until then (now); jusqu'à ce que until
juste just, fair, right

L

labour *m.* plowing
labourer to plow
laboureur *m.* plowman
lâcher release, let go
laid plain, homely, ugly
laine *f.* wool
laisser let, leave, allow; laisser tomber drop, let fall; me laisser faire leave it to me; laisser dire let someone talk; laisser voir show, let be seen; laissez-moi faire leave it to me
lait *m.* milk
laitière *f.* milkwoman
lampe *f.* lamp; à la lampe by lamplight
lancer throw, hurl, cast
langue *f.* tongue; language
lapin *m.* rabbit
lard *m.* bacon
large wide, large
largement abundantly, copiously
larme *f.* tear
lavande *f.* lavender
laver wash, bathe
lavoir *m.* washhouse, laundry
lécher lick
leçon *f.* lesson

lecteur *m.* reader
lecture *f.* reading
léger, légère light
légume *m.* vegetable
lendemain *m.* next day, day after
lent slow
lessive *f.* washing (*clothes*)
lever *n. m.* rise, rising
lever *v.* raise, lift; se lever rise, get up
lèvre *f.* lip
liaison *f.* linking between words in speech
libérer free, release, liberate
libre free
lier tie, bind
lieu *m.* place; au lieu de instead of
lieue *f.* league (2½ *miles*)
lièvre *m.* hare
ligne *f.* line
lire read
lisse smooth, glossy, sleek
lit *m.* bed
livide colorless, livid
livre *m.* book
livre *f.* = franc (*in estimating income*)
livrée *f.* livery, uniform
livrer give up, deliver; abandon
loger live, stay, lodge
logis *m.* house, lodgings
loi *f.* law
loin *adv.* far, far away; au loin in the distance, far off; de loin from a distance; loin de là far from it; du plus loin que as far back as
lointain *adj.* far, far off, distant
long, –ue long; le long de along, the length of

382

longtemps *adv.* long, a long time

longuement *adv.* long, at length

longueur *n. f.* length

loquet *m.* latch

lorgnette *f.* opera glass

lorsque when

louche squint-eyed; (*slang*) suspicious, fishy, shady

louer rent

louer praise

louis *m. an old gold coin*

lourd heavy

lumière *f.* light

lumineu-x, -se bright, shining, luminous

lune *f.* moon

lunettes *f. pl.* spectacles, glasses

lut *p. abs.* **lire**

lutte *f.* struggle

luxe *m.* luxury

lys *m.* lily

M

mâcher munch, chew

machinal mechanical, automatic

machine *f.* machine; engine

mademoiselle Miss

mage *m.* wise man, magus

main *f.* hand; **à la main** in one's hand

maintenant now

maintenir keep together (in order), maintain

maintien *m.* deportment

maire *m.* mayor

mais but, however; **mais !** why ! **mais (oui) non !** no (yes) indeed ! indeed so (not) !

maison *f.* house; firm, business house; **maison commune** town hall; **maison de fous** madhouse, insane asylum; **à la maison** at home, home

maître *m.* master

mal *adv.* badly, bad, ill, wrong; **pas mal de** not a few, quite a lot; *n. m.* harm, injury, hurt, pain, suffering; **avoir du mal à** have difficulty in

malade *adj.* sick, ill; *n. m., f.* patient, sick person

maladroit awkward, blundering, foolish

malgré in spite of

malheur *m.* misfortune, bad luck; unhappiness; **de malheur** wretched; **par malheur** unfortunately

malheureu-x, -se unhappy; unfortunate

malin, maligne shrewd, sly

manche *f.* cuff, sleeve

manche *m.* handle

manger eat; **manger son argent (bien)** squander (waste) one's money (property)

manière *f.* manner, way; **en (à) manière de** by way of; **de telle manière** in such and such a way

manne *f.* wicker basket, hamper

mannequin *m.* manikin, dressmaker's dummy

manquer lack, be wanting; fail; **manqué !** missed !

manteau *m.* cloak, mantle

marchand *m.* merchant

marche *f.* step (*of stairs*); walk; march

marché *m.* market, market place

marcher walk, march, go, step, advance; **ça marche!** it's going fine! we're making progress!

mardi *m.* Tuesday

mare *f.* pool

mari *m.* husband

mariée *f.* bride

marier marry, give in marriage; **se marier (avec)** marry, get married

marin *m.* sailor

marmiton *m.* scullion

marque *f.* mark, imprint, trademark

marquer mark, show

marron *m.* large, edible chestnut

marronnier *m.* horse-chestnut tree

masure *f.* hovel, hut, cottage

matin *m.* morning; **au (le) matin** in the morning

matinal *adj.* morning, early

matou *m.* tomcat

maudire curse

maudit (*p.p.* **maudire**) confounded, cursed

mauvais bad, wretched, disreputable

mécanique mechanical

méchant bad, wicked, evil, naughty

médecin *m.* doctor

méfait *n. m.* misdeed

meilleur better, best

mélange *m.* mixture, mingling

mêler mix, mingle, blend

même *adj.* same, very; *pron.* —self (**moi-même** myself); *adv.* even, very

mémoire *f.* memory, recollection

menacer threaten, menace

ménage *m.* household, family; housekeeping

ménagère *f.* housekeeper

mendiant *m.* beggar

mendier beg, ask for alms

mener lead

mensonge *m.* lie, falsehood

menteur *m.* liar; *adj.* lying, false

mentir to tell a lie

menton *m.* chin

mer *f.* sea

merci thanks, thank you

mercier *m.* haberdasher, notion dealer

mère *f.* mother

mériter deserve, merit

merle *m.* blackbird

merveille *f.* wonder, miracle

messagère *f.* messenger

messieurs *pl. of* monsieur

mesure *f.* measure; **battre la mesure** beat time

métier *m.* trade, profession; **faire un métier** follow (ply) a trade (profession)

mettre put, put on, place, set; **se mettre à** + *inf.* begin to; **mettre un couvert** set a place (*at table*); **mettre à la porte** show the door, put out; **se mettre en colère** become angry; **se mettre en route** start out; **se mettre au lit** go to bed; **se mettre à genoux** kneel; **se mettre au jeu** get into the game; **se mettre à table** sit down to table; **se mettre dans la tête** take it into one's head, get the idea (**de** to)

meunier *m.* miller; **garçon**

384

meunier mill hand, miller's apprentice

miche *f.* round loaf of bread

midi *m.* noon; South (*of France*)

miel *m.* honey

mieux *adv.* better, best; **tant mieux!** so much the better! **de mon** (**son,** *etc.*) **mieux** my (his, *etc.*) best, to the best of my (his, *etc.*) ability

milieu *m.* middle; **au milieu** in the middle (midst)

mille *adj.* thousand

millier *n. m.* thousand

mince thin

mine *f.* countenance, look; **faire triste mine** look sad

minuit *m.* midnight

misérable wretched; *n.* wretch

misère *f.* poverty, distress, misery

mode *f.* style, fashion; **à la mode** in style, stylish, fashionably

mœurs *m. pl.* habits, morals

moindre *adj.* less, least

moineau *m.* sparrow

moins *adv.* less, least; **au moins** at least; **de moins en moins** less and less; **à moins que ... ne** unless

mois *m.* month

moisson *f.* harvest, crop (*grain*)

monde *m.* world; **tout le monde** everyone, the whole world

monseigneur *m.* your (his) Grace (*to a Church official*); my lord, your worship, *etc.*

monsieur *m.* sir; gentleman

monter go up, rise, ascend, mount, get upon; take up

montre *f.* watch

montrer show, point out (at)

moquer mock; **se moquer de** make fun of

morceau *m.* piece, morsel

mordre bite

mort *n. f.* death; *n. m.* dead man; *adj.* dead; *p. p.* died

mortel, **–le** deadly, mortal

mot *m.* word; **à mots couverts** cryptical, ambiguous

mouche *f.* fly

moucheron *m.* gnat

mouchoir *m.* handkerchief

mouiller moisten, wet, dampen

moulin *m.* mill; **moulin à vent** windmill; **moulin à vapeur** steam mill

mourir die

mousse *f.* moss

mouvoir move, set in motion

moyen *m.* means, way; **employer les grands moyens** take extreme measures; *adj.* medium, middle sized

muet, **–te** mute, dumb, silent

mugir roar, bellow

mulet *m.* mule

mur *m.* wall

muraille *f.* wall

mûrir ripen

musée *m.* museum

musette *f.* feed bag

myope nearsighted, myopic

myrte *m.* myrtle

N

nage *f.* swimming; **être en nage** be bathed in perspiration

nager to swim

naïf, naïve credulous, naïve

nain *m.* pigmy, dwarf
nappe *f.* cloth, tablecloth
naufrage *m.* shipwreck
navire *m.* ship, vessel
ne: ne . . . pas no, not; **ne . . . jamais** never; **ne . . . plus** no more (longer); **ne . . . que** only; **ne . . . personne** no one, nobody; **ne . . . rien** nothing, not anything; **ne . . . ni . . . ni** neither . . . nor . . .
né *p. p.* **naître** born
nécessaire necessary; *n. m.* **nécessaire de toilette** dressing (toilet) case
négliger neglect
neige *f.* snow
neiger to snow
net, nette clean; sharp
nettoyer to clean
neuf, neuve new
nez *m.* nose
ni nor; **ne . . . ni . . . ni** neither . . . nor . . .
niche *f.* alcove; dog kennel
nicher to nest
nid *m.* nest
niveau *m.* level; **au niveau de** level with
noblesse *f.* nobility
noce *f.* wedding
Noël *m., f.* Christmas
nœud *m.* knot
noir black, dark
nom *m.* name
nombreu-x, –se many, numerous
nommer name, call; elect
non *adv.* no, not; **non pas** not; **non plus** neither, either
nord *m.* north
notaire *m.* notary

noter note down; **être mal noté** have a bad (black) mark
nouer knot, tie
noueu-x, –se knotty
nourrir feed, nourish
nouveau, nouvel, nouvelle new; **de nouveau** again
nouvelle *n. f.* news; **vous aurez de mes nouvelles** you will hear from me
noyer *m.* walnut tree
noyer (se) drown; be lost
nu naked, bare; **tête nue** bareheaded; **pieds nus** barefoot
nuage *m.* cloud
nuisible harmful, injurious
nuit *f.* night; **cette nuit** last night
numéro *m.* number

O

obéir (à) obey
obligé bound, obliged
obscurité *f.* darkness, dimness
observateur *m.* observer
obtenir obtain, get
occuper occupy; **s'occuper** occupy (busy) oneself (**de** with, **à** in)
odeur *f.* smell, odor
odorant sweet-smelling
œil (*pl.* **yeux**) *m.* eye
œuvre *f.* work
office *m.* post, duty, function
offrir offer
oie *f.* goose; **plume d'oie** goose-quill pen
oignon *m.* onion
oiseau *m.* bird; **oiseau de passage** migratory bird
olivier *m.* olive tree
ombragé shaded, shady

386

ombre *f.* shadow, shade, darkness

on *pron.* one, someone, people, we, you, they

onde *f.* wave; sea

onduler ripple, undulate

ongle *m.* fingernail

onze eleven

opérer operate

or *m.* gold

ordonnateur *m.* manager, ruler

ordonner order, prescribe

oreille *f.* ear

orfèvrerie *f.* jewel work

orgueil *m.* pride

orme *m.* elm tree

orner adorn, decorate

orphelin *m.* orphan

orthographe *f.* spelling

os *m.* bone

oser dare

ôter remove, take off (away)

où *adv.* where, when; *rel. pron.* in(to) which, whither; **d'où** whence; **où ça?** where's that?

oublier forget

ouïr hear

outil *m.* tool, instrument

outre besides, in addition

ouvert *p. p.* **ouvrir** opened; *adj.* open

ouverture *f.* opening

ouvrage *m.* work, task

ouvri-er, –ère *m., f.* worker, working man (woman)

ouvrir open

P

paille *f.* straw

pain *m.* bread, loaf

paisible peaceful, peaceable

paix *f.* peace

palais *m.* palace

panier *m.* basket

pantalon *m.* trousers

papier *m.* paper

paquet *m.* package

par by, through, in, on, out of; **par là** that way; **par ic** this way; **de par le monde** throughout the world; **par-ci par-là** here and there

paraître appear, seem

parapluie *f.* umbrella

parc *m.* sheepfold

parce que because

parcourir travel (wander) over (through)

pardessus *n. m.* overcoat

par-dessus *adv.* over, above

pardieu! by Jove!

pareil, –le such, like, similar

parent *m.* parent, relative

paresse *f.* idleness, sloth

parfait perfect

parfois at times, sometimes

parier wager, bet

parler speak, talk

parmi among

parole *f.* word, speech

part *f.* part, share; side; **à part** aside

parti *m.* catch, match (*in marriage*)

participe *m.* participle

partie *f.* part

partir depart, leave, start, go off; **à partir de . . .** from . . . on, after . . .

partout everywhere

pas *adv.* (*cf.* **ne**)

pas *n. m.* step, pace; **à pas de chat** noiselessly, stealthily

passage *m.* passage; **au pas**

387

sage in passing; **passage à niveau** grade crossing; **faire des passages** make flourishes in singing

passant *n. m.* passer-by

passé *n. m.* past

passer pass; **passer par-dessus** overlook; **se passer** take place, happen, go on

pâté *m.* pastry, meat pie; blot, blob (*of ink*)

paternel, –le fatherly

patissier *m.* pastry cook

patois *m.* local dialect, brogue

patron *m.* boss, employer

patte *f.* paw, foot (*of an animal, bird*)

pâturage *m.* pasture, pasturage

paume *f.* tennis

paupière *f.* eyelid

pauvre poor, wretched; *n. m.* beggar, poor person

pavé *m.* paving stone, pavement

payer pay (for)

pays *m.* country, land, region, countryside

paysage *m.* landscape

paysan *m.* peasant

peau *f.* skin

pêche *f.* peach

pêcher to fish

pêcheur *m.* fisherman, fisher

pectoral good for the throat, pectoral

peigne *m.* comb

peigner *v.* to comb

peindre paint

peine *f.* difficulty; pains, trouble; sorrow; **à peine** barely, scarcely, hardly; **faire de la peine** grieve, vex,

pain; **valoir la peine** be worth while (the trouble)

peintre *m.* painter, artist

peinture *f.* painting

pelle *f.* shovel (*flat*)

pencher bend forward (over)

pendant for, during; **pendant que** while

pendre hang

pendule *f.* clock

pénible painful, distressing

pensée *f.* thought

penser think (**à** about, **de** of)

pension *f.* boardinghouse

pensionnat *m.* boarding school

pente *f.* slope; **en pente** sloping

perçant piercing, shrill

perdre lose; undo, ruin

père *m.* father; (*familiar*) old man; **grand-père** grandfather

périr perish

perlé pearled

permettre permit, allow

permit *p. abs.* permettre

personnage *m.* character (*in a play, novel*)

personne *f.* person; *pron.* anyone, anybody; **ne ... personne** no one, nobody; **plus que personne** more than anyone else

perte *f.* loss

pesant *adj.* heavy, sluggish

peser weigh, rest heavily

petit-fils *m.* grandson

peu *adv.* little, few, not very

peuple *m.* people

peur *f.* fear; **avoir peur** be afraid

peut-être perhaps

photographie *f.* photograph

phrase *f.* sentence, phrase; **faire des phrases** speak in flowery language

physique *f.* physics

picorer peck

pièce *f.* piece; room

pied *m.* foot; **à pied** on foot

pierre *f.* stone

pincer pinch; (*slang*) nab, catch

pincette *f.* tongs

pioche *f.* pickaxe, mattock

piquant *adj.* sharp, pointed

piquer prick; peck; fasten (*with a pin*)

pis *adv.* worse, worst; **tant pis!** so much the worse! that's that!

place *f.* place; square (*city*); room (*space*)

plafond *m.* ceiling

plaignit *p. abs.* plaindre

plaindre pity; **se plaindre** complain, whine, groan

plainte *f.* complaint, plaint

plaire (à) please; **s'il vous plaît** if you please

plaisait *p. des.* plaire

plaisanter joke

plaisir *m.* pleasure

plan *m.* plane; **au premier plan** in the foreground, downstage; **au second plan** in the middle ground, middle stage

planer soar, hover

plat *m.* dish (*of food*); **les petits plats** delicacies

platane *m.* plane tree

plâtre *m.* plaster

plein full; **en pleine Normandie** in the heart of Normandy

pleurer weep, cry, bemoan

pleuvoir to rain

plier fold, bend

pluie *f.* rain

plume *f.* feather; pen

plus more; **le plus** more, most; **plus que** more than; **plus de** more than, no more; **de plus** more, in addition, besides, moreover; **de plus en plus** more and more; **non plus** neither, either; **ne ... plus** no longer (more)

plusieurs several

plutôt: **plutôt ... que** rather ... than

poche *f.* pocket

poêle *f.* frying pan

poésie *f.* poetry

poignard *m.* dagger

poignée *f.* handful

poil *m.* fur, hair (*of animals*)

point *m.* point; **point du jour** daybreak, dawn

pointe *f.* point; **sur la pointe des pieds** on tiptoe

pointu pointed

poire *f.* pear; **poire d'angoisse** pear-shaped metal gag

pois *m.* pea

poisson *m.* fish

poitrine *f.* breast

politesse *f.* politeness

pomme *f.* apple

pompier *m.* fireman

pont *m.* bridge; deck (*of a ship*)

porc *m.* pig

portail *m.* portal, gateway

porte *f.* door

porte-cigares *m.* cigar case

portée *f.* reach; **à notre portée** within our reach

porte-faix *m.* porter, dock hand

portefeuille *m.* pocketbook, portfolio

porter carry, bear; wear (*clothes*); se porter be (*in health*); comment se porte-t-elle? how is she?

portier *m.* doorman, porter

poser put, place, set down; poser une question ask a question

poste *f.* post, mail; bureau de poste post office

potage *m.* soup (*cf. Book X, page 45, note 3*)

poteau *m.* post

potence *f.* gibbet, gallows

poudre *f.* powder

poudrer to dust, powder

poule *f.* hen

pouls *m.* pulse

poupée *f.* doll

pour for, to, in order to; pour que in order (so) that, to, for

pourboire *m.* tip, gratuity

pourquoi why

pourri rotted, decayed

poursuivre pursue

pourtant however, yet, still

pourvu que provided (that)

pousser push; grow; utter; pousser un cri cry out, scream

poussière *f.* dust

poutre *f.* beam

pouvoir *n. m.* power, might

pouvoir *v.* can, be able, may; se pouvoir be possible; il se peut (pourrait) it may (might) be

prairie *f.* uncultivated (grass) land

pratique *adj.* practical

pratique *n. f.* practice, custom; trade

précis exact, precise; à deux heures précises at exactly two o'clock

prédire predict, foretell

prédit *p. p.* prédire

premi-er, –ère first; premier ministre prime minister

prendre take, take up(on), seize, catch, capture; prendre au mot take at one's word; prendre son parti make up one's mind, resign oneself; prendre garde take care, be on one's guard, beware, heed; on ne sait par quel bout les prendre one cannot make head or tail of them; se prendre au sérieux take oneself seriously; s'y prendre go about it

près near, nearly; près de near, close, almost; à peu près nearly, almost

presque almost

pressé *adj.* in a hurry, hurried

presser squeeze, press; hurry; se presser be in a hurry

pressoir *m.* press, wine press

prêt ready

prétendre claim, assert

prêter loan, lend

prévoir foresee

prier beg, beseech, ask; je vous en prie I beg of you

prière *f.* prayer, request

printemps *m.* springtime

prise *n. f.* taking; prise d'eau water intake (tank)

prix *m.* value, price; prize; à tout prix at all cost

390

prochain next; impending, near at hand

produire produce, create, cause; se produire be caused, occur

profond deep, profound

proie *f.* prey

projet *m.* plan, project, intention

projeter hurl, throw forward

promenade *f.* walk; faire une promenade take a walk

promener take (lead, guide) about; take for a walk; se promener walk, take a walk

promeneur *m.* walker, stroller

promettre promise

prône *m.* sermon

propos *m.* remark; à propos appropriately, fittingly

proposition *f.* proposal

propre clean; own

protéger protect

prudemment prudently

prunier *m.* plum tree

puis then, afterward, after that

puiser draw (*water*)

puisque since

puissant powerful

puits *m.* well

punir punish

punition *f.* punishment

Q

quai *m.* wharf, dock, platform (*railway*)

quand when

quant: quant à as for; quant à ça as far as that is concerned

quarante forty

quart *m.* quarter; quart d'heure quarter of an hour

que *conj.* that; = quand, parce que; than, as, whether

que *pron.* whom, which, that, what? ce que what, that which

que *adv.* how! what! ne ... que only; que de how much (many)

quelque some, any, a few

quelquefois sometimes

quelqu'un someone, somebody, anyone, anybody

queue *f.* tail

qui who, whom, which, that; ce qui what, that which

quitter leave, quit

quoi what, which; quoi! what! how is that! de quoi the whereby (wherewithal, means)

quoique although, though

R

raccommodage *m.* mending, darning, repairing

racine *f.* root

raconter relate, tell

raffoler be mad (crazy) about (de)

rage *f.* rage, mania; faire rage to rage, storm

ragoût *m.* stew

raifort *m.* horse-radish

raisin *m.* grape

raison *f.* reason; avoir raison be right

raisonnable reasonable, rational

rajeuni rejuvenated

ramasser pick up

ramener bring back

rameur *m.* rower

391

rang *m.* rank; row
rangé *adj.* steady, regular (*of habits*)
rangée *f.* line, row
ranger arrange, put in order, put away (*dishes*)
ranimer revive, restore
rappeler call back, recall; **se rappeler** remember
rapport *m.* report
rapporter bring back
rassembler assemble, call together
râteau *m.* rake
rayon *m.* shelf; ray
rayonner radiate, shine
récepteur *m.* receiver
recette *f.* recipe
recevoir receive
réchaud *m.* warmer (*small stove*)
réchauffer warm (up, again)
recherche *f.* research
récipient *m.* container, receptacle
recommencer begin again
reconnaître recognize
recrutement *m.* recruiting
recueil *m.* collection, miscellany
recueillir collect; **se recueillir** collect (compose) oneself
redescendre come (go) down again; come back downstage
redingote *m.* frock coat
redire repeat, tell again
redresser (se) straighten up (again)
refaire remake, do again
refermer close again
réfléchir reflect, ponder
reflet *m.* reflection (*of image*)

refléter reflect (*image*)
réflexion *f.* reflection
refroidir cool (off)
regagner regain, recover
regard *m.* look, glance, regard
regardant *adj.* particular, fussy
regarder look (at); concern
régime *m.* object (*grammatical*)
règle *f.* rule
régler regulate, arrange, settle
regretter regret, lament, grieve for, be sorry for
reine *f.* queen
rejeter throw back (down)
réjouir gladden, rejoice, cheer, delight
relever raise again, pick (take) up; notice, make out
relire reread, read again
reluire shine, glisten
reluisant *adj.* shining, gleaming
relut *p. abs.* **relire**
remarquer notice
rembruni darkened
remercier thank (**de** for)
remettre replace, put back (again); deliver, hand over; **se remettre au lit** go back to bed again
remonter go back (up); rise; climb (go) up again, remount; go upstage again
remplacer replace
remplir fill
remuer stir, move, shake
rencontrer meet, encounter
rendre give back, return, render, make
renfermer shut up again
renflement *m.* swelling, bulging
renommer praise, extol; renominate, elect
rente *f.* income

392

rentrée *f.* return; reopening (*of school*)

rentrer *v.* return, go (back) in, come back

renverser upset, bowl over, spill, tip

renvoyer send away (back), dismiss

répandre spread

repartir leave (depart) again

repasser iron (*clothes*)

repêcher fish (up) again; (*slang*) get out of a fix, rescue from a difficulty

répondre reply, answer; **je vous en réponds!** you can take my word for it!

réponse *f.* answer, reply, response

repos *m.* rest, repose

reposer (se) rest; **se reposer sur** rely upon

repousser push back (away), repel, thrust aside

reprendre take (get) back again), recapture, seize again

représentation *f.* show, entertainment

réséda *f.* mignonette

résolu *p. p.* **résoudre**

resonner ring again

résoudre resolve

respirer breathe

resplendir glitter, be resplendent

ressemblant *adj.* similar, like

ressort *m.* spring (*of a mechanism*)

reste *m.* remnant, remainder

rester remain, stay, rest

rétablir re-establish

retard *m.* delay; **être en retard** be late

retenir retain, hold (keep) back

retirer withdraw, pull (take) out; **se retirer** withdraw

retomber fall back (again)

retour *m.* return; **être de retour** be back (again)

retourner return, turn (again), go back; **se retourner** turn around

retrousser roll (turn) up

retrouver find again, recover; **se retrouver** be again

réunir (se) meet, gather

réussir succeed (à in)

rêve *m.* dream

réveiller wake (up)

réveillon *m.* midnight supper on the eve of Christmas *or* New Year's

revenir return, come back; **en revenant à lui** coming to himself again

rêver to dream

rêveur *m.* dreamer

revoir see again; revise, proofread; **au revoir** good-bye

rez-de-chaussée *m.* ground floor

ri *p. p.* **rire**

richesse *f.* wealth

ride *f.* wrinkle

ridé *adj.* wrinkled

rideau *m.* curtain

rien nothing, anything; **ne ... rien** nothing; **rien que ...** nothing but ...

rieur *m.* laughter; *adj.* laughing

rire to laugh; *n. m.* laugh

robe *f.* dress, gown, robe; coat (*of animals*)

rocher *m.* rock

roi *m.* king
romain *m.* Roman
roman *m.* novel, story
romarin *m.* rosemary
rompre . break (off)
rond *m.* ring, circle
ronde *f.* round (dance)
roquet *m.* cur, dog, mongrel
rosbif *m.* roast beef
rose *adj.* pink, rosy
roue *f.* wheel
rouet *m.* spinning wheel
rouge red
rougeur *f.* redness, glow
rougir blush, redden
rouille *f.* rust
rouillé *adj.* rusty, rusted
rouiller to rust
rouler roll
route *f.* road, way, route; **grand'route** highway; **en route** on the way; **en route!** let's go! **se mettre en route** start out
rouvrir reopen, open again
royaume *m.* kingdom
ruban *m.* ribbon
ruche *f.* beehive
rude harsh, strong; hard, rough
rue *f.* street
ruisseau *m.* stream, brook
ruisseler trickle, stream
rumeur *f.* confused sound, hum, rumor
ruse *f.* cunning, wile, trick
rusé *adj.* sly, cunning, wily; *n. m.* sly (wily) person
russe Russian

S

sable *m.* sand
sac *m.* bag, sack; **sac de nuit**
traveling bag; **sac au dos** pack on one's back
sache, **sachiez** *pres. subj.* **savoir**
sage *adj.* wise; *n. m.* wise man
sagesse *f.* wisdom
saigner bleed
saisir seize
sain healthy
saladier *m.* salad bowl
sale dirty, soiled
salé *adj.* salt, salted
salle *f.* hall, room; **salle à manger** dining room; **salle d'armes** fencing academy
salon *m.* parlor, salon
saluer greet, bow, salute
salut *m.* greeting, bow, salute
sang *m.* blood
sang-froid *m.* composure, self-control, coolness
sanglant bleeding, blood-stained, reddened
sanglot *m.* sob
sans without; **sans que** without
santé *f.* health
sapin *m.* fir tree
sapristi! by Jove! the deuce!
satisfaire satisfy
saucisson *m.* sausage
saut *m.* leap, jump, bound
sauter to leap, jump; blow up; break the bank (*gambling term*)
sautiller skip, hop
sauvage wild
sauver save; **se sauver** flee, escape, make one's escape
savant *m.* scholar; *adj.* learned, scholarly
savetier *m.* cobbler
saveur *f.* flavor, taste, savor

394

savoir know, know how, be able

savon *m.* soap

scène *f.* stage, scene

sec, sèche dry; gaunt, lean; sharp (*of sound*)

sèchement dryly, curtly

sécher to dry (out)

secouer shake

secours *m.* aid, help; au secours! help!

secousse *f.* jolt, jerk

seigle *m.* rye

Seigneur *m.* Lord

seize sixteen

séjour *m.* abode, sojourn

selle *f.* saddle

selon according to

semailles *f. pl.* sowing

semaine *f.* week

semblant *m.* appearance, pretense; faire semblant de pretend to, make believe

sembler seem

semer sow, sprinkle

semeur *m.* sower

séminariste *m.* seminary student

sens *m.* direction; sense, meaning

sentier *m.* path, trail

sentiment *m.* feeling, sense, sentiment

sentir feel; smell

sérieu-x, –se serious

serré *adj.* tight, close (fitting)

serrer press, clasp, squeeze; serrer la main shake hands

serrure *f.* lock

servir serve; servir à (de) serve as; se servir de use, make use of

serviteur *m.* servant

seuil *m.* threshold, doorsill

seul single, alone, only; à nous deux seuls alone by ourselves

seulement only

sève *f.* sap

si *conj.* if, whether; *adv.* so, yes; si! yes, indeed!

siècle *m.* century

sieur *m.* Mr.; le sieur M— the said M—

siffler whistle; hiss, hum

signe *m.* sign, signal

signer (se) make the sign of the cross

silence *m.* silence; faire silence stop talking, be silent

silencieu-x, –se quiet, silent

sillon *m.* furrow

singuli-er, –ère peculiar, singular

sœur *f.* sister

soie *f.* silk

soif *f.* thirst

soigneusement carefully

soin *m.* care, attention

soir *m.* evening

soirée *f.* evening

soixante sixty; soixante-quinze seventy-five

sol *m.* soil, earth, ground

soldat *m.* soldier

solde *f.* pay (*of a soldier*)

soleil *m.* sun, sunshine; le grand soleil the hot sun

solide firm, strong, solid

sombre dark, somber, gloomy, dismal

somme *f.* sum

somme *m.* nap, sleep

sommeil *m.* sleep

sommeiller nap, doze, slumber

son *m.* sound

sonner to sound; strike (*of a clock*); ring (for)

sonnerie *f.* ringing (sound) of a bell

sonore sonorous

sorcier *m.* wizard, sorcerer

sorte *f.* kind, sort, way; **de la sorte** in that way, like that; **de sorte que** so that

sortie *f.* exit

sortir go (come) out (**de** of), leave, issue; take out, remove; appear, show up

sot, sotte *adj.* foolish, silly; *n.* fool, simpleton

souci *m.* care, worry

soudain *adj.* sudden; *adv.* suddenly

souffle *m.* breath; puff (*of air, wind*)

souffler blow, breathe

souffrir suffer

souhaiter wish, desire

soulever lift, raise up

soulier *m.* shoe

souligner underline

soumettre submit, undergo

soupçon *m.* suspicion

soupçonner suspect

souper *n. m.* supper; *v.* have supper

soupir *m.* sigh

soupirer to sigh

source *f.* spring, source

sourcil *m.* eyebrow

sourd deaf; dull, muffled; *n. m.* deaf person

sourire *v.* to smile; *n. m.* smile

sous under

sous-commission *f.* sub-committee

sous-préfet *m.* sub-prefect

soutenir aid, support

souvenir: se souvenir de remember; *n. m.* memory

souvent often

soyeu–x, –se silky, silken

spirituel, –le witty; sprightly, lively

strider to shrill

sucre *m.* sugar

sueur *f.* sweat

suffire suffice, be sufficient

suie *f.* soot

suite *f.* continuation, sequence, succession; **tout de suite** at once, immediately; **sans suite** incoherent, disconnected; **donner suite à** carry out, follow up

suivre follow

sujet, –te *adj.* subject; *n. m.* subject

superficie *f.* area, surface

sûr *adj.* sure, certain

surgir appear, surge

surprenant surprising

surprendre surprise

surtout especially

surveiller watch over, keep an eye on

T

tableau *m.* picture

tablier *m.* apron

tabouret *m.* stool

tache *f.* spot, stain, blot

taille *f.* stature, height; waist

tailler cut (out), shape, trim

tailleur *m.* tailor

taire (se) be silent, hold one's tongue

tandis que while, whilst

tant so much, so many, so; **tant de** so many

tante *f.* aunt

tantôt presently, soon; tantôt ... tantôt sometimes ... sometimes, now ... now

tapage *m.* uproar, racket

tapis *m.* carpet, cloth, covering

tapisser to carpet, hang with tapestry

tapisserie *f.* tapestry

tard late

tarder delay, be late, be long (à in); tarder à be impatient; il lui tarde de venir he is impatient (anxious) to come

tas *m.* heap, pile

tasse *f.* cup

tâter feel (*with the fingers*)

teinte *f.* tint

tel, –le such, so; un tel such a

télégraphique *adj.* telegraph

témoin *m.* witness

temps *m.* time; weather; de temps en temps occasionally, from time to time; de mon temps in my day

tenace persistent, stubborn, tenacious

tendre spread, hold out, extend, stretch

tendre *adj.* tender

tendresse *f.* tenderness

tenir hold, keep, remain, have; tenez! (tiens!) here! hold on! look here, now! look! tenir à prize highly, care for; se tenir debout stand (up), remain standing

tentant *adj.* tempting

terminer end, terminate

terrain *m.* soil, ground, land

terre *f.* earth, land; floor; à

(par) terre on the ground (floor)

terrestre earthly, terrestrial

terrier *m.* burrow

testament *m.* will (*property*)

tête *f.* head; tenir tête à oppose, resist; en tête at the head

thé *m.* tea

tic *m.* twitching; mannerism, habit

tiède lukewarm, mild

tilleul *m.* linden tree

timbre *m.* sound; bell

timon *m.* plow beam

tirer draw, pull, take (out of, from); fire (*a gun*)

tiroir *m.* drawer

tison *m.* firebrand, ember

tisserand *m.* weaver

toile *f.* cloth (*linen*)

toilette *f.* toilet; faire sa toilette dress (up)

toison *f.* fleece

toit *m.* roof

tombal *adj.* tomb; pierre tombale tombstone

tomber fall; laisser tomber drop

ton *n. m.* tone; air

tonneau *m.* cask

tonnerre *m.* thunder; coup de tonnerre clap of thunder

tordre twist, wring

tort *m.* wrong; faire tort to wrong, do an injustice; avoir tort be wrong

tôt soon; le plus tôt possible as soon as possible

toucher touch; concern

touffe *f.* tuft

toujours always, still, ever, constantly

toupie *f.* top (*toy*)

tour *m.* turn; tour, circuit; trick; **à son tour** in turn; **tour à tour** in turn, one after the other

tour *f.* tower

tourbilloner eddy, swirl, whirl around

tourlourou *m.* (*popular*) infantry private, doughboy

tournebroche *m.* turnspit

tournoi *m.* tournament

tout (*pl.* **tous**) *adj. and pron.* all, the whole, every, everyone, everything; *adv.* very, quite, entirely, wholly; **pas (point) du tout** not at all, by no means; **rien du tout** nothing at all; **tous (les) deux** both; **tout à fait** wholly, completely; **tout en** + *pres. part.* while . . .; **tout à l'heure** + *past tense* a little while ago, + *future tense* in a little while; **tout de même** just the same; **tout à coup** suddenly; **tout au plus** at the most; **tout de suite** at once, immediately

traduire translate

traduit *p. p.* **traduire**

train *m.* train; process; **être en train de** be busy (in the act of)

traîner drag, crawl

trajet *m.* journey (*by train*)

tranchant *adj.* sharp, keen-edged

tranche *f.* edge; **aux tranches dorées** gilt-edged

trancher cut (off), slice

tranquille *adj.* quiet, tranquil, at ease; **sois (soyez) tranquille !** don't worry; **laisser tranquille** leave alone, not bother

tranquillité *f.* peace, tranquillity, quiet

travail *m.* work, task

travaillé *adj.* wrought; weathered

travailler to work

travailleur *m.* worker; *adj.* industrious, hard-working

travers *m.* breadth; **au travers** broadside, obliquely; **à travers** across, through; **de travers** askew, in the wrong direction

traverser cross, traverse, go (come) through; cross stage

treize thirteen

tremblement *m.* quivering, trepidation

trentaine *f.* some thirty

trente thirty

trésor *m.* treasure

tribunal *m.* law court

tribune *f.* rostrum, speaker's platform

tricoter knit

tripot *m.* gaming den, dive

triste sad

tristesse *f.* sadness

trompe *f.* trunk (*of elephant*); horn (*instrument*)

tromper deceive; **se tromper** be mistaken

tronc *m.* trunk (*of a tree*)

trop too much (many), too; **par trop** too much

trotter trot; **se trotter** (*slang*) skedaddle, beat it

trou *m.* hole, gap

troublé *adj.* confused, perplexed

troué *adj.* full of holes, in holes
trouver find; think, judge; se trouver be, happen (to be)
tuer kill
tuile *f.* tile
tumulus *m.* mound
turc Turk, Turkish
turent *p. abs.* taire
tuteur *m.* guardian
tutoyer address familiarly (by tu, te, toi)

U

un *pron.*: l'un l'autre each other; les uns les autres one another; les uns ... les autres ... some ... others ...; l'un et l'autre both
uni *adj.* smooth, level
usage *m.* use, custom, practice
usé *adj.* used, worn, weathered
utile useful

V

vacances *f. pl.* vacation, holidays
vache *f.* cow
vaincre conquer, win
vainqueur *m.* winner, victor; *adj.* victorious, winning
vaisselle *f.* dishes, crockery
valet *m.* personal servant, valet; farmhand
valoir be worth; valoir mieux be preferable (better, worth more)
vapeur *f.* steam
varié *adj.* varied, variegated
veille *f.* eve, evening (day) before
veiller watch (sur over), keep an eye on
velu hairy

vendange *f.* grape (wine) harvest
vendang-eur, -euse *m., f.* grape gatherer (harvester)
vendre sell
venir come; venir de + *inf.* to have just + *p. p.*; venir tout seul come by itself
vent *m.* wind; en plein vent in the open air
ventre *m.* stomach, belly
ver *m.* worm
verger *m.* orchard
véritable real
vérité *f.* truth
verre *m.* glass
verrou *m.* bolt (*of a door*)
vers towards, to; about
verser shed
vert green
veste *f.* jacket, short coat
vestibule *m.* hall, vestibule
vêtements *m. pl.* clothing, clothes
vétérinaire *m.* veterinary
vêtir clothe, dress; peu vêtu scantily dressed
viande *f.* meat; food, viand
vide empty; à vide empty
vider to empty
vie *f.* life; living, livelihood; de ma vie in my whole life
vieillard *m.* old man
vieillir grow old
vierge *f.* virgin
vieux, vieil, vielle old; *n. m.* old man; *n. f.* old woman; *m. pl.* old people (folks); mon vieux old chap (fellow)
vif, vive alive, lively, quick, keen, spirited
vigne *f.* vine, grapevine, vineyard

vigneron *m.* vinegrower
vilain wretched, vile
villageois *m.* villager
ville *f.* city
vin *m.* wine
vingt twenty
violemment violently
visage *m.* face
vite *adj.* quick; *adv.* quickly
vitesse *f.* speed; **à toute vitesse** at full speed
vitre *f.* pane
vivace hardy
vivement quickly
vivre live; **qui vive?** who goes there?
vœu *m.* wish
voie *f.* way, road
voile *f.* sail
voir see
voisin, **–e** *m.*, *f.* neighbor; *adj.* next, near-by, neighboring
voiture *f.* carriage, wagon, cart
voix *f.* voice; **à (d'une) voix basse** in a low voice; **à haute voix** in a loud voice, aloud
vol *m.* theft
vol *m.* flight; **vol plané** soaring flight; **au vol** on the wing
voler fly

voler steal, rob
volet *m.* blind, shutter
voleur *m.* thief
volonté *f.* will, will power
volontiers gladly, willingly
vouloir wish, want, will, like; **en vouloir à** have a grudge against; **vouloir dire** mean; **je le veux bien** I am quite willing
voyage *m.* trip, journey, travel, voyage; **bon voyage** farewell, good-bye to you, a good journey
voyager to travel
voyageur *m.* traveler
vrai true, real
vrille *f.* tendril; gimlet
vue *f.* sight, view

W

wagon *m.* railway car

Y

y *adv.* there, here, within; *pron.* to (for, at, in) it (them); **il y a** there is (are); ago; **ça y est** there now! I'm in for it!
yeux *pl. of* œil

400